HARLAN COBEN

Né en 1962, Harlan Coben vit dans le New Jersey avec sa femme et leurs quatre enfants. Diplômé en sciences politiques du Amherst College, il a rencontré un succès immédiat dès ses premiers romans, tant auprès de la critique que du public. Il est le premier écrivain à avoir reçu le Edgar Award, le Shamus Award et le Anthony Award, les trois prix majeurs de la littérature à suspense aux États-Unis. Il est notamment l'auteur de *Ne le dis à personne...* (Belfond, 2002), qui a remporté le Grand Prix des lectrices de *ELLE* et a été adapté avec succès au cinéma par Guillaume Canet. Il poursuit l'écriture avec plus d'une vingtaine d'ouvrages, dont *Ne t'éloigne pas* (2013), *Six ans déjà* (2014), *Tu me manques* (2015), *Intimidation* (2016), *Double piège* (2017), *Par accident* (2018) et *Ne t'enfuis plus* (2019), publiés chez Belfond. Ses livres, parus en 40 langues, occupent la tête des listes de best-sellers dans le monde entier. Ses ouvrages *Une chance de trop* (2005) et *Juste un regard* (2006) ont fait l'objet d'une adaptation sur TF1 en 2015 et 2017. *À découvert* (2012), *À quelques secondes près* (2013), *À toute épreuve* (2014) et *Sans défense* (2018), publiés chez Fleuve Éditions, mettent en scène le neveu de Myron, Mickey Bolitar. Tous ses titres sont repris chez Pocket.

Retrouvez toute l'actualité de l'auteur sur :
www.harlan-coben.fr

PAR ACCIDENT

DU MÊME AUTEUR
CHEZ POCKET

NE LE DIS À PERSONNE…
(GRAND PRIX DES LECTRICES DE *ELLE*)
DISPARU À JAMAIS
UNE CHANCE DE TROP
JUSTE UN REGARD
INNOCENT
DANS LES BOIS
SANS UN MOT
SANS UN ADIEU
FAUTE DE PREUVES
REMÈDE MORTEL
NE T'ÉLOIGNE PAS
SIX ANS DÉJÀ
TU ME MANQUES
INTIMIDATION
DOUBLE PIÈGE
PAR ACCIDENT

Les enquêtes de Myron Bolitar

RUPTURE DE CONTRAT
BALLE DE MATCH
FAUX REBOND
DU SANG SUR LE GREEN
TEMPS MORT
PROMETS-MOI
MAUVAISE BASE
PEUR NOIRE
SANS LAISSER D'ADRESSE
SOUS HAUTE TENSION
SANS DÉFENSE

Les enquêtes de Mickey Bolitar

À DÉCOUVERT
À QUELQUES SECONDES PRÈS
À TOUTE ÉPREUVE

Harlan Coben présente
INSOMNIES EN NOIR

HARLAN COBEN

PAR ACCIDENT

Traduit de l'anglais (États-Unis)
par Roxane Azimi

belfond

Titre original :
DON'T LET GO
publié par Dutton, une marque de Penguin Random House LLC, New York

Pocket, une marque d'Univers Poche,
est un éditeur qui s'engage pour la préservation
de l'environnement et qui utilise du papier fabriqué
à partir de bois provenant de forêts gérées
de manière responsable.

ISBN : 978-2-266-29215-3
Dépôt légal : octobre 2019

Pour Anne
À ma vie de coer entier

Note de l'auteur

Quand j'étais enfant, dans une banlieue du New Jersey, deux légendes urbaines circulaient sur ma ville natale.

L'une voulait qu'un chef mafieux connu habitât un manoir protégé par un portail en fer et des gardes armés, et qu'il possédât un incinérateur au fond de son jardin en guise de crématorium particulier.

À en croire la seconde légende – celle qui a inspiré ce livre –, à côté de sa propriété et non loin de l'école primaire, derrière des barbelés et des panneaux DÉFENSE D'ENTRER, il y avait un centre de contrôle de missiles Nike équipés d'ogives nucléaires.

Des années plus tard, j'ai appris que ces deux légendes étaient vraies.

Daisy portait une robe noire et moulante avec un décolleté plongeant à vous donner le mal de mer.

Elle a repéré la cible tout au bout du comptoir, en costume gris rayé. Hmm. Ce gars-là était assez âgé pour être son père. Elle aurait peut-être plus de mal à lui faire son numéro… ou peut-être pas. On ne pouvait pas savoir, avec les vieux. Certains, surtout les divorcés de fraîche date, ne demandaient qu'à se la jouer, histoire de prouver qu'ils étaient encore dans la course, même s'ils n'y avaient jamais été de leur vie.

Surtout s'ils n'y avaient jamais été de leur vie.

En traversant la salle d'un pas chaloupé, Daisy sentait les regards des clients ramper tels des lombrics le long de ses jambes nues. Arrivée au bout du bar, elle a pris son temps pour se percher sur le tabouret à côté de lui.

La cible scrutait son verre de whisky comme une gitane sa boule de cristal. Elle attendait qu'il se tourne vers elle. En vain. Daisy a examiné son profil. Une barbe grise et épaisse, un nez bulbeux semblable à du mastic, genre postiche en silicone pour effets spéciaux, et de longs cheveux emmêlés façon balai à franges.

Second mariage, s'est dit Daisy. *Et second divorce, vraisemblablement.*

Dale Miller – tel était le nom de la cible – a pris son verre avec soin et l'a niché entre ses mains comme si c'était un oiseau blessé.

— Salut, a dit Daisy en rejetant ses cheveux en arrière d'un geste minutieusement étudié.

Le regard de Miller a pivoté dans sa direction. Droit dans ses yeux. Elle attendait qu'il descende jusqu'au décolleté – eh bien, quoi ? Même les femmes le faisaient quand elle mettait cette robe –, mais il n'a pas bougé.

— Hello, a-t-il répondu.

Avant de retourner à son whisky.

Normalement, Daisy se laissait courtiser. C'était sa tactique d'approche. Elle disait bonjour, elle souriait, et le gars lui offrait un verre. Le scénario classique. Mais Miller ne semblait pas d'humeur à batifoler. Il a bu une grande gorgée de whisky, puis une autre.

Tant mieux. Qu'il continue à s'imbiber. Cela lui faciliterait la tâche.

— Puis-je faire quelque chose pour vous ? a-t-il demandé.

Baraqué, a pensé Daisy. C'était le mot qui convenait. Même dans ce costume à rayures, Miller avait l'allure d'un biker ou d'un ancien du Viêtnam. Sa voix était grave et rocailleuse. C'était le genre d'homme mûr que Daisy trouvait curieusement sexy, même s'il ne s'agissait probablement que de sa légendaire fixation sur la soi-disant image du père. Daisy aimait les hommes avec lesquels elle se sentait en sécurité.

Voilà bien longtemps qu'elle n'en avait pas rencontré.

C'est le moment d'essayer une autre approche.

— Vous voulez bien que je reste un peu à côté de vous ?

Elle s'est penchée plus près, accentuant l'effet du décolleté.

— Il y a un type, là-bas…, a-t-elle murmuré.

— Il vous importune ?

Joli. Il n'a pas réagi en macho, plastronnant comme tous ces tocards qu'elle avait croisés sur sa route. Dale Miller s'est exprimé calmement, d'un ton détaché, quasi chevaleresque… comme quelqu'un qui lui offrirait sa protection.

— Non, non… pas vraiment.

Son regard a fait le tour de la salle.

— C'est lequel ?

Daisy a posé la main sur son bras.

— Ce n'est rien, je vous assure. C'est juste que… je me sens en sécurité avec vous.

Leurs yeux se sont rencontrés à nouveau. Le nez bulbeux de Miller détonnait dans son visage, mais on le remarquait à peine, tant son regard était bleu et perçant.

— Bien sûr, a-t-il répondu prudemment. Vous voulez boire quelque chose ?

Il n'en fallait guère plus à Daisy. Elle maîtrisait parfaitement l'art de la conversation, et les hommes – célibataires, mariés, en instance de divorce ou autres – se confiaient volontiers à elle. Dale Miller a mis plus de temps – il en était à son quatrième verre, si elle avait bien compté –, mais il a fini par en arriver à sa procédure de divorce avec Clara, sa seconde épouse – eh oui, de dix-huit ans sa cadette. (« J'aurais dû m'en douter, hein ? Quel imbécile je suis. ») Un verre plus tard, il lui a parlé de ses deux enfants, Ryan et Simone, de la bataille pour la garde, de son boulot dans la finance.

Elle aussi devait se mettre à table. C'était la règle du jeu. Histoire d'amorcer la pompe. Elle avait une histoire toute prête, spécialement pour ce genre d'occasion. Une histoire inventée de bout en bout, certes, mais quelque chose dans l'attitude de Miller l'a poussée à y ajouter deux ou trois faits réels. Évidemment, elle n'allait pas lui dire la vérité. Personne ne la connaissait, sauf Rex. Et encore, il ne savait pas tout.

Il a bu du whisky. Elle a bu de la vodka. En essayant de ralentir le rythme. Deux fois, elle a emporté son verre plein aux toilettes, l'a vidé dans le lavabo, l'a rempli d'eau. Cependant, elle se sentait légèrement étourdie quand elle a reçu le texto de Rex.

P ?

P comme Prête.

— Tout va bien ? a demandé Miller.

— Oui, oui. C'est juste un ami.

Elle a répondu *Y* comme *Yes* et s'est tournée vers lui. Normalement, à ce stade, elle suggérait qu'ils aillent dans un endroit plus tranquille. La plupart des hommes sautaient sur l'occasion – là-dessus, la réaction était très prévisible –, mais elle n'était pas sûre que l'approche directe marche avec Dale Miller. Pas parce qu'il ne semblait pas intéressé, mais parce qu'il paraissait – elle ne savait pas trop comment l'exprimer – au-dessus de ça.

— Je peux vous demander quelque chose ? a-t-elle hasardé.

Miller a souri.

— Vous n'avez pas arrêté de la soirée.

Sa voix était légèrement pâteuse. Tant mieux.

— Vous avez une voiture ?

— Oui, pourquoi ?

Elle a jeté un coup d'œil sur la salle.

— Puis-je... vous demander de me raccompagner chez moi ? Je n'habite pas loin.

— Bien sûr, pas de problème.

Puis :

— Il me faudrait un peu de temps pour dessaouler...

Daisy a sauté du tabouret.

— OK, ça ne fait rien. Je rentrerai à pied.

Miller s'est redressé.

— Attendez... comment ?

— Il faut que je rentre, mais puisque vous n'êtes pas en état de conduire...

— Si, si, a-t-il dit en se levant avec effort. Je vous emmène.

— Si ça vous ennuie...

— Ça ne m'ennuie pas, Daisy.

Bingo. Tout en se dirigeant vers la sortie, elle a expédié un rapide texto à Rex :

OPM.

Message codé signifiant : « On part maintenant. »

D'aucuns qualifieraient cela d'arnaque ou d'escroquerie, mais Rex affirmait que c'était de l'argent « légitimement » gagné. Daisy n'en était pas persuadée, mais cela ne la dérangeait pas outre mesure. Le plan était simple, côté exécution, même si la motivation manquait parfois. Un couple était en train de divorcer. Ils se déchiraient pour la garde des enfants. La femme – théoriquement, le mari aussi pouvait recourir à leurs services, mais, jusqu'ici, ils n'avaient eu affaire qu'aux épouses – faisait appel à Rex pour l'aider à remporter cette ultime bataille.

Comment ?

Il épinglait le mari pour conduite en état d'ivresse.

Quel meilleur moyen de prouver que l'homme était un père pas très fiable ?

C'est ainsi que cela fonctionnait. La mission de Daisy était double : veiller à ce que la cible dépasse le taux légal d'alcoolémie, puis l'inciter à prendre le volant. Rex, qui était flic, les arrêtait et verbalisait le chauffeur pour conduite en état d'ébriété, offrant à leur cliente un argument massue à verser dans son dossier. En cet instant précis, Rex attendait dans un véhicule de police deux rues plus loin. Il trouvait toujours un coin désert à proximité du bar fréquenté par la cible. Moins il y avait de témoins, et mieux ça valait. Ils ne voulaient pas d'interférences.

Interpeller le gars, l'embarquer et basta.

Daisy et Miller sont sortis en titubant dans le parking.

— Par ici, a dit Miller. Je suis garé là-bas.

Le sol du parking était jonché de gravillons. En s'approchant d'une Toyota Corolla grise, il les a dispersés d'un coup de pied. Puis il a actionné la commande à distance, et la voiture a répondu d'un double coup de Klaxon assourdi. Désemparée, Daisy l'a regardé bifurquer vers la portière côté passager. Avait-il l'intention de la laisser conduire ? Bon sang, elle espérait que non. Était-il plus ivre qu'elle ne le pensait ? C'était déjà plus plausible. Mais elle a vite compris que ce n'était ni l'un ni l'autre.

Dale Miller était en train de lui ouvrir la portière. Comme un vrai gentleman. C'est dire depuis combien de temps Daisy n'avait pas rencontré de vrai gentleman. Elle n'avait pas compris ce qu'il faisait.

Il a attendu en lui tenant la portière. Daisy s'est glissée dans la voiture. Il s'est assuré qu'elle était bien installée avant de la refermer avec précaution.

Elle a ressenti un pincement au cœur.

Rex lui avait dit et répété qu'ils ne commettaient aucun acte illégal ni même déontologiquement condamnable. Pour commencer, le plan ne fonctionnait pas à tous les coups. Certains hommes ne fréquentaient pas les bars.

— Si c'est le cas, lui avait dit Rex, le gars est clean. Mais notre bonhomme boit déjà, non ? Toi, tu ne fais que lui donner un petit coup de pouce. Il n'est pas obligé de boire et de prendre le volant après. Au final, c'est son choix. Tu ne lui colles pas un flingue sur la tempe.

Daisy a mis sa ceinture. Dale Miller a fait de même. Il a passé la marche arrière, et les pneus ont crissé sur le gravier. Une fois qu'il a eu quitté sa place, Miller s'est arrêté et l'a scrutée longuement. Daisy s'est forcée à sourire, mais ça ne marchait pas.

— Qu'y a-t-il, Daisy ?

Glacée, elle n'a pas répondu.

— Vous êtes soucieuse. Ça se voit sur votre visage.

Faute de mieux, elle s'est contentée de rire.

— Je vous ai raconté ma vie dans ce bar, Dale.

Miller a attendu une seconde ou deux, mais qui lui ont paru durer une heure. Finalement, il s'est tourné face à la route et a passé la vitesse. Sans un mot, ils sont sortis du parking.

— Prenez à gauche, a dit Daisy, consciente de la tension dans sa propre voix. Puis la deuxième à droite.

Silencieux, Dale Miller a suivi ses instructions avec des gestes appliqués, comme quelqu'un qui a trop bu, mais qui n'a pas envie de se faire gauler. La Toyota Corolla était propre et impersonnelle, avec une forte odeur de désodorisant. Après que Miller a tourné à droite, Daisy a retenu son souffle en guettant la sirène et le gyrophare bleu de Rex.

C'était la partie la plus angoissante, car on ne savait jamais comment le type allait réagir. Une de ses cibles avait tenté de prendre la fuite, même s'il avait compris la futilité de sa tentative avant d'arriver à l'intersection. Certains se répandaient en imprécations. D'autres – beaucoup trop nombreux – éclataient en sanglots. C'était le pire. Des hommes adultes, qui venaient de la draguer d'une façon éhontée, la main parfois encore sous sa robe, se mettaient à chialer comme des mômes. En un instant, ils prenaient conscience de la gravité de la situation et perdaient la tête dans la foulée.

Daisy ignorait à quoi s'attendre avec Dale Miller.

Rex maîtrisait le timing comme personne. Dans la seconde, la lumière bleue s'est mise à tournoyer, aussitôt suivie du hurlement de la sirène. Daisy a pivoté pour voir la réaction de Miller. S'il avait été surpris ou contrarié, il n'en laissait rien paraître. Il avait l'air impassible, presque déterminé. Il a mis son clignotant pour s'arrêter soigneusement au bord du trottoir, pendant que Rex se garait derrière lui.

La sirène s'était tue, mais la lumière bleue continuait à tourner.

Dale Miller a regardé Daisy. Elle ne savait quelle attitude adopter. Désarroi ? Sympathie ? Un soupir genre : « Pas de chance » ?

— Tiens, tiens, a observé Miller. On dirait que le passé nous a rattrapés, hein ?

Ces paroles, le ton de sa voix, son expression l'ont troublée. Elle voulait crier à Rex de se dépêcher, mais il prenait son temps comme le font tous les flics. Dale Miller ne la quittait pas des yeux, même après que Rex a tambouriné sur sa vitre. Lentement, il a tourné la tête pour ouvrir la fenêtre.

— Un problème, monsieur l'agent ?

— Carte grise et permis de conduire, je vous prie.

Miller les lui a tendus.

— Avez-vous bu ce soir, monsieur Miller ?

— Peut-être un verre.

Sur ce point au moins, il était semblable aux autres cibles. Ils mentaient tous.

— Voulez-vous descendre du véhicule, s'il vous plaît ?

Miller s'est retourné vers Daisy. Elle fixait le pare-brise, luttant pour ne pas rentrer la tête dans les épaules.

— Monsieur ? a dit Rex. Je vous ai demandé…

— Tout de suite, monsieur l'agent.

Dale Miller a appuyé sur la poignée. Quand la lumière de l'habitacle s'est allumée, Daisy a fermé brièvement les yeux. Miller a émergé de la voiture en grommelant. Il avait laissé la portière ouverte, mais

Rex s'est penché pour la claquer. Par la vitre baissée, Daisy entendait tout ce qui se disait.

— Monsieur, je vais vous soumettre à une série de tests de routine pour établir votre degré d'alcoolémie.

— Ce n'est pas nécessaire, a répondu Miller.

— Pardon ?

— Passons directement à l'éthylotest, ce sera plus simple.

Décontenancé, Rex a jeté un coup d'œil en direction de Daisy. Elle a haussé légèrement les épaules.

— Vous avez bien un Alcootest dans votre véhicule ? s'est enquis Miller.

— Oui, bien sûr.

— Alors ne perdons pas notre temps et ne faisons pas perdre le sien à cette ravissante personne.

Rex a hésité. Puis :

— OK, attendez ici, je vous prie.

— Pas de problème.

Quand Rex a tourné le dos pour regagner sa voiture de police, Dale Miller a sorti un pistolet et lui a tiré deux coups dans la tête. Rex s'est affaissé sur le sol.

Dale Miller a braqué son arme sur Daisy.

Ils sont revenus, a-t-elle pensé. *Après tant d'années, ils ont fini par me retrouver.*

1

Je cache la batte de base-ball derrière ma jambe pour que Très – je pars du principe que c'est Très – ne la remarque pas.

Le présumé Très s'avance en se dandinant vers moi avec son faux bronzage, sa frange emo et ses tatouages tribaux sans signification particulière qui serpentent autour de ses biceps surgonflés. Ellie a décrit Très comme un « connard de la pire espèce », et ça lui correspond bien.

Tout de même, il faut que je sois sûr de mon coup. Au fil du temps, j'ai acquis une technique de déduction imparable pour savoir si j'ai affaire à la bonne personne. Observez et prenez-en de la graine :

— Très ?

Le trouduc s'arrête, plisse son front de Cro-Magnon.

— Qui c'est qui l'demande ?

— Suis-je censé répondre « moi » ?

— Hein ?

Je pousse un soupir. Tu vois le genre de crétin que je dois me coltiner, Leo ?

— Tu as dit : « Qui c'est qui le demande ? » Comme si tu te méfiais. Si je t'avais appelé Mike, tu aurais répondu que je me trompais de bonhomme. En disant : « Qui c'est qui le demande ? » tu me prouves que tu es bien Très.

Il a fait une de ces têtes !

J'avance d'un pas, toujours en dissimulant la batte.

Malgré son look gangsta, je sens que Très n'en mène pas large. Pas étonnant. Je suis un homme d'une carrure respectable, pas une femme d'un mètre cinquante qu'il peut tabasser pour se sentir exister.

— Vous voulez quoi ? me demande-t-il.

Je fais un pas de plus.

— Te causer.

— De quoi ?

Je balance la batte d'une seule main, car c'est le plus rapide. Elle cingle comme un fouet le genou de Très. Il hurle, mais ne tombe pas. J'empoigne la batte à deux mains maintenant. Tu te souviens comment le coach Jauss nous apprenait à frapper dans l'équipe junior, Leo ? Batte en arrière, coude vers le haut. C'était son mantra. Quel âge avions-nous ? Neuf, dix ans ? Peu importe. Je fais exactement comme le coach nous a appris. Je recule la batte au maximum, le coude en l'air, et j'envoie le coup.

La batte atterrit sur le même genou.

Très s'effondre comme touché par une balle.

— S'il vous plaît…

Cette fois, je lève la batte au-dessus de ma tête à la manière d'une hache et, en y mettant tout mon poids, vise toujours le même genou. Je sens quelque chose qui craque. Très braille de plus belle. Je lève à nouveau la batte. Il tente de protéger son genou de ses deux mains. Au point où j'en suis, autant finir le travail, non ?

Je m'attaque à la cheville. Elle cède et prend un drôle d'angle. Avec un craquement comme quand on marche sur du bois sec.

— Tu n'as pas vu mon visage, lui dis-je. Si tu mouftes, je reviens et je t'achève.

Je n'attends pas la réponse.

Tu te souviens du jour où papa nous a emmenés à notre premier match de la Ligue majeure de base-ball, Leo ? Au Yankee Stadium. Nous étions assis dans une loge le long de la troisième ligne de base. Nous avions mis nos gants de base-ball pour pouvoir rattraper ce qu'on appelle dans le jargon une fausse balle, au cas où. Évidemment, il n'y en a pas eu. Papa offrait son visage au soleil, les Ruban sur les yeux, un lent sourire aux lèvres. C'était quelqu'un de cool, papa. Étant français, il ne connaissait pas les règles – c'était aussi son premier match de base-ball –, mais il s'en moquait. C'était une occasion de sortie avec ses jumeaux.

Il n'en demandait pas plus.

Trois rues plus loin, je jette la batte dans la poubelle d'une supérette. Comme je porte des gants, il n'y aura pas d'empreintes. La batte, je l'ai achetée il y a des lustres dans un vide-greniers du côté d'Atlantic City. Aucune chance qu'on remonte jusqu'à moi à cause d'elle. De toute façon, je ne suis pas inquiet. Les flics ne se donneront pas la peine de fouiller dans le container parmi les Slurpees à la cerise pour venir en aide à une brute professionnelle comme Très. À la télé peut-être. Mais dans la vraie vie, ils pencheront pour un règlement de comptes, une histoire de trafic de drogue ou une dette de jeu… bref, quelque chose d'entièrement fondé.

Je coupe à travers le parking et emprunte la route circulaire pour retourner à ma voiture. Je porte une casquette noire des Brooklyn Nets – très street style – et garde la tête baissée. Une fois de plus, je doute que l'affaire soit prise au sérieux, mais on peut toujours tomber sur un novice ultra-zélé qui voudrait examiner les vidéos de surveillance.

On n'est jamais trop prudent.

Je monte dans ma voiture et reprends directement la route de Westbridge. Mon portable sonne… un appel d'Ellie. Comme si elle savait que je manigançais quelque chose. Ellie, ma conscience. Je préfère ne pas répondre.

Westbridge est la banlieue type du rêve américain que les médias qualifient de « résidentielle », voire d'« aisée » ou même de « chic », mais sans aller jusqu'à « huppée ». Il y a les barbecues du Rotary Club, les carnavals du Kiwanis Club, les marchés bio du samedi matin. Les gamins prennent toujours le vélo pour aller à l'école. Le public des matchs de foot interlycées est très nombreux, surtout quand on joue contre notre rival, Livingston. Le base-ball junior a beaucoup de succès. L'un des terrains porte le nom du coach Jauss, mort il y a quelques années.

Je m'arrête toujours devant ce terrain, mais dans une voiture de police à présent. Oui, je suis de ces flics-là. Je pense à toi, Leo, bloqué dans le champ droit. Tu n'avais pas envie de jouer, je le sais, mais tu te doutais que, sans toi, je ne me serais pas inscrit. Les anciens se souviennent encore du sans-faute que j'ai réalisé lors des demi-finales de l'État. Comme tu n'étais pas assez bon pour faire partie de l'équipe, on t'a nommé statisticien. Sûrement pour me faire plaisir. À l'époque, je ne m'en suis pas rendu compte.

Mais toi, Leo, qui étais plus intelligent, plus mûr, je pense que tu l'avais compris.

Je me gare dans l'allée devant la maison. Tammy et Ned Walsh, les voisins d'à côté – moi, je l'appelle Ned Flanders à cause de sa moustache en tablier de sapeur et de ses manières rustiques –, sont en train de nettoyer leurs gouttières. Tous deux me saluent d'un geste de la main.

— Salut, Nap, dit Ned.

— Salut, Ned. Salut, Tammy.

Je me montre toujours amical. Le gentil voisin, quoi. Voyez-vous, je suis un oiseau rare dans une ville de banlieue : un hétéro célibataire sans enfants est un phénomène aussi courant ici qu'une cigarette dans un club de remise en forme. Alors je fais mon possible pour paraître normal, fiable, sans histoire.

Bref, inoffensif.

Papa est mort il y a cinq ans, et certains voisins doivent me considérer comme le vieux garçon qui vit toujours dans la maison de son enfance et rôde dans le quartier tel un Boo Radley. C'est pourquoi je m'efforce d'entretenir la maison. Et d'inviter mes conquêtes féminines chez moi en plein jour, même si je sais que ça ne durera pas.

Autrefois, un type comme moi passait pour un charmant excentrique, un célibataire endurci. Aujourd'hui, les voisins pourraient craindre d'avoir affaire à un pédophile ou quelque chose du même genre, si bien que je fais tout pour les rassurer.

La plupart d'entre eux connaissent notre histoire, alors le fait que j'habite ici ne les étonne pas plus que ça.

J'agite toujours la main à l'adresse de Tammy et Ned.

— Comment ça se passe, Brody et son équipe ? je demande.

Je m'en fiche, mais bon, les apparences, toujours.

— Huit et un, dit Tammy.

— Super.

— Tu devrais venir voir le match mercredi prochain.

— J'en serais ravi.

Aussi ravi que de me faire enlever un rein avec une cuillère à pamplemousse.

Je souris, agite à nouveau la main comme un imbécile et pénètre dans la maison. J'ai quitté notre ancienne chambre, Leo. Depuis cette nuit-là – j'y pense toujours comme à « cette nuit-là », car je récuse la notion de « double suicide », de « mort accidentelle » et même, bien que personne n'y croie, de « meurtre » –, la vue de nos vieux lits superposés m'est devenue insupportable. Je suis allé dormir dans la pièce que nous appelions « le petit salon » au rez-de-chaussée. L'un de nous deux aurait dû le faire depuis longtemps, Leo. Notre chambre était parfaite pour deux petits garçons, mais bien trop exiguë pour de grands ados.

Sauf que ça ne me gênait pas. Ni toi non plus, je pense.

À la mort de papa, j'ai emménagé dans la chambre des parents. Ellie m'a aidé à transformer notre ancienne chambre en bureau avec des meubles blancs intégrés qu'elle appelle « style ferme urbaine ». Je ne sais toujours pas ce que cela signifie.

Je monte dans la chambre et commence à retirer ma chemise quand on sonne à la porte. Sûrement un livreur UPS ou FedEx. Ce sont les seuls qui passent sans prévenir. Du coup, je ne me presse pas de descendre. Quand la sonnette retentit à nouveau, je me demande si j'ai commandé quelque chose qui nécessite une signature. Je ne vois rien. Je vais dans la pièce d'à côté, celle qui donne sur la rue, et regarde par la fenêtre.

Des flics.

En civil, mais mon instinct ne me trompe pas. J'ignore si c'est le maintien, la tenue ou quelque chose d'indéfinissable, mais ce n'est pas non plus parce que je suis flic moi-même… genre on se reconnaît entre gens du métier. Un homme et une femme. Une fraction de seconde, je pense que cela pourrait être lié à Très – déduction somme toute logique, non ? –, mais un coup d'œil sur leur voiture de police banalisée, si ostensiblement banalisée qu'ils auraient pu peindre les mots « voiture de police banalisée » sur les côtés, me révèle qu'elle est immatriculée en Pennsylvanie.

J'enfile rapidement un pantalon de jogging gris et examine mon reflet dans le miroir. Le seul mot qui me vient à l'esprit est « irrésistible ». Enfin, ce n'est pas le seul, mais on va en rester là. Je descends rapidement les marches pour aller ouvrir la porte.

Je ne savais pas à quoi je m'exposais en ouvrant cette porte.

Je ne savais pas, Leo, que tu m'attendais au bout du chemin.

2

Je disais donc, deux flics : un homme et une femme.

La femme est plus âgée que l'homme, dans les cinquante-cinq ans, et porte un blazer bleu, un jean et des chaussures fonctionnelles. La bosse sur sa hanche, là où elle porte son arme, déforme son blazer, mais j'ai l'impression qu'elle s'en fiche. L'homme, la quarantaine, est affublé d'un costume couleur feuille morte, façon proviseur de lycée soucieux de son apparence.

La femme m'adresse un sourire crispé.

— Inspecteur Dumas ?

Elle prononce *Dou-mass.* J'ai un nom français, le même que le grand Alexandre. Leo et moi sommes nés à Marseille. Quand nous sommes arrivés aux États-Unis, à l'âge de huit ans, nos nouveaux « amis » ont trouvé malin de nous rebaptiser *Dumb Ass,* âne bâté. Certains, devenus adultes, continuent de le faire, mais nous… bref, nous ne votons pas pour les mêmes candidats, si vous voyez ce que je veux dire.

Je ne prends pas la peine de la corriger.

— Vous désirez ?

— Je suis le lieutenant Stacy Reynolds. Et voici le brigadier Sturbes.

La vibration qu'ils émettent ne me dit rien qui vaille. Je les soupçonne d'être venus m'annoncer une mauvaise nouvelle, comme la mort d'un proche. Des condoléances, j'en ai présenté dans l'exercice de mes fonctions. Ce n'est pas mon fort. Mais, aussi lamentable que cela paraisse, je ne vois personne de suffisamment important dans ma vie pour justifier l'envoi d'une voiture de police. La seule qui compte pour moi, c'est Ellie, mais elle vit à Westbridge, pas en Pennsylvanie.

Je passe sur les urbanités pour aller directement à :

— De quoi s'agit-il ?

— On peut entrer ? demande Reynolds avec un sourire las. La route a été longue.

— J'ai besoin d'aller aux toilettes, ajoute Sturbes.

— Ça peut attendre, dis-je. Vous êtes là pour quoi ?

— Pas la peine de vous énerver, dit Sturbes.

— Pas la peine de jouer aux devinettes non plus. Je suis flic, vous êtes venus jusqu'ici, alors ne faisons pas traîner les choses.

Sturbes me décoche un regard noir, qui glisse sur moi comme un pet sur une toile cirée. Reynolds pose la main sur son bras pour faire retomber la pression.

— Vous avez raison, me dit-elle. On a une mauvaise nouvelle à vous annoncer.

J'attends.

— Il y a eu un meurtre dans notre circonscription.

— Un flic a été tué, ajoute Sturbes.

Je dresse l'oreille. Un meurtre. Un flic a été tué. On ne sait pas lequel est le pire, mais qui aurait envie de choisir ?

— Qui ? je demande.

— Rex Canton.

Ils attendent de voir ma réaction, mais je suis en train de réfléchir.

— Vous connaissiez l'agent Canton ? s'enquiert Reynolds.

— Je l'ai connu. Il y a une éternité.

— Quand l'avez-vous vu pour la dernière fois ?

Je cherche toujours à comprendre la raison de leur présence ici.

— Je ne sais plus. À la remise des diplômes au lycée, je pense.

— Et pas depuis ?

— Pas que je m'en souvienne.

— Mais vous n'en êtes pas certain ?

Je hausse les épaules.

— Il est peut-être venu à la fête annuelle ou quelque chose comme ça.

— Mais ça ne vous revient pas ?

— Non, ça ne me revient pas.

— Vous n'avez pas l'air très affecté par sa mort, remarque Sturbes.

— Intérieurement, je suis anéanti, dis-je. C'est juste que je suis un dur à cuire.

— Inutile d'ironiser, rétorque Sturbes. On parle de la mort d'un collègue.

— Inutile de perdre notre temps. Je l'ai connu au lycée. Point. Je ne l'ai pas revu depuis. J'ignorais qu'il vivait en Pennsylvanie. Je ne savais même pas qu'il était du métier. Comment a-t-il été tué ?

— Abattu lors d'un contrôle routier, dit Reynolds.

Rex Canton. Je l'ai connu à l'époque, bien sûr, mais c'était plutôt un ami à toi, Leo. Il faisait partie de ta bande. Je me souviens de cette photo loufoque où vous êtes tous déguisés en rockers pour le spectacle scolaire. Rex jouait de la batterie. Ses dents de devant étaient écartées. Il avait l'air d'un garçon plutôt sympa.

— On peut abréger ? je demande.

— Abréger quoi ?

Je ne suis vraiment pas d'humeur.

— Qu'est-ce que vous me voulez ?

Reynolds me regarde, et j'entrevois l'ombre d'un sourire sur son visage.

— Vous ne devinez pas ?

— Non.

— Laissez-moi aller aux toilettes avant que je ne pisse sur votre perron. On parlera après.

Je m'écarte pour les faire entrer. Reynolds y va la première. Sturbes attend en se dandinant d'un pied sur l'autre. Mon portable sonne. C'est encore Ellie. Je le coupe et lui envoie un texto pour dire que je la rappellerai dès que possible. J'entends l'eau couler pendant que Reynolds se lave les mains. Elle sort, Sturbes la remplace. Il est, disons, bruyant. Selon la vieille expression, c'était pressé comme un lavement.

Nous passons au salon. Également aménagé par Ellie. Elle a opté pour un style garçonnière, panneaux en bois et écran géant, mais le bar est en acrylique, et les fauteuils relax en similicuir sont d'une curieuse nuance de mauve.

— Alors ? dis-je.

Reynolds regarde Sturbes. Il hoche la tête. Elle se tourne vers moi.

— Nous avons relevé des empreintes.

— Où ça ?

— Pardon ?

— Vous dites que Rex a été abattu au cours d'un contrôle routier.

— Exact.

— Et où a-t-on retrouvé son corps ? Dans son véhicule ? Dans la rue ?

— Dans la rue.

— Et les empreintes, vous les avez relevées où ? Dans la rue ?

— Dans la rue ou ailleurs, c'est secondaire, répond Reynolds. Ce qui ne l'est pas, c'est la personne à qui elles appartiennent.

J'attends. Eux aussi, semble-t-il. Je finis donc par demander :

— Et à qui appartiennent-elles ?

— Eh bien, ça fait partie du problème. Voyez-vous, elles ne figurent dans aucun fichier criminel. Cette personne n'a pas de casier. Mais ses empreintes sont toujours dans le circuit.

J'ai souvent entendu l'expression « les cheveux se sont dressés sur ma tête », mais je n'en avais jamais fait l'expérience jusqu'ici. Reynolds attend, mais je ne bronche pas. La balle est dans son camp. À elle de la porter jusqu'à la ligne de but.

— Ces empreintes ont été identifiées, poursuit-elle, parce que, il y a dix ans, vous, inspecteur Dumas, les avez entrées dans le fichier sous l'intitulé « témoin privilégié ». Il y a dix ans, quand vous êtes entré dans la police, vous avez demandé à être alerté si jamais il y avait du nouveau.

Je suis sous le choc ; j'essaie de ne pas le montrer, mais j'ai du mal. Je reviens en arrière, Leo. Je reviens quinze ans en arrière. Je repense à ces nuits d'été où elle et moi nous rendions au clair de lune dans cette clairière de Riker Hill où nous étendions une couverture. Je repense à la fièvre, à la pureté délicieuse du désir, mais surtout je pense à l'« après », moi allongé sur le dos, haletant, les yeux rivés sur le ciel nocturne, sa tête sur ma poitrine et sa main sur mon estomac. Les premières minutes, nous nous taisions, puis nous nous mettions à parler… et je savais avec une absolue certitude que je ne me lasserais jamais de parler avec elle.

Tu aurais pu être témoin à notre mariage.

Tu me connais. Je n'ai jamais eu besoin d'avoir un large cercle d'amis. Je t'avais, toi, Leo. Et je l'avais, elle. Puis je t'ai perdu. Et je l'ai perdue, elle aussi.

Reynolds et Sturbes ne me quittent pas des yeux.

— Inspecteur Dumas ?

Je redescends brutalement sur terre.

— Vous dites que ces empreintes sont celles de Maura ?

— C'est exact.

— Mais vous ne l'avez pas encore retrouvée.

— Pas encore, dit Reynolds. Vous voulez bien nous expliquer ?

J'attrape mon portefeuille et les clés de la maison.

— Je le ferai en chemin. Allons-y.

3

Naturellement, Reynolds et Sturbes ont des tas de questions à me poser. Mais je ne cède pas.

— Dans la voiture. Je veux voir la scène de crime.

Nous descendons l'allée de brique que mon père a aménagée de ses propres mains il y a une vingtaine d'années. J'ouvre la marche. Ils pressent le pas pour me rattraper.

— Et si on refuse de vous emmener ? dit Reynolds.

Je m'arrête et agite mon index.

— Eh bien, dans ce cas, bon retour chez vous.

Décidément, Sturbes ne m'aime pas beaucoup.

— On peut vous obliger à parler.

— Vous croyez ? OK.

Je fais demi-tour.

— Tenez-moi au courant.

Reynolds se plante devant moi.

— Un policier est mort. Nous voulons retrouver son meurtrier.

— Moi aussi.

Je suis un très bon enquêteur – sans fausse modestie, c'est comme ça –, mais il faut que je voie la scène de crime. Je connais les protagonistes. Je pourrais aider. D'une façon ou d'une autre, Maura est revenue, et il est hors de question que je lâche l'affaire.

Mais je n'ai pas envie de me justifier devant Reynolds et Sturbes.

— Combien de temps pour arriver là-bas ? je demande.

— Deux heures en roulant vite.

J'ouvre les bras en un geste de bienvenue.

— Vous m'aurez tout ce temps dans la voiture rien que pour vous. Pensez à toutes les questions que vous pourrez me poser.

Sturbes fronce les sourcils. Il n'est pas content ou alors il est tellement habitué à son rôle de méchant flic aux côtés de Reynolds la raisonnable que c'est devenu un automatisme. Ils vont finir par capituler. C'est une évidence. Reste juste à savoir quand.

— Et vous comptez rentrer comment ? demande Reynolds.

— Parce qu'on n'est pas Uber, ajoute Sturbes.

— Ah oui, comment je vais rentrer, dis-je. C'est notre préoccupation principale.

Ils ont beau ne pas avoir l'air ravis, l'affaire est réglée. Reynolds s'installe au volant. Sturbes prend la place du passager.

— Personne pour m'ouvrir la portière ?

J'en rajoute, mais tant pis. Avant de monter, je sors mon portable et clique sur un numéro. De son siège de conductrice, Reynolds me lance un regard inquisiteur. Je lève le doigt pour signifier que j'en ai pour une minute.

Ellie répond :

— Salut.

— Je dois annuler pour ce soir.

Tous les dimanches soir, je travaille comme bénévole dans son foyer d'accueil pour femmes battues.

— Qu'est-ce qui se passe ?

— Tu te souviens de Rex Canton ?

— Il était au lycée avec nous. Bien sûr.

Ellie est mariée et mère de deux petites filles. Je suis leur parrain à toutes les deux. C'est bizarre, mais ça marche. Ellie est la plus belle personne que je connaisse.

— Il était flic en Pennsylvanie, dis-je.

— Oui, j'en avais entendu parler.

— Tu ne me l'as jamais dit.

— Pour quoi faire ?

— C'est vrai.

— Eh bien, qu'est-ce qui lui arrive ?

— Rex a été tué au cours d'un contrôle routier.

— Oh non ! c'est affreux. Ça me fait de la peine.

D'ordinaire, ce ne sont que des mots. Chez Ellie, on sent l'empathie.

— Et quel rapport avec toi ? questionne-t-elle.

— Je te l'expliquerai plus tard.

Elle ne perd pas son temps à me demander le pourquoi du comment. Elle sait que si j'avais voulu en dire plus, je l'aurais fait.

— OK, appelle-moi si tu as besoin de quoi que ce soit.

— Occupe-toi de Brenda, lui dis-je.

S'ensuit une courte pause. Brenda est pensionnaire au foyer et mère de deux enfants. Sa vie était devenue un enfer à cause d'une brute épaisse. Il y a quinze jours, elle s'est réfugiée chez Ellie avec des contusions, des côtes cassées, ses deux enfants et rien d'autre que ce qu'elle portait sur elle. Depuis, elle a trop peur de sortir, même pour aller prendre l'air dans la cour abritée du foyer. Elle tremble beaucoup. Elle grimace et se ratatine comme dans l'attente d'un coup.

J'aimerais dire à Ellie que Brenda peut rentrer chez elle pour récupérer ses affaires, car son tortionnaire, l'abruti nommé Très, ne sera pas de retour avant un certain temps, mais, là-dessus, on reste discrets, Ellie et moi.

Ils finiront par savoir. Ils finissent toujours par savoir.

— Dis à Brenda que je reviendrai.

— Promis.

Et elle raccroche.

Je suis seul à l'arrière de la voiture, avec Reynolds et Sturbes à l'avant, comme un gosse avec ses parents. Ils ne m'interrogent pas tout de suite. Ils restent muets. Je lève les yeux au ciel. Non, mais franchement. Ils oublient que je suis flic, moi aussi ? Ils veulent me faire parler, me faire avouer quelque chose, ils essaient de m'avoir à l'usure. C'est la version motorisée de la salle d'interrogatoire où l'on fait mariner le suspect à dessein.

Je n'ai pas envie de jouer. Je ferme les yeux et m'assoupis.

Reynolds me réveille.

— Votre prénom, c'est réellement Napoleon ?

— Eh oui, dis-je.

Mon père français détestait ce prénom, mais ma mère, une Américaine à Paris, n'a rien voulu entendre.

— Napoleon Dumas ?

— Tout le monde m'appelle Nap.

— Un nom débile, commente Sturbes.

— Sturbes, dis-je. Vos initiales, ce ne serait pas M. A. ?

— Hein ?

Reynolds pouffe de rire. J'ai du mal à croire qu'on ne la lui a jamais faite, celle-là. Il réfléchit, répète tout bas :

— M. A. Sturbes.

Puis finit par comprendre.

— Vous êtes trop con, Dumas.

Cette fois, il prononce mon nom correctement.

— Bon, alors vous nous expliquez, Nap ? dit Reynolds.

— Posez vos questions.

— C'est bien vous qui avez rentré Maura Wells dans le fichier automatisé des empreintes digitales ?

— Admettons.

— Quand ?

Ils le savent déjà.

— Il y a dix ans.

— Pourquoi ?

— Elle avait disparu.

— On a vérifié, dit Sturbes. Personne n'a signalé sa disparition.

Je ne réponds pas. Le silence se prolonge. Reynolds reprend la parole.

— Nap ?

Ça se présente mal, mais je n'y peux rien.

— Maura Wells était ma petite amie au lycée. En terminale, elle a rompu avec moi du jour au lendemain. Elle a coupé les ponts. Et elle est partie. Je l'ai cherchée, mais je n'ai pas réussi à la retrouver.

Reynolds et Sturbes échangent un regard.

— Vous avez parlé à ses parents ? demande Reynolds.

— À sa mère, oui.

— Et… ?

— Elle m'a répondu que les affaires de Maura ne me regardaient pas et que je ferais mieux de m'occuper des miennes.

— Plutôt sain comme conseil, commente Sturbes.

Je ne relève pas.

— Quel âge aviez-vous ? demande Reynolds.

— Dix-huit ans.

— Donc, vous avez cherché Maura en vain…

— C'est ça.

— Et ensuite ?

Je ne tiens pas à en parler, mais Rex est mort, Maura est revenue, et si je ne donne pas un peu, je n'aurai rien en retour.

— Quand je suis entré dans la police, j'ai mis ses empreintes dans le fichier. J'ai rédigé un rapport pour faire part de sa disparition.

— Ce n'est pas prévu dans le règlement, ça, déclare Sturbes.

— Ça se discute. Vous êtes ici pour me chicaner sur les arcanes du protocole ?

— Pas du tout, répond Reynolds.

— Je ne sais pas, dit Sturbes, feignant de prendre un air dubitatif. Une fille vous largue. Cinq ans après, vous enfreignez le règlement et entrez son nom dans le fichier. Pourquoi… ? Vous vouliez la retrouver pour vous remettre avec elle ?

Il hausse les épaules.

— Cela ressemble à du harcèlement.

— Je trouve ça glauque, Nap, ajoute Reynolds.

Ils connaissent mon passé. Mais pas tout.

— J'imagine que vous avez mené vos recherches tout seul ? demande Reynolds.

— Plus ou moins.

— Et vous ne l'avez pas trouvée.

— Exact.

— À votre avis, où aurait-elle pu passer ces quinze dernières années ?

Nous roulons sur l'autoroute en direction de l'ouest. J'essaie toujours de remettre de l'ordre dans mes idées. J'essaie d'associer mes souvenirs de Maura à l'image de Rex. Et je pense à toi, Leo. Tu étais ami avec les deux. Cela signifie-t-il quelque chose ? Peut-être, peut-être pas. Nous étions tous dans la même classe, nous nous connaissions tous. Mais dans quelle mesure Maura était-elle proche de Rex ? Ou bien l'aurait-il reconnue par hasard ? Dans ce cas, cela veut-il dire qu'elle l'a tué ?

— Je n'en sais rien, dis-je.

— C'est bizarre, fait remarquer Reynolds. Il n'y a eu aucune activité récente au nom de Maura Wells. Elle ne semble pas avoir de compte en banque, ni de cartes de crédit. Rien côté impôts non plus. Nous étudions toujours la piste papiers…

— Vous ne trouverez rien.

— Vous avez vérifié.

Ce n'est pas une question.

— Depuis quand Maura Wells a-t-elle disparu des écrans radar ? me demande-t-elle.

— Pour ce que j'en sais, dis-je, ça va faire quinze ans.

4

La scène de crime est une petite portion d'une route secondaire tranquille comme on en trouve aux abords d'un aéroport ou d'une gare ferroviaire. Pas d'habitations. Une zone industrielle qui a connu des jours meilleurs. Çà et là, des entrepôts abandonnés ou sur le point de l'être.

Nous descendons de voiture. Quelques tréteaux en bois branlants bloquent le passage, mais un véhicule peut les contourner facilement. Jusqu'ici, je n'en ai vu aucun. J'en prends note mentalement : absence de trafic. Le sang n'a pas encore été nettoyé. Quelqu'un a entouré à la craie l'endroit où Rex est tombé. Je n'ai pas vu cela depuis belle lurette, un vrai tracé à la craie.

— Expliquez-moi tout depuis le début, dis-je.

— Vous n'êtes pas là en tant qu'enquêteur, éructe Sturbes.

— Vous voulez quoi, jouer au plus con ou arrêter l'assassin ?

Il plisse les yeux.

— Même si l'assassin est votre amour de jeunesse ?

Justement. Mais je le garde pour moi.

Ils laissent passer une bonne minute, histoire de se faire prier, puis Reynolds commence le déroulé des faits :

— L'agent Canton arrête une Toyota Corolla dans cette zone vers une heure et quart du matin, pour un contrôle d'alcoolémie, semble-t-il.

— J'imagine qu'il l'a signalé par radio ?

— Tout à fait.

C'est le règlement. Quand on arrête un véhicule, on prévient par radio et on note le numéro de la plaque, au cas où celui-ci aurait été volé ou s'il y a eu des antécédents. On relève également le nom du propriétaire.

— À qui appartenait la voiture ?

— À une agence de location.

Cela m'inquiète, mais tout m'inquiète là-dedans.

Je demande :

— Ce n'était pas une grosse agence, n'est-ce pas ?

— Pardon ?

— La société de location. Ce n'était pas Hertz ou Avis.

— Non, c'est une petite boîte qui s'appelle Sal's.

— Laissez-moi deviner, dis-je. Ça se trouve près d'un aéroport et on n'a pas besoin de réserver.

Reynolds et Sturbes échangent un regard.

— Comment le savez-vous ? dit Sturbes.

Sans me préoccuper de lui, je me tourne vers Reynolds.

— Elle a été louée par un dénommé Dale Miller de Portland, dans le Maine, répond-elle.

— Ses papiers, ils étaient faux ou volés ?

Nouvel échange de regards.

— Volés.

Je touche le sang. Il est sec.

— Il y a des caméras dans l'agence de location ?

— Ils vont nous envoyer les vidéos, mais, d'après le réceptionniste, il s'agit d'un homme âgé, entre soixante et soixante-dix ans.

— Où a-t-on retrouvé la voiture de location ?

— À six cents mètres de l'aéroport de Philadelphie.

— Combien de séries d'empreintes ?

— À l'avant ? Juste celles de Maura Wells. L'agence de location nettoie l'habitacle entre deux clients.

Je hoche la tête. Un camion apparaît et passe devant nous. C'est le premier véhicule que je vois sur cette route.

Je répète :

— À l'avant.

— Pardon ?

— Vous dites, les empreintes à l'avant. Quel côté… conducteur ou passager ?

Ils se regardent une fois de plus.

— Les deux.

J'examine la route, la position du corps tracée à la craie, et j'essaie d'y voir clair. Puis je me tourne vers eux.

— Une hypothèse ?

— Deux personnes, un homme et votre ex, Maura, sont dans la voiture, dit Reynolds. L'agent Canton les arrête pour un contrôle. Ils paniquent, lui tirent dessus et prennent la fuite.

— C'est l'homme qui a dû tirer, ajoute Sturbes. Il descend de voiture, sort son arme. Votre ex se glisse derrière le volant, il saute sur le siège du passager. Ça expliquerait les empreintes des deux côtés.

— Comme on l'a déjà dit, la voiture a été louée avec des papiers volés, reprend Reynolds. Donc, l'homme avait des choses à cacher. Canton les interpelle, flaire quelque chose de louche… et y laisse sa peau.

J'acquiesce comme si j'admirais leur travail. Ils sont à côté de la plaque, mais, faute de meilleure explication, je préfère ne pas les braquer. Ils ne me disent pas tout. À leur place, j'aurais fait pareil. Il faut que je découvre ce qu'ils me cachent, et le seul moyen d'y arriver est de ne pas trop la ramener.

J'affiche mon sourire le plus enjôleur.

— Puis-je voir la caméra embarquée ?

C'est par là qu'il faut commencer. D'habitude, on n'y voit pas tout, mais, pour le cas qui me préoccupe, ce sera suffisant. J'attends leur réponse. Ils auraient toutes les raisons de refuser, mais, cette fois, dans leur échange de regards, je sens comme un malaise.

— Si vous arrêtiez de nous balader, déjà ? dit Sturbes.

Au temps pour le sourire enjôleur.

— J'avais dix-huit ans. J'étais en terminale. Maura était ma copine.

— Et elle vous a largué. Vous nous l'avez déjà dit.

Reynolds le fait taire d'un geste de la main.

— Que s'est-il passé, Nap ?

— La mère de Maura. Vous avez dû la localiser. Que vous a-t-elle dit ?

— C'est nous qui posons les questions, Dumas, répond Sturbes.

Mais Reynolds comprend que j'accepte de coopérer.

— Nous avons retrouvé la mère, oui.

— Et… ?

— Elle affirme qu'elle n'a pas parlé à sa fille depuis des années. Et qu'elle ignore totalement où elle se trouve.

— Vous avez eu affaire à Mme Wells directement ?

Reynolds secoue la tête.

— Elle refuse de nous rencontrer. Elle nous a fait parvenir sa réponse via un cabinet d'avocats.

Mme Wells a donc pris un avocat.

— Et vous y croyez, à son histoire ?

— Pas vous ?

— Non.

Je ne suis pas prêt à leur révéler cette partie-là de l'histoire. Après le texto de rupture de Maura, j'ai pénétré par effraction dans sa maison. Sur un stupide coup de tête, oui. Ou peut-être pas. J'étais hagard et désemparé, sous le double choc d'avoir perdu mon frère et l'amour de ma vie. Ceci explique peut-être cela.

Pourquoi me suis-je introduit chez elle ? Je cherchais des indices pour essayer de deviner où elle pouvait bien être. Moi, un ado de dix-huit ans, jouant les détectives. Je n'ai pas découvert grand-chose, mais j'ai volé deux objets dans sa salle de bains : une brosse à dents et un verre. Je ne me doutais pas que je deviendrais flic un jour, mais, à tout hasard, je les ai gardés. Ne me demandez pas pourquoi. En tout cas, c'est ainsi que, à la première occasion, j'ai rentré les empreintes et l'ADN de Maura dans le fichier.

Et je me suis fait gauler.

Par la police, rien de moins. Plus précisément, le capitaine Augie Styles.

Tu l'aimais bien, Augie, n'est-ce pas, Leo ?

Depuis cette nuit-là, Augie est devenu une sorte de mentor pour moi. C'est grâce à lui que je suis flic. Et papa et lui sont devenus amis. Des camarades de beuverie, comme on dit. Ce drame nous a rapprochés. Mais on a beau se sentir proche de quelqu'un qui vit la même chose que vous, la douleur est toujours là. C'est une relation carotte-bâton, la définition même du doux-amer.

— Pourquoi ne croyez-vous pas la maman ? demande Reynolds.

— Je l'ai placée sous surveillance.

— La mère de votre ex ?

Sturbes affiche un air incrédule.

— Bon sang, Dumas, vous êtes un vrai maniaque.

Je fais comme s'il n'était pas là.

— La mère reçoit des appels de téléphones jetables. Du moins, elle en a reçu.

— Comment le savez-vous ? s'enquiert Sturbes.

Je ne réponds pas.

— Vous aviez un mandat pour consulter ses factures téléphoniques ?

Je ne réponds pas. Je regarde fixement Reynolds.

— Vous pensez que c'est Maura qui l'appelle ? demande-t-elle.

Je hausse les épaules.

— Et pourquoi votre ex se donnerait-elle tout ce mal pour rester cachée ?

Nouveau haussement d'épaules.

— Vous avez bien une idée.

J'en ai une, oui. Mais je ne suis pas encore prêt à explorer cette piste-là. Elle est à la fois logique et inconcevable. J'ai mis beaucoup de temps à l'envisager.

Je l'ai soumise à deux personnes, Augie et Ellie, et tous les deux pensent que je suis cinglé.

— Montrez-moi la vidéo de la caméra embarquée.

— C'est toujours nous qui menons l'enquête, s'interpose Sturbes.

— Montrez-moi la vidéo, et j'y verrai plus clair.

Reynolds et Sturbes se regardent, gênés.

Reynolds fait un pas vers moi.

— Il n'y a rien à montrer.

Cela me surprend. Et apparemment, je ne suis pas le seul.

— La caméra était coupée, dit Sturbes en guise d'explication. Canton n'était pas en service.

— On suppose que l'agent Canton l'a éteinte, ajoute Reynolds, parce qu'il rentrait au poste.

— Il termine à quelle heure ?

— Minuit.

— Et le poste de police est loin d'ici ?

— Cinq kilomètres.

— Alors qu'a fait Rex entre minuit et une heure et quart du matin ?

— Nous essayons toujours de reconstituer ses dernières heures, réplique Reynolds. D'après nos informations, il a juste gardé son véhicule au-delà de son temps de service.

— Ça arrive, s'empresse d'ajouter Sturbes. Vous savez comment ça se passe. Si vous bossez le jour, vous rentrez chez vous le soir avec la voiture de police.

— Et même si couper la caméra n'est pas réglementaire, ajoute Reynolds, ça se fait.

Ils n'arriveront pas à me convaincre, mais il faut dire qu'ils n'y mettent pas beaucoup de conviction non plus.

Le téléphone fixé à la ceinture de Sturbes sonne. Il le saisit et s'écarte de quelques pas. Deux secondes après, il demande :

— Où ça ?

Il marque une pause, puis raccroche et se tourne vers Reynolds.

— Il faut qu'on y aille, dit-il sèchement.

Ils me déposent dans une gare routière tellement déserte qu'on s'attend à voir des virevoltants rouler sur le bitume. Il n'y a personne au guichet. D'ailleurs, j'ai l'impression qu'il n'y a même pas de guichet.

Deux rues plus loin, je tombe sur un motel sordide avec tous les avantages et commodités d'un bouton d'herpès, ce qui, en l'occurrence, est une métaphore à plusieurs niveaux. L'enseigne promet des tarifs à l'heure, la « TV couleur » (y a-t-il encore des motels avec des postes en noir et blanc ?) et des « chambres à thème ».

— Je prendrai la suite Gonorrhée, dis-je au réceptionniste.

Il me jette une clé tellement vite que je crains que mon vœu ne soit exaucé. La chambre est décorée dans les tons qu'un optimiste qualifierait de « jaune délavé », mais que moi j'appelle « pisseux ». Je rabats le couvre-lit, me disant que je suis à jour de mon vaccin contre le tétanos, et prends le risque de m'allonger.

Le capitaine Augie n'est pas venu chez nous après mon effraction chez Maura.

À mon avis, il craignait que papa n'ait une attaque en voyant une voiture de police s'arrêter une fois de plus devant la maison. Jamais je n'oublierai cette image :

la voiture de police qui tourne comme au ralenti, Augie qui en descend, ses pas alourdis par la lassitude dans notre allée. Sa propre vie venait de basculer quelques heures plus tôt, et il savait que c'était notre tour.

Bref, c'est pour cela qu'Augie m'a coincé sur le chemin du lycée au lieu d'aller voir mon père.

— Je ne veux pas que tu aies des ennuis, m'a-t-il dit, mais tu ne peux pas faire ça.

— Elle sait quelque chose, lui ai-je répondu.

— Absolument pas. Maura est juste une gamine qui a peur.

— Vous lui avez parlé ?

— Fais-moi confiance, fiston. Fiche-lui la paix.

Oui, je lui ai fait… je lui fais toujours confiance. Et non, je n'ai pas réussi à lui fiche la paix.

Les mains derrière la tête, je fixe les taches au plafond. Mieux vaut ne pas se demander comment elles ont atterri là. En ce moment même, Augie est à la plage au Sea Pine Resort à Hilton Head avec une femme qu'il a connue sur un site de rencontres pour seniors. Pas question pour moi de le déranger là-bas. Augie et la mère de Diana, Audrey, ont divorcé il y a huit ans. Leur mariage a subi un coup fatal « cette nuit-là », mais il a tenu tant bien que mal sept années de plus avant de mourir de sa belle mort. Augie a mis longtemps avant de sortir avec d'autres femmes, alors pourquoi lui gâcher ses vacances avec des spéculations ?

Il sera de retour dans un jour ou deux. Cela peut attendre.

J'hésite à appeler Ellie pour tester mes folles hypothèses auprès d'elle quand, soudain, on frappe avec insistance à la porte. Je balance mes pieds hors du lit.

Il y a deux flics en uniforme dans le couloir. L'air peu amène. On dit que, parfois, on finit par ressembler à son conjoint. Je pense que c'est valable pour les coéquipiers dans la police. Dans le cas présent, ils sont tous les deux blancs, les muscles saillants et le front proéminent. Si je les revois un jour, j'aurai du mal à les différencier.

— Ça vous gêne pas qu'on entre ? ricane Flic Numéro Un.

— Vous avez un mandat ?

— Non.

— Si, dis-je.

— Si, quoi ?

— Si, ça me gêne que vous entriez.

— Tant pis.

Flic Numéro Deux me bouscule pour pénétrer dans la chambre. Je laisse faire. Ils entrent tous les deux et ferment la porte.

Flic Numéro Un ricane à nouveau.

— C'est gentil chez vous.

J'imagine que c'est une pique déguisée. Comme si j'avais décoré cette chambre moi-même.

— Paraît que vous dissimulez des infos, dit Flic Numéro Un.

— Rex était notre ami.

— Et vous nous dissimulez des infos.

À bout de patience, je sors mon arme et la pointe entre eux deux. Leurs bouches s'arrondissent de surprise.

— Non mais ça va pas… !

— Vous êtes entrés dans ma chambre de motel sans mandat.

Je vise l'un, puis l'autre, avant de revenir au milieu.

— Ce serait facile de vous descendre tous les deux, vous coller vos flingues dans les mains et invoquer la légitime défense.

— Vous déconnez ou quoi ? demande Flic Numéro Un.

J'entends la peur dans sa voix. Alors je me rapproche et darde sur lui mon regard de dingue. Je suis très fort à ce jeu-là. Tu le sais bien, Leo.

— Vous voulez qu'on se batte oreille contre oreille ?

— Hein ?

— Votre pote…

Je désigne Flic Numéro Deux de la tête.

— … dégage. On ferme la porte à clé. On pose nos armes. L'un de nous deux sort d'ici avec l'oreille de l'autre entre les dents. Qu'en dites-vous ?

Je me penche plus près et fais mine de mordre.

— Vous êtes complètement cinglé.

— Vous ne croyez pas si bien dire.

Maintenant que je suis lancé, j'ai presque envie qu'il relève le défi.

— Alors, mon grand ? Qu'en dites-vous, hein ?

On frappe à la porte. Flic Numéro Un bondit littéralement pour ouvrir.

C'est Stacy Reynolds. Je cache mon arme derrière ma jambe. Reynolds n'a pas l'air ravie de voir ses collègues. Elle les fusille du regard. Ils baissent la tête comme des écoliers turbulents à qui on vient de passer un savon.

— Eh, les deux bouffons, qu'est-ce que vous fabriquez ici ?

Flic Numéro Deux dit :

— C'est que…

Là-dessus, il hausse les épaules.

— Il sait des choses, reprend Flic Numéro Un. On voulait juste dégager le terrain pour vous.

— Sortez. Tout de suite.

Ils s'exécutent. Reynolds remarque alors l'arme contre ma cuisse.

— Ça ne va pas, Nap ?

Je rengaine mon pistolet.

— Ne vous inquiétez pas pour ça.

Elle secoue la tête.

— Les flics feraient mieux leur boulot si le bon Dieu leur avait donné une plus grosse paire de couilles.

— Vous aussi, vous êtes flic.

— Justement. Allez, venez. J'ai quelque chose à vous montrer.

5

Hal, le barman de chez Larry et Craig, Bar et Grill, a l'air nostalgique.

— Une bombe atomique, dit-il.

Puis, fronçant légèrement les sourcils :

— Trop sexy pour ce vieux pépère, ça, c'est sûr.

Si je vois bien le bar chez Larry et Craig, Bar et Grill, il n'y a clairement pas de gril. Le sol poisseux est recouvert de sciure et jonché de coques de cacahuètes. Il dégage une odeur de bière rance et de vomi qui vous monte au nez. Je n'ai pas besoin d'aller aux toilettes, mais je sais d'avance que la chasse d'eau ne fonctionne pas et que l'urinoir déborde de glaçons.

Reynolds me fait signe de prendre les choses en main.

— Comment était-elle ? je demande.

Hal continue à froncer les sourcils.

— C'est quoi que vous pigez pas dans le mot « bombe » ?

— Rousse, brune, blonde ?

— Brune.

— Autre chose ?

— Une bombe.
— Ça, j'ai compris.
— Bien carrossée, dit Hal.
Reynolds soupire.
— Elle était avec un homme, n'est-ce pas ?
— Elle était beaucoup trop bien pour lui, ça, je peux vous le dire.
— Vous vous répétez, là, je réponds. Ils sont venus ensemble ?
— Non.
— Qui est arrivé le premier ? demande Reynolds.
— Le vioque, dit Hal avec un geste dans ma direction. Il s'est assis pile là où vous êtes maintenant.
— Comment était-il ?
— La soixantaine, cheveux longs, barbe emmêlée, gros nez. Une tête de biker, mais costard gris, chemise blanche, cravate bleue.
— Lui, vous vous en souvenez, dis-je.
— Hein ?
— Vous vous souvenez de lui. Mais elle ?
— Si vous l'aviez vue avec sa robe noire, vous ne vous souviendriez pas de grand-chose d'autre.
— Donc, il est assis là, seul, en train de boire, dit Reynolds pour nous ramener à notre sujet. Combien de temps avant l'arrivée de la femme ?
— Je ne sais pas, moi. Vingt, trente minutes.
— Puis elle arrive et… ?
— Elle fait son entrée, vous voyez le tableau ?
— On voit, oui, dis-je.
— Elle va droit vers lui.
Hal écarquille les yeux, comme s'il décrivait l'atterrissage d'un OVNI.

— Et elle l'allume direct.

— Ils se connaissaient peut-être, non ?

— J'ai pas l'impression. C'est pas la vibration que j'ai captée.

— Et quelle vibration avez-vous captée ?

Hal hausse les épaules.

— J'ai pensé que c'était une pro. C'est ce qui m'est venu à l'esprit, si vous voulez tout savoir.

— Vous avez beaucoup de pros par ici ? je demande.

Hal se raidit instantanément, sur ses gardes.

— On s'en fout, du racolage, Hal, intervient Reynolds. On enquête sur le meurtre d'un policier.

— Ça arrive, oui. On a deux boîtes de strip-tease pas loin. Parfois, les filles s'offrent de petits à-côtés.

Je regarde Reynolds, qui confirme d'un hochement de tête.

— J'ai envoyé Sturbes y faire un tour.

— Et elle, vous l'avez déjà vue par ici ? je reprends.

— En tout, trois fois.

— Vous vous en souvenez ?

Hal écarte les mains.

— Combien de fois faut vous le répéter ?

— Une bombe, dis-je à sa place.

Je suis en plein déni. Cette « bombe » n'est pas forcément Maura, même si la description, aussi vague soit-elle, lui correspond bien.

— Les deux autres fois, elle est repartie avec des hommes ?

— Oui.

J'essaie de l'imaginer. Trois fois dans ce bouge. Repartant chaque fois avec un homme différent. Maura. Je ravale mon amertume.

Hal se frotte le menton.

— Réflexion faite, c'est peut-être pas une pro.

— Qu'est-ce qui vous fait dire ça ?

— C'est pas le genre.

— Et c'est quoi, le genre ?

— C'est comme ce juge a dit à propos du porno : il suffit de le voir pour le reconnaître. C'en est peut-être une, je ne sais pas. Ou alors, c'est autre chose. Une détraquée, par exemple. On en voit parfois. Des nanas sexy, mariées, mères de famille. Elles viennent ici pour coucher avec des mecs. Des détraquées, quoi. Elle est peut-être comme ça, elle aussi.

Voilà qui est rassurant.

Reynolds tape du pied. Elle m'a amené ici pour une raison précise, qui n'a rien à voir avec ces questions-là.

Assez procrastiné. Je hoche la tête. C'est le moment.

— OK, dit-elle à Hal. Montrez-lui l'enregistrement vidéo.

La vieille télé est déjà perchée sur le bar. Il y a deux clients dans la salle, mais ils semblent tous deux fascinés par le contenu de leurs verres. Hal presse le bouton. L'écran s'allume, d'abord un point bleu et, trente secondes plus tard, un grésillement furieux.

Hal vérifie l'arrière du poste.

— C'est le cordon.

Il le rebranche. L'autre bout du cordon effiloché est connecté à un magnétoscope. Le rabat est cassé, laissant entrevoir la vieille cassette dans la fente.

Le bouton de marche descend en cliquetant. La qualité de l'image est déplorable : jaune, nébuleuse, floue. La caméra surplombe le parking de façon à tout couvrir : du coup, on ne voit pas grand-chose. On devine le modèle des voitures et quelques couleurs, mais impossible de lire les plaques d'immatriculation.

— Le patron enregistre tout sur la même cassette jusqu'à ce qu'elle claque, explique Hal.

Je connais la chanson. La compagnie d'assurances doit exiger la présence d'une caméra vidéo, et le patron se plie à la règle à moindres frais. La bande se déroule cahin-caha. Reynolds désigne une voiture dans le coin supérieur droit.

— On pense que c'est le véhicule de location.

J'acquiesce.

— On peut mettre sur avance rapide ?

Hal obéit. C'est comme autrefois, quand on voyait tout en accéléré. Il relâche le bouton lorsque deux personnes sortent du bar. Elles nous tournent le dos. Elles sont à distance, filmées par-derrière, deux silhouettes floues capturées par une caméra trop éloignée.

Mais je vois la femme marcher.

Le temps s'arrête. Le tic-tac lent, régulier dans ma poitrine est suivi d'une explosion. Mon cœur vole en éclats.

Je me souviens de la première fois où je l'ai vue marcher. Il y a une chanson que papa aimait bien, la chanson d'Alejandro Escovedo intitulée « Les castagnettes ». Tu te rappelles, Leo ? Bien sûr que tu te rappelles. Il y est question d'une femme invraisemblablement sexy : « Je la préfère quand elle s'en va. » Je n'étais pas de cet avis – je préférais Maura quand elle arrivait vers moi, épaules en arrière, les yeux dans les yeux –, mais je comprends très bien ce qu'il entendait par là.

En terminale, les jumeaux Dumas sont tous les deux tombés amoureux. Je t'ai présenté à Diana Styles, et, la semaine d'après, tu m'as fait rencontrer Maura Wells. Même sur ce point-là – sortir avec des filles, découvrir l'amour –, on a été synchro, hein, Leo ? Maura était la rebelle qui faisait partie de ta bande de geeks. Diana était la gentille fille, pom-pom girl et vice-présidente du conseil des élèves. Son père, Augie, était capitaine de police et mon entraîneur de foot. Je l'entends dire en plaisantant que sa fille a choisi « le meilleur des Dumas ».

Enfin, je pense que c'était une plaisanterie.

C'est idiot, je sais, mais je continue à me poser des questions. On n'a jamais discuté de ce qu'on ferait après le lycée. Aurions-nous fréquenté la même université, toi et moi ? Serais-je resté avec Maura ? Toi et Diana, auriez-vous... ?

C'est idiot.

— Alors ? dit Reynolds.

— C'est Maura.

— Vous en êtes sûr ?

Je ne me donne pas la peine de confirmer. Mon regard est rivé sur l'écran. Le type aux cheveux gris ouvre la portière de la voiture, et Maura s'installe côté passager. Je le vois faire le tour et s'asseoir derrière le volant. La voiture quitte sa place de stationnement en marche arrière et se dirige vers la sortie. Je la suis des yeux jusqu'à ce qu'elle disparaisse de mon champ de vision.

— Ils ont beaucoup bu ? je demande à Hal.

Le voici à nouveau sur ses gardes.

Reynolds lui remet les pendules à l'heure :

— On s'en fout, de leur surconsommation d'alcool, Hal. On enquête sur le meurtre d'un flic, je vous le rappelle.

— Ouais, ils ont bien picolé.

Je réfléchis en essayant de comprendre.

— Oh ! et autre chose, ajoute Hal. Elle ne s'appelle pas Maura. Enfin, ce n'est pas le prénom qu'elle a utilisé.

— Et quel prénom a-t-elle utilisé ? demande Reynolds.

— Daisy.

Reynolds me regarde avec une sollicitude que je trouve curieusement touchante.

— Ça va ?

Je sais à quoi elle pense. L'amour de ma vie, dont l'image me hante depuis quinze ans, traîne dans ce trou à rats sous un faux nom et sort avec des inconnus. La puanteur qui règne ici commence à m'indisposer. Je me lève, remercie Hal et me hâte vers la porte. Je l'ouvre et me retrouve dans le parking que je viens juste de voir sur la vidéo. J'aspire l'air frais à grandes goulées. Mais ce n'est pas pour ça que je suis sorti.

Je regarde l'endroit où la voiture de location était garée.

Reynolds me rejoint.

— Une idée ?

— Ce gars-là lui a ouvert la portière.

— Et alors ?

— Il n'a pas trébuché. N'a pas tâtonné en cherchant ses clés. N'a pas oublié ses bonnes manières.

— Encore une fois, et alors ?

— Vous l'avez vu repartir ?

— Oui.

— Pas de coups de volant ni de coups de frein brusques.

— Ça ne veut rien dire.

Je me dirige vers la route.

— Où allez-vous ? demande-t-elle.

Je continue à marcher. Reynolds m'emboîte le pas.

— Il est loin, le carrefour ?

Elle hésite, car elle a dû comprendre où je veux en venir.

— Deuxième à droite.

C'est bien ce que je pensais. Pour arriver à la scène de crime, il faut moins de cinq minutes à pied. Une fois sur place, je me retourne vers le bar, puis je contemple l'endroit où Rex est tombé.

Cela n'a pas de sens. Pas encore. Mais je brûle.

— Rex les a alpagués drôlement vite, fais-je remarquer.

— Il devait surveiller ce bar.

— Si on regarde cette vidéo, je parie qu'on verra des gars bien plus saouls en sortir. Alors pourquoi eux ?

Reynolds hausse les épaules.

— C'étaient peut-être des gens d'ici. Tandis que, lui, il avait la plaque d'un loueur.

— On préfère pincer un étranger ?

— Par exemple.

— Qui a pour passagère une fille que Rex a connue au lycée ?

Le vent se lève. Il rabat quelques mèches de cheveux sur le visage de Reynolds. Elle les repousse.

— J'ai vu de plus grosses coïncidences.

— Moi aussi, dis-je.

Sauf que ce n'est pas une coïncidence. J'essaie d'imaginer la scène. À commencer par ce que j'en sais : Maura et l'homme d'une soixantaine d'années au bar, ils sortent ensemble, il lui tient la portière, ils partent, Rex les interpelle.

— Nap ?

— J'ai quelque chose à vous demander, lui dis-je.

6

Les enregistrements de vidéosurveillance chez Sal, Location de véhicules, sont de meilleure qualité. Je les regarde en silence. Comme d'habitude, la caméra est perchée trop en hauteur. Tous les malfaiteurs le savent et font ce qu'il faut pour ne pas se faire repérer. Ici, le faux Dale Miller porte une casquette de base-ball enfoncée sur les yeux. Comme il baisse la tête, il est impossible de distinguer clairement ses traits. J'entrevois comme un début de barbe. Il boite.

— Un pro, dis-je à Reynolds.

— Comment ça ?

— Casquette enfoncée, tête baissée, fait semblant de boiter.

— Comment savez-vous qu'il fait semblant ?

— De la même façon que j'ai reconnu la démarche de Maura. On peut avoir une démarche particulière. Et quel est le meilleur moyen de cacher ça pour attirer l'attention sur un détail trompeur ?

— Faire semblant de boiter, répond Reynolds.

Nous sortons de la cabane qui abrite l'agence de location dans l'air frais du soir. Plus loin, je vois un homme allumer une cigarette. Il lève la tête et exhale un long panache de fumée, comme papa autrefois. J'ai commencé à fumer après la mort de mon père. Ça a duré un an. Je sais que c'était débile. Papa est mort d'un cancer du poumon après avoir fumé toute sa vie, et ma réaction à cette mort horrible a été de m'y mettre à mon tour. J'aimais bien sortir seul à l'air libre avec une cigarette, comme ce type en face de moi. C'était peut-être ce qui me plaisait : quand j'allumais une clope, les gens restaient à l'écart.

— On ne peut pas se fier à l'âge non plus, dis-je. Les cheveux longs, la barbe… ça pourrait être un déguisement. Souvent, les gens se vieillissent pour endormir la méfiance. Rex a arrêté un homme relativement âgé pour un contrôle routier. Du coup, il se sentait en confiance.

Reynolds hoche la tête.

— Je demanderai quand même à un expert d'étudier l'enregistrement image par image. Peut-être qu'il trouvera quelque chose.

— Tout à fait.

— Une hypothèse, Nap ?

— Pas vraiment.

— Mais ?

Je regarde l'homme aspirer une grande bouffée et souffler la fumée par le nez. Je suis francophile – le vin, le fromage, la langue, tout le bataclan –, ce qui pourrait expliquer ma brève liaison avec la cigarette. Les Français fument bien plus que nous. Évidemment, ma francophilie s'explique facilement, pour quelqu'un qui est né à Marseille et a passé les huit premières années de sa vie à Lyon. Je n'en fais pas étalage, contrairement à ces imbéciles prétentieux qui ne connaissent rien au vin, mais qui ont soudain besoin d'un sac à bouteille et qui traitent le bouchon de liège comme un objet d'art.

— Nap ?

— Vous croyez à l'intuition, Reynolds ? Au flair policier ?

— Bon sang, non. Les erreurs les plus stupides qu'un flic puisse commettre sont toutes dictées par…

Elle dessine des guillemets avec ses doigts.

— … son « intuition » ou ses « pressentiments ».

J'aime bien Reynolds. Je l'aime beaucoup.

— Justement.

La journée a été longue. La raclée que j'ai administrée à Très, j'ai l'impression que c'était il y a un mois. Maintenant que l'adrénaline est retombée, je me sens vidé. Mais comme je viens de le dire, j'aime bien Reynolds. Je devrais peut-être lui renvoyer l'ascenseur. Après tout, pourquoi pas ?

— J'avais un frère jumeau. Il s'appelait Leo.

Elle ne dit rien.

— Vous étiez au courant ? je lui demande.

— Non, je devrais ?

Je secoue la tête.

— Leo avait une petite amie du nom de Diana Styles. Nous avons tous grandi à Westbridge, là où vous êtes venue me chercher.

— Jolie ville, dit Reynolds.

— C'est vrai.

Je ne sais pas comment lui présenter la chose. Cela n'a aucun sens, alors je continue à radoter.

— En terminale donc, mon frère Leo sort avec Diana. Ils vont à une soirée. Je ne suis pas là. J'ai un match de hockey dans une autre ville. On jouait contre Parsippany Hills. C'est drôle, les choses dont on se souvient. J'ai marqué deux buts et fait deux passes décisives.

— Impressionnant.

Je souris légèrement en repensant à mon ancienne vie. Si je ferme les yeux, je revois encore chaque minute de ce match. Mon second but a été le but de la victoire. Alors que nous jouions en infériorité numérique. J'ai intercepté le palet juste avant la ligne bleue, filé sur la gauche, feinté le gardien et, d'un revers de la crosse, expédié la rondelle par-dessus son épaule. La vie d'avant, la vie d'après.

Une navette d'aéroport avec l'inscription SAL, LOCATION DE VÉHICULES s'arrête devant la cabane. Des voyageurs fatigués – tout le monde a l'air fatigué au moment de louer une voiture – en descendent et se mettent en file.

— Vous aviez donc un match de hockey dans une autre ville, me souffle Reynolds.

— Et ce soir-là, Leo et Diana ont été heurtés par un train. Ils sont morts sur le coup.

Reynolds porte une main à sa bouche.

— Mon Dieu, je suis désolée.

Je garde le silence.

— Était-ce un accident ? Un suicide ?

Je hausse les épaules.

— Personne ne sait. En tout cas, pas moi.

Le dernier à descendre de la navette est un homme d'affaires corpulent traînant une énorme valise avec une roulette cassée. Son visage est rouge fluo.

— Y a-t-il eu un rapport officiel ? questionne Reynolds.

— Mort accidentelle. Deux lycéens imbibés d'alcool et passablement défoncés aussi. Marcher sur ces rails, c'était une manie fréquente chez les ados de Westbridge… des défis stupides, parfois. Un autre jeune est mort dans les années 1970 en essayant de sauter par-dessus. Tout le lycée était en deuil. Les médias ont moralisé en guise d'avertissement pour les autres : tous deux jeunes et beaux, buvant, se droguant, qu'est-ce qui ne va pas dans la société, vous connaissez la chanson.

— Je connais, acquiesce Reynolds.

Puis :

— En terminale, vous dites ?

Je hoche la tête.

— Pendant que vous-même sortiez avec Maura Wells.

Elle est trop forte.

— Et à quel moment exactement Maura s'est-elle enfuie ?

Je hoche à nouveau la tête. Reynolds a tout compris.

— Merde, dit-elle. Combien de temps après ?

— Quelques jours. Sa mère a prétendu que j'exerçais une mauvaise influence sur elle. Elle voulait que sa fille quitte ce lieu de perdition où les jeunes buvaient, se droguaient et se baladaient sur la voie ferrée juste avant le passage d'un train. Officiellement, Maura a été envoyée dans un internat.

— Ça arrive.

— Ouais.

— Mais vous n'y avez pas cru ?

— Non.

— Où était Maura le soir où votre frère et sa petite amie ont trouvé la mort ?

— Je n'en sais rien.

Reynolds commence à y voir clair.

— C'est pour ça que vous la recherchez encore aujourd'hui. Ce n'est pas seulement pour son décolleté vertigineux.

— Même si c'est un facteur non négligeable.

— Ah ! les hommes.

Reynolds se rapproche de moi.

— Vous pensez que Maura sait quelque chose au sujet de la mort de votre frère ?

Je ne réponds pas.

— Qu'est-ce qui vous fait croire ça, Nap ?

— Un pressentiment, dis-je. Une intuition.

7

Comme j'ai une vie et un boulot, je fais appel à un service de voitures avec chauffeur pour me ramener chez moi.

Ellie me téléphone pour avoir des nouvelles, mais je lui dis que cela peut attendre. Nous convenons de nous retrouver à l'Armstrong Diner pour le petit déjeuner. Je coupe mon portable, ferme les yeux et m'endors pendant le reste du trajet. Au moment de régler la course, j'offre un pourboire conséquent au chauffeur afin qu'il se trouve un motel pour la nuit.

— Nan, faut que je rentre, répond-il.

Je lui laisse quand même le pourboire. Pour un flic, je suis plutôt riche. L'un n'empêche pas l'autre. Je suis l'unique héritier de mon père. D'aucuns affirment que l'argent est la source de tout le mal. Peut-être. D'autres disent que l'argent ne fait pas le bonheur. C'est probablement vrai aussi. Mais si on le gère correctement, l'argent vous permet de gagner en temps et en liberté, qui sont des notions beaucoup plus concrètes que le bonheur.

Bien qu'il soit minuit passé, je prends ma voiture pour me rendre au centre hospitalier Clara-Maass à Belleville. Je montre ma plaque et monte à l'étage de Très. Je jette un œil dans sa chambre. Très dort, la jambe surélevée, moulée dans un énorme plâtre. Je vais trouver une infirmière et lui explique que j'enquête sur son agression. Elle me dit que Très ne remarchera pas avant six mois au minimum. Je la remercie et ressors.

Une fois chez moi, dans la maison vide, je me couche et fixe le plafond. Parfois, j'oublie mon étrange condition de célibataire vivant dans une maison au milieu de résidences familiales. J'y suis habitué maintenant. Je repense à cette nuit qui avait si bien commencé. J'étais rentré de ce match victorieux contre Parsippany Hills regonflé à bloc. Deux recruteurs de l'Ivy League étaient dans les gradins ce soir-là. Tous deux m'ont fait des propositions. J'avais hâte de te raconter tout ça, Leo. Assis dans la cuisine avec papa, j'ai attendu ton retour. Une bonne nouvelle n'avait de sens que si je la partageais avec toi. Papa et moi, on bavardait tout en guettant le bruit de ta voiture dans l'allée. La plupart des jeunes de notre âge devaient respecter un couvre-feu, mais pas nous. Certains parents considéraient cela comme du laxisme, mais papa haussait les épaules en disant qu'il nous faisait confiance.

Tu n'es pas rentré à dix heures, Leo, ni à onze, ni même à minuit. Et quand une voiture s'est enfin engagée dans notre allée aux alentours de deux heures du matin, je me suis précipité vers la porte.

Sauf que ce n'était pas toi. C'était Augie, dans sa voiture de policier.

Le lendemain matin, à mon réveil, je prends une longue douche chaude. J'ai besoin d'avoir l'esprit clair.

Faute d'éléments nouveaux concernant Rex, je ne veux pas perdre mon temps en conjectures. Je monte dans la voiture, direction l'Armstrong Diner. Si vous voulez connaître les meilleures adresses de la ville, demandez à un flic. L'Armstrong est une sorte d'hybride. La déco est du pur rétro : une façade tout en chrome et néons, avec DINER affiché en grosses lettres rouges sur le toit, un bar buvette, le nom des plats du jour écrits à la main sur un tableau, des banquettes imitation cuir. La cuisine, toutefois, est branchée et à connotation éthique. Le café est étiqueté « commerce équitable ». La nourriture, c'est « de la ferme à l'assiette », même si, quand on commande des œufs, je ne vois pas quel autre chemin ils pourraient emprunter.

Ellie m'attend à une table dans un coin. Quelle que soit l'heure du rendez-vous, elle arrive toujours la première. Je m'installe en face d'elle.

— Bonjour ! lance-t-elle avec son entrain coutumier.

Je grimace. Elle adore ça.

Elle glisse un pied sous ses fesses pour se rehausser un peu. Ellie, c'est un concentré d'énergie. On a l'impression qu'elle remue même quand elle est assise. Je ne lui ai jamais pris le pouls, mais je parie que, au repos, son cœur bat à plus de cent par minute.

— Par qui on commence ? demande-t-elle. Rex ou Très ?

— Qui ça ?

Elle fronce les sourcils.

— Très.

Je ne bronche pas.

— Le compagnon maltraitant de Brenda.

— Ah ! d'accord. Pourquoi, qu'est-ce qu'il a ?

— Quelqu'un l'a agressé avec une batte de base-ball. Il ne remarchera pas avant longtemps.

— C'est malheureux, dis-je.

— Oui, je vois bien que tu es effondré.

Je manque de répondre « Effondré comme Très », mais je me retiens.

— Le bon côté, poursuit Ellie, c'est que Brenda a pu retourner à l'appartement. Elle a pris ses affaires et celles des enfants, et elle a enfin réussi à dormir. C'est un grand soulagement pour nous.

Elle me scrute un peu trop longuement.

Je hoche la tête. Puis je dis :

— Rex.

— Quoi ?

— Tu m'as demandé si je voulais commencer par Rex ou par Très.

— On en a fini avec Très.

À mon tour de la dévisager.

— Le sujet est donc clos ?

— Oui.

— Parfait, dis-je.

Bunny, la serveuse vieux jeu avec un crayon dans ses cheveux archi-décolorés, vient nous verser le café du commerce équitable.

— Comme d'habitude, mes petits cocos ? s'enquiert-elle.

Nous acquiesçons de conserve. Ellie et moi venons souvent ici. La plupart du temps, nous prenons des sandwichs à l'œuf mollet. Ellie préfère le « simple » : deux œufs sur du pain au levain avec cheddar blanc et avocat. Moi, c'est la même chose, mais avec du bacon.

— Bon, alors parle-moi de Rex, dit Ellie.

— Ils ont trouvé des empreintes sur la scène de crime. Elles appartiennent à Maura.

Ellie écarquille les yeux. Dans la vie, j'ai eu mon lot de galères. Je n'ai pas de famille, pas de compagne, pas de projets, pas beaucoup d'amis. Mais cette femme magnifique, dont la bonté rayonne au plus obscur de la nuit, est ma meilleure amie. Réfléchissez un peu. Si Ellie m'a choisi *moi* pour ce rôle, c'est que, malgré mon parcours chaotique, je ne dois pas avoir que des défauts.

Je lui raconte tout.

Quand j'en arrive à l'histoire de Maura dans ce bar avec des hommes, son visage se décompose.

— Oh ! Nap…

— Ça va, ce n'est pas grave.

Elle me décoche un regard sceptique parfaitement mérité.

— Je ne pense pas qu'elle se prostituait ou cherchait à se taper des hommes.

— C'était quoi, alors ?

— En un sens, cela pourrait être pire.

— Comment ça ?

Je ne réponds pas. Inutile de spéculer tant que Reynolds ne m'a pas fourni les informations que je lui ai demandées.

— Quand on s'est parlé hier, reprend Ellie, tu savais déjà pour les empreintes de Maura, n'est-ce pas ?

Je hoche la tête.

— Ça s'entendait dans ta voix. D'accord, un de nos anciens camarades du lycée est mort, mais tu semblais… bref, je me suis permis de prendre une initiative.

Elle se penche vers un sac à main de la taille d'un paquetage militaire et en sort un gros livre.

— J'ai trouvé quelque chose.

— Qu'est-ce que c'est ?

— Ton exemplaire du trombinoscope du lycée.

Elle le laisse tomber sur la table en Formica.

— Tu l'as commandé au début de notre année de terminale, mais pour des raisons… évidentes, tu n'es jamais venu le chercher. Du coup, je l'ai gardé pour toi.

— Pendant quinze ans ?

Ellie hausse les épaules.

— J'étais la présidente de la commission du trombinoscope.

— Évidemment.

Au lycée, Ellie était sage et propre sur elle. Elle portait des chandails et des rangs de perles. C'était la première de la classe, celle qui geignait qu'elle allait rater l'interro et qui finissait avant les autres, avec un A, pour passer le reste du temps imparti à faire ses devoirs. Elle avait toujours sur elle plusieurs crayons numéro deux idéalement taillés, juste au cas où, et, en fin d'année, la couverture de son cahier de textes avait la même allure que la vôtre le jour de la rentrée.

— Et pourquoi me le donnes-tu maintenant ?

— Je voudrais te montrer quelque chose.

Je m'aperçois alors que certaines pages sont marquées d'un Post-it rose.

Ellie humecte son doigt pour le feuilleter.

— Tu ne t'es jamais demandé comment on a géré Leo et Diana ?

— Géré ?

— Dans le trombinoscope. La commission était divisée. Fallait-il laisser leurs photos à leur place, par ordre alphabétique, comme les autres élèves de terminale, ou bien les publier à part, accompagnées d'une notice nécrologique ?

J'avale une gorgée d'eau.

— Vous avez vraiment débattu là-dessus ?

— Tu ne t'en souviens peut-être pas – on ne se connaissait pas bien à l'époque –, mais je t'ai demandé ce que tu en pensais.

— Si, si, je m'en souviens.

J'avais rétorqué que je m'en moquais… dans un langage moins châtié, sûrement. Leo était mort. Qui se souciait de la façon dont le trombinoscope allait gérer ça ?

— Pour finir, la commission a décidé de les sortir du lot et de créer une section nécrologique. La secrétaire de la classe… tu te souviens de Cindy Monroe ?

— Oui.

— Elle était un peu psychorigide sur les bords.

— Une connasse, tu veux dire.

Ellie se penche en avant.

— C'est un synonyme de psychorigide, non ? Bref, Cindy Monroe nous a rappelé que, normalement, les pages principales étaient réservées aux élèves diplômés.

— Or Leo et Diana sont morts avant la remise des diplômes.

— C'est ça.

— Tu veux bien en venir au fait, Ellie ?

— Deux sandwichs œuf mollet.

Bunny pose bruyamment les assiettes devant nous.

— Bon appétit.

L'odeur qui s'en échappe monte à mes narines et prend possession de mon estomac. Je saisis délicatement mon sandwich à deux mains et mords dedans. Le jaune se répand et imprègne la mie.

Manne. Ambroisie. Nectar des dieux. Choisissez le terme qui convient.

— Je ne veux pas te gâcher le petit déjeuner, me dit Ellie.

— Ellie.

— Très bien.

Elle ouvre le trombinoscope à l'une des dernières pages.

Et te voici, Leo.

Tu portes mon vieux blazer, car j'étais ton jumeau, mais j'étais plus grand que toi. Ce blazer, j'ai dû l'acheter en classe de quatrième. La cravate est à papa. Tu n'as jamais su faire un nœud correct. C'est papa qui la nouait pour toi, avec panache. Quelqu'un a essayé d'aplatir ta tignasse indisciplinée, mais ça n'a pas marché. Tu souris, Leo, et je ne peux pas m'empêcher de sourire à mon tour.

Je ne suis pas le premier à perdre un frère prématurément. Je ne suis pas le premier à perdre un jumeau. Ta mort a été un cataclysme, certes, mais ma vie ne s'est pas arrêtée là. Je m'en suis remis. Je suis retourné au lycée quinze jours après « cette nuit-là ». J'ai même joué le samedi suivant contre Morris Knolls – une diversion salutaire –, bien que j'y aie mis trop d'ardeur. J'ai écopé d'une pénalité de dix minutes pour avoir failli faire passer un gars à travers la balustrade de Plexiglas. Tu aurais adoré. D'accord, j'ai été un peu maussade en classe. Pendant quelques semaines, j'ai fait l'objet de toutes les attentions, puis ça s'est tassé. Quand mes notes en histoire ont chuté, Mme Freedman m'a dit gentiment mais fermement que ta mort n'était pas une excuse. Elle avait raison. La vie continue, et c'est un affront en soi. Quand on a du chagrin, au moins on a quelque chose. Mais quand le chagrin s'estompe, qu'est-ce qui reste ? On va de l'avant, or je ne voulais pas aller de l'avant.

D'après Augie, c'est pour cela que je me focalise sur des détails et n'accepte pas ce qui est une évidence pour d'autres.

Je contemple fixement ton visage. Puis je demande, d'une drôle de voix :

— Pourquoi tu me montres ça ?

— Regarde son revers.

Ellie se penche par-dessus la table et pointe du doigt un petit pin's argenté. Je souris à nouveau.

— Deux C croisés, dis-je.

— Des C croisés ?

Je souris toujours en songeant à tes enfantillages.

— Comme le Club des conspirateurs.

— Il n'y avait pas de club de conspirateurs au lycée de Westbridge.

— Officiellement, non. C'était censé être un genre de société secrète.

— Tu étais au courant, alors ?

— Bien sûr.

Ellie reprend le trombinoscope, revient aux pages du début et le tourne vers moi. Cette fois, c'est moi sur la photo. Raide comme un piquet, le sourire figé. J'ai l'air d'un parfait imbécile. Elle désigne mon revers.

— Je n'en faisais pas partie.

— Qui y avait-il d'autre ?

— Je te l'ai dit, c'était une société secrète. Personne n'était supposé savoir. Une bande de geeks plus débiles les uns que les autres…

Elle tourne la page, me réduisant au silence.

Sur sa photo, Rex Canton a une coupe en brosse et les dents écartées. Il penche la tête comme si on l'avait pris par surprise.

— Voilà, dit Ellie. Quand tu as parlé de Rex, je l'ai cherché tout de suite dans le trombinoscope. Et j'ai vu ceci.

Rex arbore le minuscule CC sur son revers.

— Tu savais qu'il en faisait partie ?

Je secoue la tête.

— Je n'ai jamais demandé. C'était leur petit secret à eux. Ça ne m'intéressait pas.

— Tu connais d'autres membres ?

— Normalement, ils n'avaient pas le droit d'en parler, mais…

Je croise son regard.

— Maura est-elle dans le trombinoscope ?

— Non. Quand elle est partie, on a retiré sa photo. Était-elle… ?

J'acquiesce. Maura a débarqué chez nous en première, à la fin de l'année scolaire. C'était une énigme pour nous, cette fille distante et ultra-sexy qui n'avait que faire de nos us et coutumes. Le week-end, elle préférait aller à Manhattan. Elle avait fait l'Europe avec un sac à dos. Elle était sombre, mystérieuse et avait le goût du risque, le genre de fille qu'on imaginait sortir avec des étudiants ou des profs. Nous étions trop lourdauds pour elle. Comment as-tu fait, Leo, pour te lier d'amitié avec elle ? Tu ne me l'as jamais dit. Un jour, je suis rentré à la maison, et vous étiez en train de faire vos devoirs sur la table de cuisine. Je n'en croyais pas mes yeux. Toi avec Maura Wells.

— J'ai… jeté un œil sur la photo de Diana.

Ellie a la voix étranglée. Diana était sa meilleure amie depuis l'école primaire. C'est comme ça qu'on s'est rapprochés, nous deux. Moi, je t'ai perdu, Leo. Ellie a perdu Diana.

— Diana n'a pas de pin's. Je pense qu'elle m'en aurait parlé, si elle avait fait partie de ce club.

— Elle n'y serait pas entrée, sauf si elle l'a fait quand elle a commencé à sortir avec Leo.

Ellie s'empare de son sandwich.

— Alors, c'est quoi, ce Club des conspirateurs ?

— Tu as quelques minutes après le petit déjeuner ?

— Oui.

— On va aller faire un tour. Ce sera plus facile à expliquer.

Ellie mord dans son sandwich, le jaune d'œuf coule sur ses mains. Elle s'essuie les mains et le visage.

— Tu crois qu'il y a un lien entre ceci et… ?

— … ce qui est arrivé à Leo et Diana ? Peut-être. Et toi ?

Ellie prend une fourchette et touille son jaune d'œuf.

— J'ai toujours pensé que Leo et Diana étaient morts dans un accident.

Elle lève les yeux.

— Je trouvais tes autres explications un peu… tirées par les cheveux.

— Tu ne m'as jamais dit ça.

Elle hausse les épaules.

— À mon avis, tu avais besoin de soutien plutôt qu'on te dise que tu étais cinglé.

À court de mots, je me borne à répondre :

— Merci.

— Mais maintenant…

Ellie plisse son visage, réfléchissant intensément.

— Maintenant quoi ?

— Nous connaissons le sort d'au moins trois membres du club.

Je hoche la tête.

— Leo et Rex sont morts.

— Et Maura, disparue voilà quinze ans, a assisté à l'assassinat de Rex.

— En plus, dis-je, Diana a pu adhérer à leur club après la séance photo. Va savoir.

— Ce qui nous ferait trois morts. En tout cas, penser que c'est une coïncidence – qu'il n'y a aucun lien entre tous ces événements –, voilà qui serait tiré par les cheveux.

J'avale une autre bouchée de mon sandwich. Je garde les yeux baissés, mais je sais qu'Ellie est en train de m'observer.

— Nap ?

— Oui ?

— J'ai passé tout le trombinoscope en revue avec une loupe. J'ai vérifié tous les revers pour voir qui portait ce pin's.

— Et tu en as trouvé d'autres ?

— Oui, deux. Deux autres élèves de notre classe portaient le même pin's.

8

Nous empruntons le vieux sentier derrière le collège Benjamin-Franklin. Quand on était au lycée, ce sentier s'appelait le Sentier. Original, non ?

— Incroyable que le Sentier soit toujours là, s'étonne Ellie.

Je hausse un sourcil.

— Tu venais ici, toi ?

— Moi ? Jamais de la vie. C'était pour les enfants terribles.

— Terribles ?

— Ça ne veut pas dire « mauvais » ni « rebelles ».

Elle pose la main sur mon bras.

— Toi, tu venais ici, n'est-ce pas ?

— En terminale surtout.

— Drogue ? Sexe ? Alcool ?

— Les trois.

Et j'ajoute avec un sourire triste quelque chose que je n'aurais dit à personne d'autre :

— Sauf que l'alcool et la drogue, ce n'était pas trop mon truc.

— Maura.

Je n'ai pas besoin de répondre.

L'espace boisé derrière le collège est un lieu de rendez-vous où les jeunes vont boire, fumer, se défoncer ou draguer. Un lieu comme il y en a dans toutes les villes. En apparence, Westbridge n'a rien de différent. Nous gravissons la colline. Le bois est sinueux et tout en longueur. On a l'impression d'être très loin de toute civilisation, alors que, en réalité, quelques centaines de mètres nous séparent d'une rue de banlieue.

— L'endroit où l'on vient pour se rouler des pelles, dit Ellie.

— C'est ça.

— Sauf que ça ne se limite pas à des pelles.

Pas de commentaire. Je ne me sens pas bien ici. Je ne suis pas venu depuis « cette nuit-là », Leo. Rien à voir avec toi. Enfin, pas directement. Tu as été tué sur des rails de chemin de fer à l'autre bout de la ville. C'est grand, Westbridge, trente mille habitants. Six écoles primaires alimentent deux collèges, lesquels remplissent les classes d'un lycée. La ville s'étend sur une quarantaine de kilomètres carrés. Il me faudrait dix bonnes minutes pour me rendre en voiture d'ici à l'endroit où toi et Diana avez trouvé la mort, et encore, si tous les feux étaient au vert.

Non, cet espace boisé me rappelle Maura. Je me souviens de l'effet qu'elle me faisait. Personne depuis – oui, je sais ce que vous pensez – ne m'a fait cet effet-là.

Je parle du physique, bien sûr.

Traitez-moi de porc, je m'en moque. À ma décharge, je considère que le physique est indissociable de l'émotionnel, et que si, à dix-huit ans, j'ai connu des sommets de plaisir sexuel avec elle, ce n'était pas une question de technique, de nouveauté, d'expérimentation ou de nostalgie, mais quelque chose de plus intime et de plus profond.

En même temps, j'ai assez de bon sens pour admettre que tout cela pourrait être du pipeau.

— Je ne connaissais pas bien Maura, dit Ellie. Elle est arrivée… en fin de première, non ?

— Pendant l'été, oui.

— Je crois qu'elle m'intimidait.

Je hoche la tête. Comme je l'ai dit, Ellie avait été la première de la classe. Il y a une photo de nous deux dans le trombinoscope parce qu'on a été élus « élèves qui ont le plus de chances de réussir ». C'est drôle, non ? On se connaissait un peu avant d'avoir posé pour cette photo, mais j'avais toujours pris Ellie pour une petite bêcheuse. On n'avait rien en commun. Je pourrais revenir en arrière pour me remémorer les étapes qui ont conduit à notre amitié, notre rapprochement après la mort de Leo et de Diana, le lien qui ne s'est jamais distendu, même quand elle est partie étudier à Princeton. Mais je ne me souviens plus des détails, de ce qui nous a réunis en dehors du chagrin, des différents jalons de notre parcours. Le seul mot qui me vient, c'est la gratitude.

— Maura avait l'air plus mûre, poursuit Ellie. Plus expérimentée. Et sexy aussi.

Ce n'est pas moi qui dirais le contraire.

— Il y a des filles comme ça. Quoi qu'elles fassent, ça paraît équivoque. C'est misogyne ce que je dis là, hein ?

— Un peu.

— Mais tu m'as comprise.

— Oh que oui !

— Les deux autres membres du Club des conspirateurs étaient Beth Lashley et Hank Stroud. Tu vois qui c'est ?

Bien sûr.

— C'étaient des amis de Leo. Tu les as connus ?

— Hank était un génie en maths, répond-elle. Je me souviens, en première année de fac, on suivait le même cours de calcul infinitésimal, et ils ont dû créer un programme spécial pour lui. Il est allé au MIT, il me semble.

— Exact.

La voix d'Ellie redevient grave.

— Tu es au courant de ce qui lui est arrivé ?

— En partie. Aux dernières nouvelles, il est toujours à Westbridge. Il joue au basket du côté de l'Ovale.

— Je l'ai revu il y a six mois près de la gare, dit Ellie en secouant la tête. Il parlait tout seul. C'était horrible. Une bien triste histoire, tu ne trouves pas ?

— Oui.

Elle s'arrête, s'adosse à un arbre.

— Parlons un peu des membres du club. Mettons que Diana en ait fait partie, OK ?

— OK, dis-je.

— Ils sont donc six au total. Leo, Diana, Maura, Rex, Hank et Beth.

Je me remets en route. Ellie me rejoint sans cesser de parler :

— Leo est mort. Diana est morte. Rex est mort. Maura a disparu. Hank… comment faudrait-il le qualifier ? C'est un SDF ?

— Non. Il est suivi au centre hospitalier d'Essex Pines.

— Alors, c'est un… malade mental ?

— On peut le dire comme ça.

— Reste Beth.

— Que sais-tu à son sujet ?

— Rien. Elle est partie étudier à l'université et n'est jamais revenue. En tant que coordinatrice des anciens élèves, j'ai essayé de la joindre, d'obtenir son adresse mail pour l'inviter à des réunions et des dîners. Rien.

— Et ses parents ?

— D'après ce qu'on m'a dit, ils ont déménagé en Floride. Je leur ai écrit aussi, mais ils ne m'ont pas répondu.

Hank et Beth. Il faut que je leur parle. Mais pour dire quoi, au juste ?

— Où allons-nous, Nap ?

— Pas loin.

Je veux lui montrer… ou peut-être que je veux voir de mes propres yeux. Je revisite des lieux hantés. L'odeur de pommes de pin flotte dans l'air. De temps à autre, on rencontre une bouteille d'alcool cassée ou un paquet de cigarettes vide.

Nous touchons au but. Je sais que c'est dans ma tête, mais l'air me semble soudain immobile. Comme si quelqu'un nous épiait en retenant son souffle. Je m'arrête près d'un arbre et passe la main sur l'écorce. Je tombe sur un vieux clou rouillé. Je me dirige vers un autre arbre, tâte le tronc, trouve un autre clou. Je marque une pause.

— Quoi ? dit Ellie.

— Je ne suis jamais allé au-delà.

— Pourquoi ?

— C’était interdit. Tu vois ces clous ? Il y avait des panneaux un peu partout.

— Genre « Défense d’entrer » ?

— C’était marqué « Attention, zone réglementée » en grosses lettres rouges. Avec tout un tas de petits caractères dessous : un numéro de code, les photos étaient interdites et les appareils pouvaient être confisqués, on pouvait être fouillé, bla bla bla. Et ça se terminait par ces mots en italique : *Tir à vue autorisé.*

— Tir à vue ? Ces mots-là, vraiment ?

Je hoche la tête.

— Tu as une bonne mémoire.

Je souris.

— Maura a volé un de ces panneaux pour l’accrocher dans sa chambre.

— C’est une blague ?

Je hausse les épaules.

Ellie me pousse du coude.

— Tu aimais bien les vilaines filles.

— Peut-être.

— Et tu les aimes toujours. C’est ça, ton problème.

Nous nous remettons en marche. C’est bizarre de franchir la ligne des panneaux, comme si un champ de force invisible s’était finalement effondré pour nous laisser passer. Cinquante mètres plus loin, nous rencontrons les restes d’une clôture barbelée. Plus loin encore, nous apercevons des baraquements en ruine, envahis par la végétation.

— J’ai fait un exposé là-dessus en première, dit Ellie.

— Ah bon ?

— Tu sais ce qu'il y avait là, n'est-ce pas ?

Je le sais, mais je veux l'entendre de sa bouche.

— Une base de missiles Nike, déclare-t-elle. Beaucoup de gens n'y croient pas, mais c'est bien ce que c'était à l'origine. Pendant la guerre froide – je parle des années 1950 –, l'armée a disséminé ces bases dans des villes de banlieue comme la nôtre. On les a installées dans des fermes ou des zones boisées comme celle-ci. Les gens pensent que c'est une légende urbaine, mais elles ont réellement existé.

Autour de nous, c'est le silence. Nous nous rapprochons. À la vue des anciens baraquements, j'essaie d'imaginer la scène : soldats, véhicules, rampes de lancement.

— Des missiles de douze mètres à tête nucléaire pouvaient être tirés d'ici.

La main en visière, Ellie scrute les environs comme si elle s'attendait à les voir.

— Et on est à moins de cent mètres de chez les Carlino dans Downing Road. Les Nike étaient censés protéger New York d'une attaque aérienne soviétique.

C'est bon de se faire rafraîchir la mémoire.

— Sais-tu quand le projet Nike a été abandonné ? je lui demande.

— Au début des années 1970, je crois.

Je hoche la tête.

— Ce site-là a fermé en 1974.

— Un quart de siècle avant qu'on aille au lycée.

— C'est ça.

— Et alors ?

— Alors beaucoup de gens te diront, surtout les vieux, que si ces bases étaient secrètes, c'était le secret le moins bien gardé du New Jersey. Tout le monde était au courant. Quelqu'un raconte qu'ils ont promené un de ces missiles sur un char lors d'un défilé du 4 Juillet. J'ignore si c'est vrai ou pas.

Je voudrais pénétrer dans l'ancienne base, mais la clôture rouillée tient bon, comme un vieux briscard qui refuse de se rendre. Nous nous arrêtons pour regarder à travers le grillage.

— Le site Nike de Livingston, dit Ellie, est un parc maintenant. Les baraquements de l'armée ont été convertis en ateliers d'artiste. La base de lancement à East Hanover a été rasée pour qu'on y construise un lotissement. Et il en reste une à Sandy Hook où ils organisent des visites guidées sur le thème de la guerre froide.

Nous nous penchons en avant. Un silence total règne dans le bois. Pas un gazouillis. Pas un craquement. J'entends seulement le bruit de ma propre respiration. Mais le passé ne meurt pas. Il continue à hanter les lieux. On le sent quelquefois quand on visite une ruine ou une vieille demeure, ou quand on est seul dans un bois comme en ce moment. Les échos faiblissent, s'estompent, mais ne meurent jamais complètement.

— Et qu'est devenue cette base Nike après sa fermeture ? me demande Ellie.

— C'est ce que le Club des conspirateurs voulait découvrir, lui dis-je.

9

Je raccompagne Ellie à sa voiture. Elle s'arrête à la portière et prend mon visage dans ses mains. C'est un geste maternel, quelque chose qu'elle est la seule à m'avoir jamais fait, aussi étrange que cela puisse paraître. Elle me regarde d'un air sincèrement inquiet.

— Je ne sais pas trop quoi dire, Nap.

— Tout va bien.

— C'est peut-être ce qu'il y a de mieux pour toi.

— Comment ça ?

— Sans vouloir dramatiser, les fantômes de cette nuit-là traînent toujours autour de toi. La vérité va peut-être t'en délivrer.

Je hoche la tête et referme sa portière. Je la regarde démarrer. Puis je me dirige vers ma voiture quand mon portable sonne. C'est Reynolds.

— Comment avez-vous su ? questionne-t-elle.

J'attends.

— À trois autres occasions, l'agent Canton a verbalisé des conducteurs alcoolisés au même endroit.

Je ne réponds toujours pas. Cela, Reynolds aurait pu le découvrir en quelques minutes. Non, il y a autre chose, et je pense savoir ce que c'est.

— Nap ?

Puisqu'elle veut jouer à ça, je lui demande :

— Ces conducteurs étaient tous des hommes, n'est-ce pas ?

— Exact.

— Et tous en instance de divorce ou en pleine procédure pour la garde des enfants.

— La procédure pour la garde des enfants, confirme Reynolds. Tous les trois.

— Je doute qu'ils soient seulement trois. À mon avis, il a dû opérer ailleurs.

— Je suis en train de consulter tous ses procès-verbaux. Ça risque de prendre du temps.

Je monte dans ma voiture et mets le moteur en marche.

— Comment avez-vous su ? répète Reynolds. Et ne dites pas que c'était un pressentiment ou une intuition.

— Je n'en étais pas absolument certain, mais Rex a arrêté cette voiture pratiquement à la sortie du bar.

— Il était peut-être en repérage.

— Nous avons visionné la vidéo. Même si l'image était pourrie, on voyait bien que l'homme ne titubait pas, ne conduisait pas n'importe comment. Alors pourquoi l'avoir interpellé, lui ? Et comme par hasard, la femme dans la voiture a été au lycée avec Rex. Trop, c'est trop. Ça devait être un coup monté.

— Je ne comprends toujours pas, dit Reynolds. Ce gars-là a pris l'avion pour venir exécuter Rex ?

— Probablement.

— Avec l'aide de votre ex ?

— Je ne crois pas.

— C'est l'amour qui parle ?

— Non, la logique.

— Expliquez-vous.

— Vous avez entendu le barman. Elle est entrée, a pris un verre avec lui, l'a incité à boire, avant de monter dans sa voiture. Elle n'aurait pas eu besoin de toute cette mise en scène si elle avait été de mèche avec le tueur.

— Cela faisait peut-être partie du scénario.

— Peut-être.

— Mais votre version tient la route. Vous pensez donc que Maura travaillait avec Rex ?

— Oui, dis-je.

— Ce qui ne l'aurait pas forcément empêchée de le piéger à son tour.

— C'est vrai.

— Mais si elle n'a pas été mêlée à l'assassinat, où est-elle maintenant ?

— Je n'en sais rien.

— Le tueur aurait pu retourner son arme contre elle. L'obliger à prendre le volant pour le conduire à l'aéroport, par exemple.

— C'est possible.

— Et après ? questionne Reynolds.

— Ne nous emballons pas. Il faut qu'on creuse du côté de la justice. Je vois mal ces femmes engagées dans une procédure aller trouver Rex pour lui dire : « Salut, il faut que je flingue la réputation de mon mari. »

— Admettons, mais comment l'auraient-elles engagé, alors ?

— Par l'intermédiaire d'un avocat, sans doute. C'est par là qu'il faut commencer, Reynolds. Les trois femmes doivent avoir le même avocat. Trouvez-le, et nous pourrons en apprendre davantage sur la relation de Rex et Maura.

— Il – ou elle, ne soyons pas sexistes – se réfugiera derrière le secret professionnel.

— Un pas à la fois.

— D'accord, dit Reynolds. Peut-être que l'assassin était un mari visé qui aurait voulu se venger ?

Ce serait l'explication la plus plausible, mais je lui rappelle que nous n'avons pas assez d'éléments pour aboutir à cette conclusion. Je ne parle pas du Club des conspirateurs : ça ne colle pas avec ce qu'elle vient de découvrir. Je m'accroche toujours à mon petit espoir insensé que le meurtre de Rex pourrait nous ramener à toi, Leo. Et pourquoi pas. Reynolds va explorer la piste des contrôles routiers. Moi, je suivrai celle de ton club. Ce qui veut dire retrouver Hank Stroud et Beth Lashley.

Mais surtout, ça veut dire reprendre contact avec Augie.

Je pourrais attendre encore. Inutile de rouvrir la plaie, particulièrement si Augie est en train de renouer avec l'amour. Mais cacher des choses à Augie n'est pas mon style. Je n'aimerais pas qu'il décide de ce qui est bon ou pas pour moi. Et je lui dois le même respect.

N'empêche, Augie est le père de Diana. Ça ne va pas être facile.

En m'engageant sur la route 80, je presse le bouton sur le volant et demande à mon téléphone d'appeler Augie. Il répond à la troisième sonnerie.

— Salut, Nap.

Augie est un grand costaud, une armoire à glace. Le son de sa voix bourrue me réconforte.

— Vous êtes rentré de Hilton Head ?

— Oui, hier soir tard.

— Vous êtes chez vous ?

— Oui, je suis chez moi. Pourquoi ?

— Je peux passer après le boulot ?

Il marque une pause.

— Oui, bien sûr.

— C'était comment, ces vacances ?

— À tout à l'heure, dit Augie en raccrochant.

Je me demande s'il est tout seul ou si sa nouvelle amie est toujours là. Ce serait sympa. En même temps, ça ne me regarde pas.

Augie occupe un appartement en rez-de-jardin dans une résidence en brique qu'on pourrait appeler à juste titre le Refuge des pères divorcés. Il s'y est installé « provisoirement » il y a huit ans, laissant à Audrey, la mère de Diana, la maison où ils avaient élevé leur fille unique. Quelques mois plus tard, Audrey a vendu la maison sans en informer Augie.

Elle l'a fait, m'a-t-elle avoué un jour, plus pour lui que pour elle.

Quand Augie vient m'ouvrir, j'aperçois ses clubs de golf dans l'entrée.

— C'était comment, Hilton Head ? je lui demande.

— Sympa.

Je pointe le doigt derrière lui.

— Vous avez emporté vos clubs de golf ?

— J'admire ton esprit de déduction.

— Ce n'est pas pour me vanter, mais…

— Je les ai pris, dit Augie. Mais je n'ai pas joué.

Je ne peux m'empêcher de sourire.

— Donc, ça s'est bien passé avec… ?

— Yvonne.

— Yvonne, je répète en haussant un sourcil. Super, comme prénom.

Il s'écarte pour me laisser entrer.

— Je ne crois pas que ça va marcher avec elle.

Mon cœur se serre. Je ne connais pas Yvonne, mais je l'imagine comme une bonne vivante, quelqu'un qui aime rire à gorge déployée, une femme facile à vivre, drôle, reconnaissante, qui prenait le bras d'Augie quand ils se promenaient sur la plage devant leur hôtel. Je ne la connais pas, mais elle me manque déjà.

Je le regarde. Il hausse les épaules.

— Il y en aura d'autres.

J'acquiesce.

— Une de perdue…

En entrant chez Augie, on s'attend à trouver un intérieur banal et passablement fouillis, or ce n'est pas le cas. Augie adore les marchés d'art et achète souvent des tableaux. Il les fait tourner : ils ne restent jamais à la même place plus d'un mois ou deux. Les bibliothèques en chêne aux portes vitrées sont remplies de bouquins. Augie est le lecteur le plus vorace que je connaisse. Les livres sont divisés en deux catégories – fiction et non-fiction –, mais il ne les classe ni par auteurs ni par ordre alphabétique.

Je m'assieds.

— Tu as fini ta journée ? demande Augie.

— Oui. Et vous ?

— Pareil.

Augie est toujours capitaine de la police de Westbridge. Il prend sa retraite dans un an. Je suis devenu flic à cause de toi, Leo, mais, sans Augie, je n'en serais peut-être pas là. Je m'installe toujours dans le même fauteuil en velours quand je viens chez lui. Le trophée du championnat de foot interlycées, auquel j'ai participé avec lui comme entraîneur, lui sert de serre-livres. En dehors de cela, il n'y a aucun objet personnel dans la pièce : pas de photos, pas de diplômes, pas de prix, rien.

Il me tend une bouteille de vin. Un château-haut-bailly 2009. Ça doit valoir dans les deux cents dollars pièce.

— Joli, dis-je.

— Ouvre-la.

— Vous devriez la garder pour une grande occasion.

Augie me reprend la bouteille et enfonce le tire-bouchon.

— C'est ce que ton père nous dirait, hein ?

Je souris.

— Non.

Mon arrière-grand-père, disait souvent papa, gardait ses meilleurs vins pour les grandes occasions. Il a été tué quand les Allemands ont envahi Paris. Ce sont eux qui ont bu son vin. Morale : on ne remet rien à demain. Dans mon enfance, on mangeait dans de la belle vaisselle. Le linge de table était des plus fins. On buvait dans du cristal de Baccarat. Quand papa est mort, sa cave était pratiquement vide.

— Ton père avait un langage plus fleuri, me dit Augie. Moi, je préfère la phrase de Groucho Marx.

— Laquelle ?

— « Je ne boirai pas de vin avant l'heure. Eh bien, c'est l'heure. »

Augie verse le vin dans un verre, puis dans un autre. Nous trinquons. Je fais tourner mon vin, puis le hume discrètement, sans ostentation.

Le bouquet est somptueux : mûre, prune, crème de cassis et – je ne rigole pas – copeaux de crayon à mine de plomb. Je prends une gorgée, succulente, goût de fruit mûr, fraîche, gouleyante, je vous passe les détails. La finale dure une bonne minute. C'est une merveille.

Augie guette ma réaction. Mon hochement de tête en dit long. Nous regardons tous deux l'endroit où papa se serait assis s'il était avec nous. Une bouffée de nostalgie m'envahit. Il aurait apprécié ce moment. Il aurait savouré à la fois le vin et la compagnie.

Papa était l'incarnation de ce qu'on appelle en France *la joie de vivre*[1]. Il vivait pleinement chaque instant et ne reculait jamais devant l'adversité.

Il était comme ça, papa.

Et je l'aurais grandement déçu, Leo.

— À quoi tu penses, Nap ?

Je commence par l'assassinat de Rex, puis lui assène le coup des empreintes de Maura. Augie déguste son vin avec la plus grande délicatesse. Je termine mon histoire.

1. En français dans le texte. *(N.d.T.)*

J'attends. Il attend. Les flics savent attendre.

Finalement, je demande :

— Alors, qu'en dites-vous ?

Augie se lève de son siège.

— Ce n'est pas mon enquête. Je n'ai donc pas d'avis à donner. Mais, au moins, tu es fixé maintenant.

— Sur quoi ?

— Sur le sort de Maura.

— Pas vraiment.

Je bois une gorgée.

— Laisse-moi deviner, dit Augie. Tu penses que ce meurtre a quelque chose à voir avec Diana et Leo.

— Je ne sais pas si j'ai envie d'aller jusque-là.

Augie soupire.

— Vas-y, accouche.

— Rex connaissait Leo.

— Il a sûrement connu Diana aussi. Vous étiez tous dans la même classe, non ?

— Il n'y a pas que ça.

Je sors le trombinoscope de mon sac à dos. Augie me le prend des mains.

— Des Post-it roses ?

— Ellie, dis-je.

— J'aurais dû m'en douter. Et pourquoi tu me montres ça ?

Tandis que je lui explique les pin's et le Club des conspirateurs, un sourire amusé se dessine sur ses lèvres.

— Et c'est quoi, ta théorie, Nap ?

Je ne dis rien. Son sourire s'élargit.

— Tu crois que ce Club des conspirateurs a découvert un secret inavouable concernant une base militaire ?

Il agite les mains comme pour jeter un sort.

— Un secret si énorme que Leo et Diana ont été réduits au silence. C'est ça, ta théorie, Nap ?

Je bois une autre gorgée de vin. Il arpente la pièce tout en feuilletant les pages marquées d'un Post-it rose.

— Et voilà que, quinze ans après, pour une raison ou une autre, Rex se retrouve réduit au silence, lui aussi. Curieux qu'ils aient attendu tout ce temps, mais bon. Tout à coup, on dépêche des agents secrets pour l'éliminer.

Augie se tait, me dévisage.

— Ça vous amuse ? je demande.

— Un peu, je l'avoue.

Il ouvre une nouvelle page marquée d'un Post-it rose.

— Beth Lashley. Elle est morte, elle aussi ?

— Je ne crois pas. Je n'ai encore rien trouvé sur elle.

Augie tourne fébrilement les pages.

— Oh ! et Hank Stroud. Ma foi, il est toujours là. Un peu à l'ouest, certes, mais les croque-mitaines l'ont épargné.

Il tourne la page et se fige. La pièce est plongée dans le silence. Je regarde ses yeux en me demandant si j'ai bien fait de venir. Le trombinoscope est ouvert à l'une des pages de fin. Son expression ne change pas, mais tout le reste, si. La douleur creuse ses traits. Sa main tremble un peu. J'aimerais trouver des paroles de réconfort, mais je sais que les mots seraient comme l'appendice : superflus ou néfastes.

Alors je la ferme.

Je laisse Augie contempler la photo de sa fille de dix-sept ans qui n'est pas rentrée ce soir-là. Quand il rompt enfin le silence, on dirait qu'un poids lui écrase la poitrine.

— C'étaient des gamins, Nap.

Je sens mes doigts se crisper sur mon verre.

— Des gamins stupides et inconscients. Ils avaient trop bu. Ils avaient mélangé alcool et comprimés. Il était tard. Il faisait noir. Est-ce qu'ils se tenaient sur les rails ? Est-ce qu'ils couraient sur la voie ferrée en riant, sans se rendre compte de rien ? Est-ce qu'ils jouaient à se faire peur en essayant de sauter par-dessus les rails comme Jimmy Riccio, qui y a laissé sa peau en 1973 ? Je n'en sais rien, Nap. Et je le regrette. Je voudrais savoir exactement ce qui s'est passé. Je veux savoir si Diana a souffert… ou si ça a été instantané. Je veux savoir si elle a compris que sa vie allait s'arrêter là, ou si elle était inconsciente au moment de sa mort. Vois-tu, ma mission, mon unique mission était de la protéger, et je l'ai laissée sortir ce soir-là. Je me demande si elle avait peur. Si elle savait qu'elle allait mourir… et, si oui, m'a-t-elle appelé à l'aide ? A-t-elle crié en espérant que son père viendrait la sauver ?

Je ne bouge pas. Je suis incapable de bouger.

— Tu vas t'en occuper, n'est-ce pas ?

Je hoche la tête. Et je réussis à articuler :

— Oui.

Il me rend le trombinoscope et se dirige vers la porte.

— Ce serait peut-être mieux que tu t'en charges tout seul.

10

Je m'en charge donc tout seul.

J'appelle le centre hospitalier d'Essex Pines où l'on me passe étonnamment vite l'un des médecins de Hank.

— Vous connaissez la loi sur la protection des données médicales ? s'enquiert-il.

— Bien sûr.

— Je ne peux donc rien vous dire concernant son état.

— Je voudrais juste lui parler.

— Il est suivi en hôpital de jour.

— Je le sais bien.

— Alors vous savez qu'il n'habite pas ici.

Tout le monde se croit malin.

— Docteur… désolé, je n'ai pas retenu votre nom.

— Bauer. Pourquoi ?

— Juste pour savoir qui est en train de me balader.

Silence.

— Je suis officier de police et j'essaie de retrouver Hank. Avez-vous une idée de l'endroit où il pourrait être ?

— Aucune.

— Une adresse alors ?

— Il nous a seulement donné un numéro de boîte postale à Westbridge. Et, avant que vous ne me posiez la question, le règlement ne m'autorise pas à vous dire que, normalement, Hank vient à l'hôpital entre trois et cinq jours par semaine, mais qu'on ne l'a pas vu depuis plus de quinze jours.

Quinze jours. Le Dr Bauer raccroche. Je n'insiste pas. J'ai une autre idée.

Je m'arrête au bord d'un terrain de basket, de l'autre côté de l'Ovale en face du lycée de Westbridge, et j'écoute le doux écho de la balle qui rebondit sur l'asphalte au crépuscule. Ici, on joue des parties improvisées, et c'est génial. Sans maillots distinctifs, sans entraîneur, sans équipes constituées, sans arbitre. Parfois, la ligne blanche est hors limite sur la ligne de fond ; parfois c'est le grillage. Le match débute dans le demi-cercle derrière la ligne des lancers francs. Les vainqueurs restent ; chacun compte ses propres fautes. Certains joueurs sont amis ; d'autres des inconnus. Certains occupent un poste important ; d'autres arrivent tout juste à joindre les deux bouts. Il y a là des grands, des petits, des gros, des maigres, toutes races, croyances et religions confondues. L'un des gars porte un turban. Personne n'y prête attention. L'important, c'est comment on joue. Vous connaissez les matchs programmés. Vous connaissez les clubs d'amateurs. Ces parties de basket improvisées en sont le pendant merveilleusement anarchique et désuet.

On entend des grognements, des joueurs qui appellent la balle, le raclement saccadé des semelles. Ils sont dix à jouer : cinq contre cinq. Trois autres attendent sur le côté. Un quatrième arrive.

— C'est à vous, après ?

Ils hochent la tête.

Je connais à peu près la moitié des joueurs. Certains depuis le lycée. D'autres sont des voisins. Il y a le président du club de lacrosse. Beaucoup travaillent dans la finance, mais je repère également deux profs de lycée.

En revanche, je ne vois pas Hank.

Vers la fin de la partie, un homme de haute taille descend de la voiture qu'il vient juste de garer à côté du terrain. L'un des quatre qui attendent s'écrie en le montrant :

— On a Myron avec nous !

Les autres l'acclament bruyamment. Myron leur sourit d'un air penaud.

— Regardez qui est là ! s'exclame quelqu'un.

Tout le monde se regroupe autour de Myron.

— C'était comment, la lune de miel, Roméo ?

— Tu n'es pas censé être bronzé, mec.

— Ouais, il était plutôt prévu que tu restes enfermé dans ta chambre, si tu vois ce que je veux dire.

Ce à quoi Myron réplique :

— Ben, je n'ai pas pigé tout de suite, mais quand tu as ajouté « si tu vois ce que je veux dire », j'ai fini par comprendre.

Tous rient de bon cœur et félicitent le jeune marié.

Tu te souviens de Myron Bolitar, Leo ? Papa nous emmenait le voir jouer dans son lycée à Livingston, pour nous montrer ce qu'était l'excellence. Myron a toujours été un célibataire endurci. Du moins, à mes yeux. Or il a épousé récemment une présentatrice de journal télévisé. J'entends encore la voix de papa dans les gradins :

— Le spectacle de l'excellence mérite qu'on s'y attarde.

Telle était la philosophie de mon père. Myron est devenu une superstar du basket à l'université de Duke, sélectionné dès le premier tour par la NBA. Mais une mauvaise blessure a mis fin à sa carrière de joueur professionnel.

Ça aussi, c'est une leçon, je suppose.

Sur ce terrain, cependant, il est accueilli en héros. Est-ce de la nostalgie, je n'en sais rien, mais je comprends. Moi aussi, je le considère comme un homme à part. Nous sommes maintenant adultes tous les deux, mais je me sens encore un peu intimidé et même flatté quand il s'adresse à moi.

Je me mêle aux hommes massés autour de lui. Lorsqu'il se tourne vers moi, je lui serre la main en disant :

— Tous mes vœux de bonheur.

— Merci, Nap.

— Mais c'est salaud de m'avoir lâché.

— Le bon côté, c'est que tu es désormais le célibataire le plus convoité de la région.

Il croise mon regard et m'entraîne à l'écart.

— Qu'est-ce qui se passe ?

— Je cherche Hank.

— Il a fait une bêtise ?

— Non, je ne crois pas. Il faut juste que je lui parle. D'habitude, il joue le lundi soir, non ?

— Toujours, acquiesce Myron. Évidemment, on ne sait jamais à quel Hank on va avoir affaire.

— C'est-à-dire ?

— Hank est quelqu'un de… fluctuant. Côté comportement.

— Les médocs ?

— Les médocs, le déséquilibre chimique, va savoir. Mais je ne suis pas le mieux placé pour te répondre. J'ai été absent pendant plus d'un mois.

— Une lune de miel prolongée ?

Myron secoue la tête.

— Si seulement.

Il n'a pas envie d'en dire davantage, et moi je n'ai pas le temps de chercher à savoir.

— Alors, qui connaît bien Hank parmi ces gars-là ?

Myron désigne un bel homme du menton.

— David Rainiv.

— Sérieux ?

Il hausse les épaules et pénètre sur le terrain.

Difficile d'imaginer deux trajectoires plus opposées que celles de Hank et de David Rainiv. David a été président de la National Honor Society de notre classe et dirige maintenant l'une des plus grosses sociétés d'investissement du pays. Vous avez pu le voir à la télé il y a quelques années, quand le Congrès a mis sur la sellette les gros bonnets du système bancaire. David possède un penthouse à Manhattan, mais lui et sa femme Jill – qu'il a rencontrée au lycée – élèvent leurs enfants ici, à Westbridge. Les réunions mondaines sont rares chez nous – on est plutôt du genre à « se faire une bouffe avec les Jones » –, mais quel que soit le terme, vous trouverez les Rainiv sur le dessus de n'importe quel panier.

Tandis que démarre la partie suivante, David et moi nous installons sur un banc de l'autre côté du terrain. David a le physique d'un Kennedy croisé avec une poupée Ken. Si vous cherchez une doublure du sénateur avec une fossette au menton, demandez à rencontrer David Rainiv.

— Je n'ai pas vu Hank depuis trois semaines, me répond-il.

— Est-ce inhabituel ?

— Normalement, il vient tous les lundis et jeudis.

— Et comment il va ?

— Bien, je suppose. Enfin, autant que faire se peut. Il y en a qui…

Il jette un œil sur le terrain.

— Ils ne veulent pas de Hank ici. Il se la raconte. Il ne se lave pas assez. Quand il doit attendre sur la ligne de touche, il se met à faire les cent pas et à hurler des imprécations.

— Quel genre d'imprécations ?

— Des trucs sans queue ni tête. Un jour, il a crié que Himmler détestait les steaks de thon.

— Himmler, le nazi ?

David hausse les épaules. Les yeux rivés sur le terrain, il suit le match.

— Il tempête, il fulmine, il fait peur à certains. Mais sur le terrain…

David sourit.

— … il redevient lui-même. Pour quelque temps, l'ancien Hank est de retour.

Il se tourne vers moi.

— Tu te souviens de Hank au lycée ?

Je hoche la tête.

— Il était adorable, hein ?

— Oui.

— Un geek indécrottable, mais… tu te souviens du tour qu'il a joué aux profs, le soir de Noël ?

— Quelque chose qui avait à voir avec leur goûter, non ?

— C'est ça. Les profs sont en train de se torcher. Hank se glisse dans la salle. Il a mélangé des M&M's avec des Skittles…

— Quelle horreur.

— … alors les profs, complètement bourrés, attrapent une poignée de bonbons et…

David s'esclaffe.

— Hank a filmé la scène. C'était hilarant.

— Ça me revient maintenant.

— Ce n'était pas méchant. Hank n'était pas comme ça. Pour lui, c'était plus une expérience scientifique qu'un canular.

David se tait un moment. Je suis son regard. Il observe Myron qui effectue un tir en suspension. La classe, quoi.

— Hank n'est pas bien, Nap. Ce n'est pas sa faute. C'est ce que je dis aux gars qui râlent contre lui. C'est comme s'il avait un cancer. Tu ne vas pas dire à quelqu'un que tu ne joues pas avec lui parce qu'il a un cancer, hein ?

— Tout à fait.

David est un peu trop concentré sur le jeu.

— J'ai une dette envers Hank.

— Comment ça ?

— Après le lycée, Hank a été admis au MIT. Tu le sais, n'est-ce pas ?

— Oui.

— Moi, j'ai été accepté à Harvard, juste à côté. Génial, non ? On était très proches, lui et moi. La première année, on a continué à sortir ensemble. Je venais le chercher pour aller manger un burger, ou alors on allait dans des soirées, essentiellement sur mon campus, mais quelquefois aussi sur le sien. Hank me faisait rire comme personne.

Son visage s'éclaire.

— Il ne buvait pas. Il se mettait dans un coin et il observait. Il aimait bien ça. Et les filles l'aimaient bien aussi. Il attirait un certain type de nanas.

La soirée est calme. Seule la cacophonie sur le terrain trouble le silence.

Le sourire de David fond comme neige au soleil.

— Puis les choses ont commencé à changer, dit-il. Mais si lentement que je ne m'en suis pas rendu compte tout de suite.

— Changer comment ?

— Par exemple, quand je venais le chercher, Hank n'était pas prêt. Au moment de partir, il vérifiait deux ou trois fois si la porte était bien fermée à clé. Et ça a été de pire en pire. J'arrivais, et il était encore en peignoir. Il prenait sa douche pendant des heures. Il verrouillait et déverrouillait la porte. Pas deux fois ou trois, mais vingt, trente fois. J'essayais de le raisonner : « Hank, tu as déjà vérifié, arrête, de toute façon personne ne voudra te piquer ton bordel. » Il craignait que sa résidence ne brûle. Il y avait un poêle dans une salle commune. Il fallait qu'on y passe pour s'assurer qu'il était éteint. Et il me fallait une heure pour le sortir de là.

David s'interrompt. Pendant quelques minutes, nous regardons le match. Je ne le presse pas. Je le laisse me raconter son histoire à son rythme.

— Un soir, nous devions sortir avec deux filles pour aller dîner dans un restaurant chic de Cambridge. Hank me dit : « Ne viens pas me chercher, je prendrai le bus. » Je dis OK. J'emmène les filles. Nous voilà sur place. Enfin, ce n'est pas ça, l'important. L'une des filles, Kristen Megargee, je vois bien que Hank est raide dingue d'elle. Elle est superbe… et passionnée de maths. Il était tout excité à l'idée de cette soirée. Bref, tu devines la suite.

— Il n'est pas venu.

— Exact. J'ai dû inventer une excuse et raccompagner les filles chez elles. Puis je suis allé chez Hank. Il en était toujours à ouvrir et fermer sa porte. Impossible de l'arrêter. Puis il a essayé de rejeter la faute sur moi : « Tu m'as dit que c'était la semaine prochaine. »

David pose sa tête sur ses mains, inspire profondément, se redresse.

— Je suis en première année de fac, reprend-il. Je suis jeune, j'en profite. Je me fais de nouveaux amis. J'ai ma vie, mes études, je ne suis pas le garde-malade de Hank, pas vrai ? Aller le chercher là-bas devient franchement pénible. Alors j'y vais de moins en moins. Tu sais comment c'est. Il m'envoie un texto, je ne réponds pas tout de suite. Le lien se distend. Un mois passe. Puis un semestre…

Je me tais. On sent qu'il s'en veut terriblement.

— Ces gars-là…

Il désigne le terrain de basket.

— Ils prennent Hank pour un taré. Ils ne veulent pas de lui ici.

Il lève la tête.

— Eh bien, tant pis pour eux. Hank viendra jouer avec nous quand bon lui semblera. Et il sera le bienvenu.

Je marque une pause avant de demander :

— Et tu ne sais pas par hasard où je pourrais le trouver ?

— Non. On n'est toujours pas… On ne communique pas vraiment, sauf quand on joue ensemble, Hank et moi. Souvent, on va en bande chez McMurphy après le match, boire une bière et manger une pizza. Mais chaque fois que j'ai invité Hank, il s'est littéralement enfui. Tu l'as déjà croisé en ville, hein ?

— Oui.

— Même itinéraire jour après jour. À la même heure. Il a ses habitudes. Ça doit l'aider, je pense. La routine. Normalement, ici, on termine à neuf heures. Mais si on s'attarde, Hank s'en va à neuf heures tapantes. Sans explication, sans dire au revoir. Il a une vieille Timex avec une alarme. Elle bipe à neuf heures, et il file, même si la partie n'est pas terminée.

— Et sa famille ? Il ne vit pas avec eux ?

— Sa mère est morte l'année dernière. Elle habitait un vieil appartement dans une résidence à West Orange. Cross Creek Point. Son père doit y être encore.

— Je croyais que ses parents avaient divorcé quand on était petits, dis-je.

Sur le terrain, quelqu'un pousse un cri et s'effondre. Il hurle à la faute, mais son adversaire l'accuse de jouer la comédie.

— Ils se sont séparés juste avant qu'on entre au collège. Son père a déménagé quelque part dans l'Ouest. Au Colorado, il me semble. À mon avis, ils ont dû se rabibocher quand Mme Stroud est tombée malade. Je ne sais plus qui m'a dit ça.

La partie de basket s'achève quand Myron tire sur un saut arrière. Le ballon embrasse le panneau avant de tomber dans le filet.

David se lève.

— C'est à moi.

— As-tu déjà entendu parler du Club des conspirateurs ? je lui demande.

— Non, qu'est-ce que c'est ?

— C'était du temps où on était au lycée. Hank en faisait partie. Tout comme mon frère.

— Leo, dit-il en secouant tristement la tête. Lui aussi, c'était un gars bien. Quel malheur.

Je fais mine de ne pas avoir entendu.

— Hank ne t'a jamais parlé de complots ?

— Si, sûrement. Mais ce n'était pas très clair. Il racontait souvent n'importe quoi.

— Il n'a pas mentionné le Sentier ? Ou le bois ?

David s'arrête, me regarde.

— L'ancienne base militaire, hein ?

Je ne dis rien.

— Quand on était au lycée, c'était une idée fixe chez Hank. Il ne parlait que de ça.

— Et que disait-il ?

— Des âneries, comme quoi le gouvernement y menait des expériences avec le LSD ou le contrôle mental, tu vois le genre.

Toi aussi parfois, tu te posais les mêmes questions, n'est-ce pas, Leo ? Mais je ne dirais pas que c'était une idée fixe. Plus un jeu, une distraction, ou peut-être que j'ai mal interprété ton intérêt. Ou alors vous étiez tous là-dedans pour des raisons différentes. Hank était partisan de la thèse du complot gouvernemental. Maura aimait le côté borderline, le mystère, le danger. Toi, Leo, je pense que tu recherchais la complicité d'une bande d'amis se baladant dans les bois en quête d'aventures comme dans un vieux roman de Stephen King.

— Yo, David, on va commencer ! crie quelqu'un.

Myron dit :

— Laissez-lui une minute. Ça peut attendre.

Mais ils sont déjà tous au taquet, et, d'après les règles non écrites de ce jeu, on ne fait pas attendre les joueurs. David me regarde d'un air interrogateur. Je hoche la tête pour signifier qu'il peut y aller. Il fait deux pas, puis se retourne vers moi.

— Hank est toujours obsédé par cette ancienne base.

— Qu'est-ce qui te fait dire ça ?

— Sa promenade du matin. Hank commence toujours par faire un tour sur le Sentier.

11

Le lendemain matin, je reçois un coup de fil de Reynolds.

— J'ai trouvé l'avocat des affaires familiales qui employait Rex.

— Super.

— Pas vraiment. Il s'appelle Simon Fraser. Une grosse légume dans un grand cabinet, Elbe, Baroche et Fraser.

— Vous avez pu le joindre ?

— Oui, oui.

— Je parie qu'il s'est montré coopératif.

— Je parie que vous essayez d'être drôle. Me Fraser a refusé de me parler en invoquant le secret professionnel qui protège ses clients, ainsi que tous les actes et documents subséquents.

Je fronce les sourcils.

— Il a dit « subséquents » ?

— Parfaitement.

— On devrait pouvoir l'épingler rien que pour avoir employé ce mot.

— Si seulement nous faisions les lois, dit Reynolds. Je pensais aller voir ses clientes, elles ne sont pas tenues au secret professionnel, elles.

— Vous parlez des épouses qu'il a défendues ?

— Oui.

— Vous perdrez votre temps.

Ces femmes-là ont gagné la bataille juridique pour la garde des enfants en partie grâce au guet-apens tendu par Rex. Et elles n'étaient pas prêtes à l'admettre. Car l'ex-mari pouvait invoquer l'abus de droit pour faire annuler le jugement.

— Et que suggérez-vous ? demande Reynolds.

— D'aller voir Simon Fraser à son cabinet.

— À mon avis, ce sera une perte de temps aussi.

— Je peux y aller seul.

— Ce n'est pas une bonne idée.

— Alors allons-y ensemble. C'est votre juridiction. Vous vous y rendrez en qualité d'officier de police…

— … tandis que vous jouerez le rôle du civil intéressé ?

— C'est le rôle que la vie m'a assigné.

— Quand ?

— J'ai deux ou trois choses à faire, mais je serai là avant midi.

— Envoyez-moi un texto en arrivant.

Je raccroche et vais me doucher. Une fois habillé, je regarde ma montre. D'après David Rainiv, Hank fait sa promenade matinale tous les jours à huit heures trente précises. Je me gare sur le parking des profs qui m'offre une vue imprenable sur le Sentier. Il est huit heures et quart. J'allume la radio et tombe sur Howard

Stern. Ça y est, il est huit heures et demie. J'ai les yeux rivés sur le Sentier. Personne.

Où est Hank ?

À neuf heures, je capitule et me rends à mon autre destination.

Le foyer d'accueil que gère Ellie héberge essentiellement des femmes battues. Je la retrouve dans l'une des résidences de transition, une vieille maison victorienne dans une rue tranquille de Morristown. Ici, les femmes se cachent avec leurs enfants de leurs conjoints violents jusqu'à ce qu'on trouve une solution acceptable.

Il faut dire que le taux de réussite est faible. C'est ça, le drame. C'est comme essayer de vider un océan avec une cuillère à soupe. Mais, inlassablement, Ellie plonge sa cuillère dans l'océan jour après jour et, même si elle ne fait pas le poids face à la noirceur des hommes, son combat n'est pas vain.

— Beth Lashley porte le nom de son mari, m'annonce-t-elle. Elle s'appelle Beth Fletcher, cardiologue à Ann Arbor.

— Comment l'as-tu appris ?

— Bizarrement, ça n'a pas été facile.

— C'est-à-dire ?

— J'ai fait le tour de toutes ses bonnes copines du lycée. Personne n'a gardé de contact avec Beth, ce qui m'étonne, vu qu'elle était plutôt sociable. J'ai appelé ses parents. J'ai dit que je voulais son adresse pour les réunions d'anciens élèves.

— Qu'est-ce qu'ils t'ont répondu ?

— Ils n'ont pas voulu me la donner. Apparemment, pour la joindre, il faut passer par eux.

Cela ne me dit rien qui vaille.

— Alors comment as-tu fait pour la localiser ?

— Grâce à Ellen Mager. Tu vois qui c'est ?

— Elle avait un an de moins que nous, mais je crois qu'on était ensemble en cours de maths.

— C'est ça. Ellen a fait ses études à l'université Rice à Houston.

— OK.

— En même temps que Beth Lashley. Je lui ai donc demandé de contacter les anciens élèves de Rice pour voir si elle pourrait glaner des informations.

Alors là, chapeau.

— Elle m'a dégoté une adresse mail au nom de Fletcher au centre hospitalier de l'université du Michigan. Le reste, je l'ai trouvé sur Google. Voici le numéro de son cabinet.

Ellie me tend un bout de papier.

Je contemple le numéro de téléphone comme s'il pouvait me fournir un indice.

Ellie se cale dans sa chaise.

— Et toi, tu as réussi à mettre la main sur Hank ?

— Pas vraiment.

— Le mystère s'épaissit.

— Tu l'as dit.

— Oh ! avant que tu partes, Marsha aimerait te voir.

— J'y vais.

J'embrasse Ellie sur la joue. Mais avant de passer au bureau de sa collègue Marsha Stein, je tourne à gauche et monte au premier étage. Il y a là une garderie pour les gamins. Je jette un œil à l'intérieur et aperçois le petit dernier de Brenda, occupé à colorier un livre. Je continue à longer le couloir. La porte de sa chambre est entrebâillée. Je frappe légèrement et passe la tête dans la petite pièce. Il y a deux valises ouvertes sur le lit. En me voyant, Brenda se jette à mon cou. C'est bien la première fois.

Elle se tait. Je me tais.

Lorsqu'elle relâche son étreinte, elle me regarde et hoche imperceptiblement la tête. Je réponds de la même façon.

Toujours sans un mot.

Quand je regagne le couloir, Marsha Stein est là qui m'attend.

— Salut, Nap.

Quand on avait huit, neuf ans, Marsha était notre baby-sitter. Tu te rappelles, Leo ? Elle était souple et magnifique, danseuse, chanteuse, vedette de tous les spectacles scolaires. Nous étions amoureux d'elle, comme tout le monde, du reste. Notre passe-temps préféré quand elle venait nous garder était de l'aider à répéter. Nous lisions ses répliques. Quand elle était en première, papa nous a emmenés la voir dans le rôle de Hodel, la jolie fille d'*Un violon sur le toit*. En terminale, la carrière théâtrale de Marsha a connu son apogée lorsqu'elle a joué le premier rôle dans la comédie musicale *Mame*. Toi, mon frère, tu interprétais le neveu de Mame, figurant dans le programme en tant que « jeune Patrick ». Papa et moi, on a vu le spectacle quatre fois, et, à chaque représentation, Marsha a reçu une ovation bien méritée.

À cette époque-là, elle sortait avec un beau garçon brut de décoffrage prénommé Dean. Il conduisait une Pontiac Trans Am noire et portait, qu'il pleuve ou qu'il vente, un blouson de sport vert et blanc. Marsha et Dean ont été désignés « le couple de l'année » dans le trombinoscope du lycée de Westbridge. Un an plus tard, ils étaient mariés. Et peu de temps après, Dean a commencé à la frapper. Sauvagement. L'orbite de son œil est toujours enfoncée du côté droit. Son visage semble décalé, de guingois. Le nez est aplati à force d'avoir pris des coups.

Au bout de dix ans, Marsha a enfin trouvé le courage de s'enfuir. Comme elle dit souvent aux femmes victimes de violences : « Le courage, on le trouve trop tard, mais il n'est jamais trop tard, et, oui, c'est une contradiction. »

Unissant ses forces avec une autre « enfant » qu'elle avait gardée dans le temps, Ellie, Marsha a fondé avec elle ce foyer d'accueil.

Ellie en est la directrice. Marsha préfère rester dans l'ombre. Aujourd'hui, elles gèrent un refuge et quatre logements de transition comme celui-ci. Plus trois autres adresses totalement inconnues du public pour des raisons évidentes. Leur système de surveillance est bien rodé, ce qui ne m'empêche pas d'y mettre parfois mon grain de sel.

Je dépose un baiser sur la joue de Marsha. Sa beauté n'est plus qu'un souvenir. Elle n'est pas vieille, une petite quarantaine. Quand on cherche à briser à coups de poing les êtres les plus lumineux, ils s'en remettent, mais ne brillent plus tout à fait du même éclat. Marsha aime toujours jouer, soit dit en passant. Le théâtre municipal de Westbridge est en train de monter le *Violon* pour le mois de mai. Elle y interprétera le rôle de la fille aînée, Tzeitel.

Elle me prend à part.

— C'est drôle.

— Quoi donc ?

— Je te parle de ce monstre, Très, et voilà qu'il finit à l'hôpital.

Je me tais.

— Il y a quelques mois, je t'avais dit que le compagnon de Wanda avait violé sa petite fille de quatre ans. Et voilà qu'il a fini…

— Je suis un peu pressé, Marsha.

Elle me regarde.

— Libre à toi de ne pas me parler de vos problèmes, lui dis-je. C'est toi qui décides.

— Je commence par prier.

— Si tu veux.

— Mais ça ne marche pas. Alors je me tourne vers toi.

— On peut voir les choses différemment.

— C'est-à-dire ?

Je hausse les épaules.

— Je suis peut-être la réponse à tes prières.

Je prends son visage dans mes mains et l'embrasse à nouveau. Puis je m'éclipse sans lui laisser le temps de réagir. Vous vous demandez sûrement comment moi, un flic chargé de faire respecter la loi, je justifie ce que j'ai fait à Très. La vérité, c'est que je n'ai aucune excuse. Je suis un hypocrite. Nous le sommes tous. Je crois à l'État de droit et je ne suis pas un adepte du vigilantisme. Mais ce que je fais est différent, du moins à mes yeux. Je considère le monde comme un bar, et je vois un homme dans la salle en train de battre une femme, de l'humilier, de se moquer d'elle, de la cajoler pour qu'elle lui laisse une autre chance comme Lucy tenant le ballon pour Charlie Brown, puis de la frapper à nouveau, violemment, au visage. Je considère que je passe dire bonjour à une amie et trouve son compagnon en train de violer sa fille de quatre ans.

N'êtes-vous pas en train de bouillir intérieurement ?

Le temps et la distance suffisent-ils à vous calmer ?

Alors je cogne. J'interviens pour que cela cesse. Sans aucune illusion. J'ai choisi d'enfreindre la loi, et si je suis pris, je devrai en payer le prix.

C'est une maigre excuse, je le reconnais, mais je m'en fiche.

Je reprends la route, direction la Pennsylvanie. Il y a de fortes chances que Simon Fraser ne soit pas dans son bureau. Dans ce cas, je me rendrai chez lui ou dans tout autre endroit où je pourrai le trouver. Je peux le rater. Il peut refuser de me voir. C'est ça, l'investigation. On persévère même quand on a l'impression de perdre son temps et son énergie.

J'y réfléchis en roulant. Mon problème est le suivant : des dix-huit premières années de ma vie, je n'ai aucun souvenir qui ne soit lié à toi. Nous avons partagé un utérus, puis nous avons partagé une chambre. Il n'y a rien que nous n'ayons pas partagé, en fait. Je te disais tout. *Tout.* Je n'avais aucun secret pour toi. Aucun secret, aussi gênant ou honteux soit-il, car je savais que tu m'aimerais toujours. Le masque, c'était pour les autres. Mais avec toi, je n'en portais pas.

Je ne te cachais rien. Mais toi, Leo ?

Est-ce que tu m'as toujours tout dit ?

Une heure plus tard, toujours sur la route, j'appelle le cabinet du Dr Beth Fletcher, née Lashley. Je donne mon nom à la secrétaire et demande à parler au Dr Fletcher. Elle me répond que le Dr Fletcher est absente. Puis elle s'enquiert sur le ton las, blasé, que seules les secrétaires médicales savent prendre avec les patients, de l'objet de mon appel.

— Je suis un de ses vieux amis de lycée.

Je lui dicte mon nom et mon numéro de portable. Et j'ajoute d'une voix pressante :

— Il est très important que je lui parle.

— Je lui laisserai un message, répond la secrétaire, imperturbable.

— Je suis également de la police.

Pas de réaction.

— S'il vous plaît, tâchez de joindre le Dr Fletcher et dites-lui que c'est urgent.

Elle raccroche sans rien me promettre.

Ensuite j'appelle Augie. Il décroche à la première sonnerie :

— Ouais.

— Je sais bien que vous préférez rester en dehors de cette affaire, dis-je.

Pas de réaction.

— Mais pouvez-vous demander à vos patrouilleurs d'ouvrir l'œil, des fois qu'ils verraient Hank ?

— Ça ne devrait pas être difficile. Il prend le même chemin tous les jours.

— Pas ce matin.

Je raconte à Augie ma planque avortée du côté du Sentier. Ainsi que ma visite d'hier soir sur le terrain de basket. Il se tait un moment. Puis :

— Tu sais que Hank n'est pas… bien ?

— Oui.

— Alors que crois-tu qu'il puisse t'apprendre ?

— Si seulement je le savais.

Un nouveau silence s'ensuit. Je suis tenté de lui demander pardon pour avoir exhumé ce qu'il avait eu tant de mal à ensevelir, mais je ne suis pas d'humeur à égrener des fadaises, et je doute qu'Augie ait envie de les entendre.

— Je dirai à mes gars de me prévenir par radio si jamais ils l'aperçoivent.

— Merci, dis-je.

Mais il a déjà raccroché.

Le cabinet Elbe, Baroche et Fraser est situé dans une tour de verre que rien ne distingue des autres tours de verre dans un complexe – ironiquement – baptisé « Le Grand Large ». Je me gare dans un parking de la taille d'une principauté européenne et rejoins Reynolds qui m'attend à l'entrée. Elle porte un blazer avec, en dessous, un col roulé vert.

— Simon Fraser est là, dit-elle.

— Comment le savez-vous ?

— Je surveille la porte depuis notre coup de fil. Je l'ai vu arriver, je ne l'ai pas vu ressortir, et sa voiture n'a pas bougé. J'en ai déduit que Simon Fraser était dans son bureau.

— Vous êtes trop forte.

— Il ne faut pas que ça vous impressionne.

Le hall d'entrée est froid et incolore, comme l'antre de Mister Freeze. Il y a là plusieurs cabinets d'avocats, des fonds de placement et même une de ces pseudo-écoles pour qui veut gagner des millions. Nous prenons l'ascenseur et montons au cinquième. Le petit gringalet à la réception arbore une barbe de deux jours, des lunettes à la mode et un casque avec un micro. Il lève un doigt pour nous faire patienter. Puis :

— Vous désirez ?

Reynolds sort sa plaque.

— Nous venons voir Simon Fraser.

— Vous aviez rendez-vous ?

Un instant, je pense que Reynolds va éructer : « Le voici, mon rendez-vous », ce qui, j'avoue, me décevrait beaucoup. Au lieu de quoi, elle dit que non, mais qu'on serait très reconnaissants à Me Fraser de nous accorder un peu de son temps. Le gringalet presse un bouton et se met à chuchoter. Puis il nous invite à nous asseoir. Il n'y a pas de magazines, juste les brochures du cabinet sur papier glacé. J'en feuillette une et tombe sur la photo et la bio de Simon Fraser. Tout son parcours s'est déroulé en Pennsylvanie. Il a fait ses études au lycée du coin, après quoi il est parti préparer sa licence à Pittsburg, dans l'ouest de l'État, avant d'entrer à la fac de droit à Philadelphie, à l'extrême est. C'est un spécialiste du droit de la famille « nationalement reconnu ». Ma vue se brouille d'ennui tandis que je lis qu'il a présidé ceci et cela, écrit ceci et cela, siégé dans telle commission, reçu tel prix d'excellence dans son domaine de compétence.

Une femme de haute taille vêtue d'une jupe crayon grise s'approche de nous d'un pas nonchalant.

— Par ici, je vous prie.

Nous la suivons dans une salle de réunion dont tout un pan de mur en baie vitrée offre une vue imprenable sur le parking et, un peu plus loin, deux ou trois restaurants de chaîne. Au centre de la longue table trône un haut-parleur qui ressemble à une tarentule grise.

Reynolds et moi poireautons pendant un quart d'heure avant que la femme ne revienne.

— Lieutenant Reynolds ?

— Oui ?

— Il y a un appel pour vous sur la ligne trois.

La femme sort. Reynolds fronce les sourcils et pose un doigt sur ses lèvres pour m'intimer le silence, puis elle appuie sur la touche du haut-parleur.

— Reynolds, répond-elle.

— Stacy ? dit une voix masculine.

— Oui.

— Que diable fabriquez-vous au cabinet de Simon Fraser, Stacy ?

— J'enquête sur une affaire, capitaine.

— Quelle affaire ?

— L'assassinat de l'agent Rex Canton.

— Qui n'est plus de notre ressort puisque le dossier a été transféré à la police du comté.

Première nouvelle.

— Je ne fais que suivre une piste, lui dit Reynolds.

— Non, Stacy, vous ne faites pas que suivre une piste. Vous importunez un citoyen respectable qui compte au moins deux juges parmi ses amis. Tous deux m'ont téléphoné pour m'informer qu'un de mes lieutenants harcèle un avocat en exercice qui lui a déjà signifié être lié par le secret professionnel.

Reynolds me regarde, l'air de dire : « Vous voyez ce que je dois me coltiner ? » Je hoche affirmativement la tête.

— Faut-il que je continue, Stacy ?

— Non, capitaine, j'ai bien reçu le message. Je m'en vais.

— Ah ! et on m'a dit que vous n'étiez pas seule. Qui est… ?

— Allez, au revoir.

Reynolds coupe la communication. Comme sur un signal, la femme en jupe grise ouvre la porte de la salle de réunion pour nous raccompagner. En pénétrant dans l'ascenseur, Reynolds me dit :

— Désolée de vous avoir fait faire tout ce trajet pour rien.

— Oui, je réponds. Dommage.

Une fois dehors, elle se tourne vers moi.

— Il faut que je retourne au poste. Pour rattraper le coup avec mon capitaine.

— Bonne idée.

Nous échangeons une poignée de main.

— Vous repartez directement ? me demande-t-elle.

Je hausse les épaules.

— J'irai peut-être déjeuner d'abord. Il est comment, l'italien ?

— À votre avis ?

Je ne vais pas chez l'italien.

Il y a toute une zone réservée sur le parking. Je trouve le panneau RÉSERVÉ À SIMON FRASER sur une place occupée par une Tesla rutilante. Je fronce les sourcils en m'efforçant de ne pas juger. La place à côté, normalement réservée à Benjamin Baroche, est libre.

Parfait.

Je retourne à ma voiture. Au passage, je croise un type, la quarantaine, en train de fumer. Il porte un complet-veston et une alliance, et, inexplicablement, cette alliance me fait de l'effet.

— Vous ne devriez pas fumer, lui dis-je.

La réaction est toujours la même : un regard mi-perplexe, mi-agacé.

— Hein ?

— Vous avez des gens qui vous aiment. Je ne veux pas que vous tombiez malade et mouriez.

— De quoi je me mêle ? riposte-t-il en jetant le mégot comme s'il l'avait offensé, avant de s'éloigner à grands pas.

Mais quelque part, je me dis : *Qui sait... c'est peut-être sa toute dernière cigarette.*

Et on dit que je ne suis pas optimiste.

Je jette un œil sur la porte. Aucun signe de Simon Fraser. Vite, je monte dans ma voiture et vais me garer sur la place de Baroche, serrant bien à droite. Seuls quelques centimètres me séparent de la portière gauche de la Tesla. Simon Fraser n'a aucune chance de se faufiler entre les deux voitures, et encore moins d'ouvrir la sienne.

J'attends. Je suis capable d'attendre indéfiniment, cela ne me dérange pas. Comme je n'ai rien à surveiller – il ne risque pas de m'échapper –, je sors le roman que j'ai emporté, incline mon siège vers l'arrière et commence à lire.

Cela ne dure pas longtemps.

À midi quinze, je vois dans mon rétroviseur Simon Fraser sortir du bâtiment. Je glisse le marque-page entre les pages 312 et 313 et pose le livre sur le siège passager. Simon est en train de parler avec animation au téléphone. En s'approchant, il fouille dans sa poche à la recherche de ses clés. J'entends le bip-bip du déverrouillage des portières. Je ne bouge pas.

Il s'arrête net, et je distingue clairement :

— C'est quoi, ce bordel ?

Je colle mon portable à mon oreille, feignant de parler à quelqu'un. Je pose l'autre main sur la poignée de la portière.

— Eh… Eh…, vous !

Je l'ignore royalement. Furieux, il fait le tour de ma voiture et, avec sa chevalière, tambourine sur la vitre.

— Eh, vous ne pouvez pas vous garer ici.

Je tourne la tête et, d'un geste, indique que je suis occupé. Écarlate, Simon Fraser cogne plus fort à ma vitre. Ma main se resserre sur la poignée.

— Dites donc, espèce d'abru…

J'ouvre la portière d'un coup sec, le heurtant au visage. Fraser tombe à la renverse. Son portable va valdinguer sur le bitume. J'ignore s'il est cassé ou pas. Je descends avant qu'il n'ait le temps de se relever.

— Je vous attendais, Simon.

Avec précaution, il porte la main à son visage comme pour s'assurer…

— Pas de sang, lui dis-je. Pas encore.

— C'est une menace ?

— Ça pourrait.

Je lui tends la main.

— Tenez, laissez-moi vous aider.

Il regarde ma main comme si je lui présentais un étron. Je lui souris. Lui fais mes yeux de dingue. Il a un mouvement de recul.

— Je suis venu sauver votre carrière, Simon.

— Qui êtes-vous ?

— Nap Dumas.

Le but de cette mise en scène n'est pas tant de lui faire du mal que de le déstabiliser, pour qu'il perde pied. Voici un homme habitué à tout contrôler, à fixer ses règles et ses lois, à résoudre ses problèmes d'un coup de fil à des relations haut placées. Il n'a guère l'habitude des confrontations hors des sentiers battus ni du manque de contrôle, et je compte bien en profiter.

— Je… J'appelle la police.

— Pas la peine, dis-je en ouvrant les bras. Je suis flic. Que puis-je faire pour vous ?

— Vous êtes policier ?

— Oui.

Son visage s'empourpre de plus belle.

— Je vais vous faire retirer votre plaque.

— Pour stationnement illégal ?

— Pour agression.

— La portière ? C'était un accident, désolé. Mais bien sûr, faisons venir les collègues. Voyons si vous me faites virer pour avoir ouvert une portière de voiture. Quant à moi…

Je pointe mon pouce vers ma poitrine.

— … je verrai si je vous fais rayer du barreau.

Simon Fraser est toujours à terre. Comme je me dresse au-dessus de lui, il aurait du mal à se relever sans mon aide. C'est un jeu de pouvoir assez commun. Je tends à nouveau la main. S'il tente quoi que ce soit – à ce stade, ce n'est pas exclu –, je suis prêt. Il prend ma main, et je le remets debout.

Fraser époussette son costume.

— Je m'en vais, annonce-t-il.

Il ramasse son téléphone et l'époussette également, comme si c'était un petit chien. Je vois d'ici l'écran fissuré. Maintenant qu'il y a une distance entre nous, il me fusille du regard.

— Vous paierez les dégâts.

Je lui adresse un sourire.

— Sûrement pas.

Il jette un œil sur sa voiture, mais la mienne bloque toujours l'accès côté conducteur. Je devine qu'il hésite à ramper par-dessus le siège du passager pour pouvoir partir.

— Vous répondez à mes questions, dis-je, et tout cela restera entre nous.

— Et si je refuse ?

Je hausse les épaules.

— Je briserai votre carrière.

— Vous croyez que vous en êtes capable ? ricane-t-il.

— Honnêtement, je ne sais pas. Mais je ferai tout pour. Je n'ai rien à perdre, Simon. Ça m'est égal si vous me...

J'esquisse des guillemets avec mes doigts.

— ... « faites retirer ma plaque ». Je n'ai pas de famille. Pas de statut social. Bref, je répète : je n'ai rien à perdre.

Je fais un pas vers lui.

— Vous, en revanche, vous avez une famille, une réputation, ce que les médias appellent...

Re-guillemets dans l'air.

— ... « une place dans la société ».

— Vous ne pouvez pas me menacer.

— Je viens juste de le faire. Oh ! et si je n'arrive pas à détruire votre réputation, je reviendrai un jour vous botter les fesses. Tout bêtement. À l'ancienne.

Il me regarde, atterré.

— Mon frère est mort, Simon. Et vous bloquez peut-être la piste susceptible de me conduire à son assassin.

Je fais un pas de plus dans sa direction.

— Ai-je l'air de quelqu'un qui laisserait passer cela ?

Il s'éclaircit la voix.

— Si ça concerne les missions que l'agent Rex Canton effectuait pour le compte de notre cabinet…

— Précisément.

— … alors je ne peux rien pour vous. Comme je l'ai déjà expliqué, ce travail est couvert par le secret professionnel.

— Pas s'il s'agit d'une activité criminelle, Simon.

Il se tait.

— Ça vous dit quelque chose, la provocation aux crimes et délits ?

Il se racle la gorge d'un air incertain.

— De quoi diable parlez-vous ?

— Vous avez chargé l'agent Rex Canton de discréditer des ex-maris au profit de vos clientes.

Fraser reprend sa posture d'avocat.

— Primo, ce n'est pas ainsi que je qualifierais le travail de l'agent Canton. Secundo, enquêter sur les antécédents de la partie adverse n'est ni illégal ni contraire à l'éthique.

— Il n'enquêtait pas sur les antécédents, Simon.

— Vous n'avez aucune preuve…

— Bien sûr que si. Pete Corwick, Randy O'Toole, Nick Weiss. Ça ne vous dit rien, ces noms-là ?

Nouveau silence.

— Vous avez avalé votre langue, maître ?

Le silence se prolonge.

— Par une curieuse coïncidence, l'agent Rex Canton a arrêté ces trois hommes pour conduite en état d'ébriété. Par une curieuse coïncidence, votre cabinet défendait les intérêts des épouses de ces trois hommes au moment de l'interpellation.

Je le gratifie d'un grand sourire.

— Cela ne constitue pas la preuve d'un délit, hasarde-t-il.

— Hmm. Croyez-vous que les médias se rangeront à votre avis ?

— Si vous soufflez un mot de ces accusations infondées à la presse…

— Vous me ferez retirer ma plaque, j'ai bien compris. Écoutez, je vais vous poser deux questions. Si vous répondez sincèrement, on tourne la page. Votre bref cauchemar, qui porte mon visage, sera terminé. Si vous ne répondez pas, je contacterai la presse et l'ordre des avocats, et je posterai ce que je sais sur Facebook. Ça vous va ?

Simon Fraser n'irait pas jusqu'à l'avouer, mais je vois à ses épaules affaissées que je le tiens.

— Première question : que savez-vous de la femme qui aidait Rex à piéger ses cibles ?

— Rien.

Il a répondu vite.

— Vous savez, n'est-ce pas, qu'il se servait d'une femme pour embobiner les gars et les pousser à boire ?

— Des hommes qui draguent dans un bar.

Fraser hausse les épaules, s'efforçant de recouvrer un semblant d'aplomb.

— L'important, ce n'est pas pourquoi ils boivent, mais combien.

— Alors, qui est-elle ?

— Aucune idée.

Sa voix a des accents de sincérité.

— Pensez-vous que quelqu'un de chez nous, et moi en particulier, s'intéresserait à ces détails-là ?

Non. Mais cela valait le coup d'essayer.

— Deuxième question.

— *Dernière* question, rectifie-t-il.

— Qui a fait appel à vous pour arranger le coup du contrôle routier le soir où Rex Canton a été tué ?

Simon Fraser hésite. Je le laisse réfléchir. De rouge, son teint est passé au blême.

— Vous insinuez que c'est à cause du travail que l'agent Canton faisait pour notre cabinet qu'il a été assassiné ?

— C'est plus qu'une insinuation.

— Vous avez des preuves ?

— L'assassin a pris l'avion uniquement dans ce but. Il a loué une voiture pour se rendre dans ce bar. Là, il a fait semblant de boire avec la partenaire de Rex. Il a attendu que celui-ci le fasse descendre de son véhicule. Puis il a tiré et l'a tué.

Fraser a l'air abasourdi.

— C'était un guet-apens, Simon. Pur et simple.

On n'aurait pas dû en arriver là, à cette scène sur le parking. Simon Fraser en est conscient maintenant. Il semble plus hébété que quand il s'est pris la portière en pleine poire.

— Je vais vous trouver son nom.

— Parfait.

— Je consulterai les factures après le déjeuner, dit-il avec un coup d'œil à sa montre. Je suis en retard à mon rendez-vous.

— Simon ?

Il me regarde.

— Oubliez votre déjeuner. Je veux le nom maintenant.

Je fais un blocage sur Maura.

Il y a plusieurs raisons à cela. La plus évidente, bien sûr, est que ça me permet de me concentrer sur l'enquête en cours. Il ne s'agit pas de céder à l'émotion. J'ai peut-être des motivations personnelles – toi, Maura –, mais je ne veux pas qu'elles obscurcissent mon jugement. Je ne veux pas prendre mes désirs pour des réalités.

En d'autres termes, je ne peux pas m'empêcher d'espérer.

Il reste encore une chance, même si elle est infime, qu'il y ait une explication rationnelle à tout cela, et que, lorsqu'on se reverra, Maura et moi... mais là, mon esprit se met à battre la campagne. J'imagine de longues promenades, main dans la main, des nuits plus longues encore sous les draps ; je vois des enfants, je me vois en train de repeindre la terrasse, d'entraîner l'équipe junior de base-ball... Je sais que c'est idiot, jamais je ne l'avouerais, mais tu comprends maintenant le manque que ton absence a créé dans ma vie.

C'est déjà assez débile que je parle à mon frère mort, non ?

Nous prenons place dans le bureau de Simon Fraser. La femme en jupe grise lui apporte un dossier. Il l'ouvre, et je vois une ombre traverser son visage.

— Quoi ?

— Je n'ai pas fait appel à Rex Canton depuis un mois.

Simon Fraser lève les yeux sans cacher son soulagement.

— J'ignore qui l'a engagé ce soir-là, mais ce n'était pas moi.

— Un de vos confrères, peut-être ?

Il a l'air sceptique.

— J'en doute.

— Rex travaillait exclusivement pour vous ?

— Je n'en sais rien, mais je suis l'un des principaux associés ici et le seul spécialisé dans les affaires familiales, donc…

Il ne termine pas sa phrase, mais j'ai saisi le message. Rex était *son* homme. Personne d'autre n'aurait osé l'embaucher sans son consentement.

Mon portable sonne. Le numéro affiché est celui de la police de Westbridge. Je m'excuse et m'éloigne de quelques pas.

— Allô ?

C'est Augie.

— Je crois savoir pourquoi nous sommes sans nouvelles de Hank.

12

Lorsque, le lendemain matin, j'arrive au poste de police de Westbridge, je trouve Augie en compagnie d'une jeune fliquette du nom de Jill Stevens. Moi-même, j'ai débuté là comme patrouilleur et je continue à travailler comme enquêteur à la fois pour la ville et pour le comté. Augie m'a fait entrer dans la police et gravir les échelons. J'aime bien cette position : enquêteur à l'échelle du comté et flic municipal à mes heures. L'argent et la gloire ne m'intéressent pas. Ce n'est pas de la fausse modestie. Je suis heureux comme ça. Je résous les crimes et laisse les honneurs aux autres. Je n'ai pas envie d'être promu ni rétrogradé. La plupart du temps, je suis autonome, et je ne risque pas de me faire aspirer par les sables mouvants de la politique.

Je suis dans ma zone de confort.

Le poste de police est une ancienne banque au milieu d'Old Westbridge Road. Il y a huit ans, les nouveaux locaux modernes dans North Elm Street ont été inondés au cours d'un orage. Ne sachant où aller pendant les travaux, ils ont loué une partie de la Westbridge Savings Bank, une banque de dépôt située dans un édifice de style gréco-romain construit en 1924 et qui a connu des jours meilleurs. L'intérieur n'a pas changé : sol en marbre, hauts plafonds et comptoirs en chêne foncé. La vieille chambre forte a été convertie en cellule de détention. Le conseil municipal promet que la police regagnera ses quartiers dans North Elm Street, mais, huit ans après, les travaux en sont toujours au point mort.

Nous nous installons dans le bureau d'Augie, qui a été celui du directeur de la banque. Les murs sont nus : pas de tableaux, pas de drapeaux, aucun diplôme, récompense ou citation comme on en voit ailleurs. Pas de photos non plus, comme si Augie avait déjà fait ses cartons en prévision de la retraite. Il est comme ça, mon mentor. Citations et récompenses, ce serait de la vantardise. Les tableaux en révéleraient trop sur lui. Quant aux photos… eh bien, même du temps où Augie avait une famille, il ne tenait pas à les mêler à son travail.

Augie est assis derrière son bureau. Jill a pris place à ma droite avec un dossier et un ordinateur portable.

— Il y a trois semaines, dit Augie, Hank est venu ici déposer une plainte. C'est Jill qui l'a reçu.

Nous la regardons tous les deux. Jill s'éclaircit la voix et ouvre le dossier.

— Le plaignant s'est présenté dans un état de grande agitation.

— Jill ?

Elle lève les yeux.

— Laisse tomber les formalités, dit Augie. On est entre amis.

Elle hoche la tête et referme le dossier.

— J'ai croisé Hank en ville. Nous connaissons tous sa réputation. J'ai consulté les archives. Il n'avait jamais mis les pieds au poste. Enfin… de son plein gré. On l'a déjà ramassé quand il parlait tout seul dans la rue et on l'a gardé quelques heures, le temps qu'il se calme. Pas dans la cellule, juste sur une chaise en bas. Ce que je veux dire, c'est qu'il n'avait encore jamais porté plainte.

J'essaie de faire avancer les choses.

— Vous dites qu'il était agité ?

— Je l'avais déjà entendu délirer, alors, au début, j'ai juste fait semblant d'écouter. Je pensais qu'il avait besoin de décompresser et qu'il finirait par s'apaiser. Mais il disait que des gens le menaçaient et lui hurlaient des insultes.

— Du genre ?

— Il n'était pas très clair, mais visiblement il avait peur. Il a dit qu'on racontait des mensonges sur lui. Par moments, il prenait un ton bizarre, grandiloquent, et parlait de calomnies et de diffamation. Comme s'il était son propre avocat. Son histoire n'avait ni queue ni tête. Jusqu'à ce qu'il nous montre cette vidéo.

Jill rapproche sa chaise de la mienne et ouvre son ordinateur.

— Tenez.

Il s'agit d'une capture d'écran à partir d'une vidéo sur Facebook. On ne voit pas bien ce que c'est. Une forêt peut-être. Il y a du feuillage vert. Je regarde l'en-tête avec le nom de la page où la vidéo a été postée.

— Haro sur le pervers ? dis-je tout haut.

— Internet, répond Augie comme si cela expliquait tout.

Il se cale dans son fauteuil et joint les mains sur sa bedaine.

Jill lance la vidéo.

L'image tremblote, étroite et floue sur les bords. Autrement dit, la vidéo a été filmée avec un smartphone tenu verticalement. Au loin, on distingue la silhouette d'un homme debout derrière le filet d'arrêt d'un terrain de base-ball.

— C'est Sloane Park, dit Jill.

Je l'avais déjà reconnu. C'est juste à côté du collège Benjamin-Franklin.

La vidéo saccadée zoome sur l'homme. Sans surprise, c'est Hank. Il ressemble à ce que jadis on appelait un clochard. Il n'est pas rasé. Son jean est informe et délavé au point d'être presque blanc. Il porte une chemise de flanelle déboutonnée et, dessous, un tricot de corps jauni et mangé aux mites (du moins, il faut l'espérer).

Au début, il ne se passe rien. La caméra cesse de tressauter et se stabilise. Puis une femme – probablement celle qui filme – chuchote :

— Ce sale pervers s'est exhibé devant ma fille.

Je jette un coup d'œil sur Augie qui demeure stoïque. Je reporte mon attention sur l'écran.

À en juger par la façon dont l'image bouge de haut en bas et se concentre sur Hank, je suppose que la femme qui filme se dirige vers lui.

— Que faites-vous ici ? crie-t-elle. Où vous croyez-vous, hein ?

Hank Stroud l'aperçoit et écarquille les yeux.

— Pourquoi vous exhibez-vous devant des enfants ?

Le regard de Hank s'affole, tel un oiseau effrayé cherchant à s'échapper.

— Pourquoi notre police laisse des pervers comme vous mettre en danger notre communauté ?

Hank porte la main à ses yeux comme pour se protéger d'une lumière trop vive.

— Répondez-moi !

Hank détale.

La caméra pivote pour le suivre. Son pantalon commence à glisser. Il le retient d'une main tout en courant se réfugier dans les bois.

— Si vous avez des informations sur ce pervers, déclare la femme qui a tourné la vidéo, n'hésitez pas à les poster. Nous devons protéger nos enfants !

Ça s'arrête là.

Je regarde Augie.

— Quelqu'un s'est-il plaint de Hank ?

— Tout le monde se plaint de Hank.

— Pour exhibitionnisme ?

Augie secoue la tête.

— Parce qu'on ne l'aime pas. Il arpente les rues tout débraillé, il sent mauvais, il parle tout seul. Tu connais la chanson.

— Mais personne n'a parlé d'exhibitionnisme ?

— Non.

Augie désigne l'ordinateur portable du menton.

— Regarde le nombre de vues en bas de la vidéo.

J'en reste bouche bée : 3 789 452 vues.

— Waouh !

— Elle est devenue virale, dit Jill. Hank est venu ici le lendemain du jour où elle a été postée. Elle avait déjà été visionnée un demi-million de fois.

— Qu'attendait-il de vous ?

Jill ouvre la bouche, puis se ravise.

— Il a juste dit qu'il avait peur.

— Il voulait qu'on le protège ?

— Je suppose que oui.

— Et qu'avez-vous fait ?

Augie dit :

— Nap.

Jill se trémousse sur sa chaise.

— Que pouvais-je faire ? Il est resté très vague. Je lui ai dit de revenir si quelqu'un le menaçait directement.

— Avez-vous cherché à identifier la personne qui a posté cette vidéo ?

— Euh… non.

Les yeux agrandis, Jill regarde Augie.

— J'ai déposé le dossier sur votre bureau, capitaine. Aurais-je dû en faire plus ?

— Non, Jill, tu as bien fait. Je m'en occupe. Laisse l'ordinateur ici. Merci.

Elle me scrute comme dans l'attente d'une absolution. Je ne lui en veux pas, mais je ne la félicite pas non plus. Je reste donc muet, et elle finit par sortir. Après son départ, Augie fronce les sourcils.

— Elle débute dans le métier, bon sang.

— L'auteure de cette vidéo porte une accusation grave contre Hank.

— Tu n'as qu'à t'en prendre à moi, dit Augie.

J'esquisse une moue et fais non de la tête.

— Je suis le capitaine. Ma subalterne a laissé le dossier sur mon bureau. J'aurais dû l'étudier plus attentivement. Tu cherches quelqu'un à blâmer ? Eh bien, c'est ma faute.

À tort ou à raison, je ne tiens pas à poursuivre cette discussion.

— Je ne blâme personne.

Je regarde la vidéo une deuxième fois. Puis une troisième.

— Il perd son pantalon, dis-je.

— Tu crois qu'il s'est desserré ?

Je ne crois pas, non. Et lui non plus.

— Regarde les commentaires en dessous, dit Augie.

Je fais glisser le curseur.

— Il y en a plus de cinquante mille.

— Clique pour afficher le « Top des commentaires ».

J'obtempère et, comme chaque fois que je lis les avis d'internautes, ma foi en l'humanité dégringole.

ON DEVRAIT CASTRER CE GARS-LÀ
AVEC UN CLOU ROUILLÉ…

J'ATTACHERAIS BIEN CE PERVERS À L'ARRIÈRE
DE MON CAMION POUR TRAÎNER SON CUL…

VOILÀ CE QUI CLOCHE EN AMÉRIQUE.
POURQUOI CE PÉDO-O-FILE SE PROMÈNE
EN LIBERTÉ…

IL S'APPELLE HANK STROUD ! JE L'AI VU
PISSER SUR LE PARKING DERRIÈRE LE
STARBUCKS DE WESTBRIDGE…

POURQUOI DÉPENSER L'ARGENT DE MES
IMPÔTS EN METTANT CE DÉVIANT EN PRISON ?
FLINGUEZ-LE, CE HANK, COMME VOUS FERIEZ
AVEC UN CHIEN ENRAGÉ…

J'ESPÈRE QUE CE TARÉ PASSERA PAR CHEZ MOI.
J'AI UNE NOUVELLE CARABINE QUE J'AI HÂTE
D'ESSAYER…
ON DEVRAIT DESCENDRE SON FROC,
LE PENCHER EN AVANT ET…

Et ainsi de suite. Beaucoup de messages commencent par « On devrait… », suivi d'un éventail de supplices si retors que Torquemada en serait vert de jalousie.

— Sympa, hein ? dit Augie.

— Il faut qu'on le retrouve.

— J'ai lancé un avis de recherche dans tout le New Jersey.

— On pourrait demander à son père.

— Tom ?

Augie a l'air surpris.

— Tom Stroud est parti depuis des lustres.

— Il paraît qu'il est revenu.

— Sérieux ?

— Quelqu'un m'a dit qu'il vivait dans l'appartement de son ex-femme à Cross Creek Point.

— Hmm, dit Augie.

— Hmm, quoi ?

— On était potes à l'époque, Tom et moi. Après le divorce, il est parti s'installer dans le Wyoming. À Cheyenne. Un ou deux autres gars et moi, on y est allés, il y a bien… vingt ans, pour une partie de pêche.

— Et quand l'avez-vous vu pour la dernière fois ?

— À l'occasion de ce voyage, justement. Tu sais comment c'est. Quelqu'un qui quitte la ville, on finit par le perdre de vue.

— N'empêche. Vous venez de dire que vous étiez potes à l'époque.

Je le regarde. Augie comprend où je veux en venir. Il jette un œil au rez-de-chaussée. Comme d'habitude, il ne s'y passe pas grand-chose.

— OK, soupire-t-il en se levant. Tu conduis.

13

Nous roulons en silence pendant quelques minutes.

J'ai envie de dire à Augie que je vais faire demi-tour, le ramener au poste, que je peux gérer cette affaire tout seul. J'ai envie de lui dire de rappeler Yvonne pour lui donner une seconde chance et d'oublier que je lui ai parlé de sa fille morte.

Au lieu de quoi, je laisse tomber :

— Mon hypothèse ne tient plus la route.

— Comment ça ?

— Mon hypothèse, si on peut l'appeler ainsi, était que toute l'affaire était liée à ce qui est arrivé à Leo et Diana.

Du coin de l'œil, je vois Augie s'affaisser. Je continue :

— Je pensais que c'était en rapport avec leur Club des conspirateurs. Six de ses membres présumés : Leo et Diana…

— On ne sait pas si Diana en faisait partie, m'interrompt-il sèchement.

Je comprends sa réaction.

— Elle ne porte pas cette saleté de pin's dans le trombinoscope.

Je réponds lentement, avec circonspection :

— Exact. C'est pourquoi j'ai dit membres *présumés*.

— Si tu veux.

— Vous préférez peut-être qu'on parle d'autre chose…

— Sois gentil, Nap. Explique-moi simplement pourquoi ton hypothèse ne tient pas, OK ?

Je hoche la tête.

En vieillissant, nous devenons plus égaux. Mais Augie est toujours le maître, et moi l'élève.

— Six membres présumés, je reprends, Diana et Leo…

— … sont morts, dit-il. Ainsi que Rex. Reste Maura, qui était sur les lieux quand Rex a été tué, cette cardiologue qui vit dans l'Ouest…

— Beth Fletcher née Lashley.

— Et Hank, achève Augie.

— C'est lui, le problème.

— Pourquoi ?

— Il y a trois semaines, avant l'assassinat de Rex, quelqu'un a posté cette vidéo virale de Hank. Hank a disparu. Rex a été tué. Je ne vois pas de rapport entre les deux. La femme qui a posté la vidéo est une mère de famille lambda. Aucun lien avec l'ancienne base ou le Club des conspirateurs, hein ?

— Cela me paraît peu probable.

Augie se frotte le menton.

— Puis-je faire une remarque ?

— Allez-y.

— Tu t'impliques trop, Nap.

— Et vous, pas assez, repartis-je, ce qui est stupide de ma part.

Je m'attends à un feu d'artifice bien mérité. Mais Augie se contente de s'esclaffer.

— Un autre que toi se serait pris une baffe.

— C'était déplacé, dis-je. Toutes mes excuses.

— Je comprends, Nap, contrairement à toi.

— De quoi parlez-vous ?

— Il ne s'agit pas seulement de Leo et de Diana. Tu t'accroches à cause de Maura.

J'encaisse le coup.

— Si Maura n'était pas partie, tu aurais pu tourner la page. Tu te poserais des questions, bien sûr, comme moi. Mais toute la différence est là. Quoi qu'on découvre sur Leo et Diana, ça ne changera rien pour moi. Le cadavre de ma fille sera toujours en train de pourrir dans sa tombe. Alors que pour toi…

La voix d'Augie est empreinte de tristesse. J'ai l'impression qu'il me plaint.

— … pour toi, il y a Maura.

Nous arrivons au portail de la copropriété. Je me secoue. *Pense à ton enquête. Concentre-toi.*

C'est facile d'ironiser sur ce genre d'habitat, uniformément paisible, sans aucune touche d'originalité, construit comme un assemblage au milieu d'espaces verts trop léchés. Pourtant, je songe à déménager dans une résidence comme celle-ci depuis que j'ai atteint l'âge adulte. L'idée de payer pour l'entretien une fois par mois sans mettre la main à la pâte me séduit. J'ai horreur de tondre la pelouse. Je n'aime pas jardiner, je n'aime pas les barbecues et tous ces rituels incontournables liés à la possession d'une maison. Je me fiche d'habiter dans un logement identique à ceux de mes voisins. Je ne suis même pas spécialement attaché au cadre dans lequel nous avons grandi.

Où que j'aille, Leo, tu seras toujours avec moi.

Alors qu'est-ce que j'attends pour déménager ?

Je suis sûr qu'un psy se ferait un plaisir de disséquer le pourquoi du comment, mais, à mon avis, il ne faut pas aller chercher bien loin. Déménager demande un effort. C'est prouvé scientifiquement : un corps au repos reste au repos. Bon, c'est peut-être bancal comme explication, mais je n'en ai pas d'autre.

Le gardien à l'entrée est à peine armé d'une matraque. Je brandis ma plaque :

— Nous venons voir Tom Stroud.

Il examine la plaque avant de me la rendre.

— M. Stroud vous attend ?

— Non.

— Vous permettez que je l'appelle pour le prévenir ? C'est le règlement.

Je regarde Augie. Il hoche la tête. Je dis :

— Pas de problème.

Le gardien raccroche et nous indique le chemin : deuxième à gauche après les courts de tennis. Puis il colle un ticket de parking sur mon pare-brise. Je le remercie et redémarre.

Tom Stroud nous accueille à la porte d'entrée. Hank est bien son fils, pas de doute là-dessus, mais la ressemblance s'arrête là. Il est mieux habillé, rasé, soigné. Les cheveux de Hank se dressent sur son crâne comme à la suite d'une expérience de labo qui aurait mal tourné. Son père est impeccablement coiffé ; sa chevelure grisonnante est lisse et séparée par une raie tracée par une divinité.

Tandis que nous ouvrons les portières, Tom Stroud se tord les mains. Il se balance d'avant en arrière, les yeux grands ouverts. Je jette un regard à Augie. Lui aussi l'a remarqué. Cet homme-là s'attend à une mauvaise nouvelle, la pire qu'on puisse imaginer. L'un et l'autre, nous avons déjà fait ce genre de visite… et l'avons reçue aussi.

Tom s'avance d'un pas mal assuré.

— Augie ?

— Nous ne savons pas où est Hank, répond Augie. C'est pour ça qu'on est là.

Le soulagement se peint sur le visage de Tom. Son fils n'est pas mort. Sans se préoccuper de moi, il va droit vers son vieil ami et le serre dans ses bras. Augie hésite un instant, puis se détend et l'étreint à son tour.

— Je suis content de te voir, Augie.

— Pareil pour moi, Tom.

Ils se lâchent et font chacun un pas en arrière. Augie demande :

— Sais-tu où est Hank, Tom ?

Tom Stroud secoue la tête et dit :

— Si on entrait ?

Il nous prépare du café dans une cafetière à piston.

— Doris aimait le café en dosettes, mais je trouve que ça a un goût de plastique.

Il nous tend une tasse à chacun. Je goûte. Son café est excellent, ou c'est peut-être ma francophilie qui refait surface. Augie et moi nous asseyons sur des tabourets dans la petite cuisine. Tom Stroud reste debout. Il regarde par la fenêtre qui donne sur un bâtiment identique au sien.

— Doris et moi, on a divorcé quand Hank avait dix ans. On se connaissait depuis l'âge de quinze ans : c'est beaucoup trop jeune. On s'est mariés alors qu'on n'avait pas terminé nos études. Pour finir, j'ai travaillé avec mon père. Il fabriquait des clous et des agrafes pour palettes. J'étais la troisième génération. Quand j'étais gamin, la fabrique était à Newark, mais, après les mouvements sociaux, on l'a transférée à l'étranger. Mon boulot était le boulot le plus ennuyeux du monde. En tout cas, c'est ce que je pensais.

Je regarde Augie. Je m'attends à ce qu'il lève les yeux au ciel. Mais soit il feint l'écoute attentive, soit il est réellement touché par l'histoire de son vieil ami.

— Bref, j'ai trente ans passés, je déteste mon travail, on a des soucis financiers, je vieillis avant l'heure et je suis malheureux. Tout cela est ma faute. Je veux parler du divorce. On est au bord du gouffre, on franchit le pas, et c'est la dégringolade. Doris et moi, on se disputait tout le temps. On en est venus à se haïr. Hank, mon fils « ingrat », s'est mis à me haïr aussi. Alors je me suis dit : tant pis pour eux. Je suis parti loin. J'ai ouvert une boutique d'articles de pêche avec un stand de tir à l'arrière. Je suis revenu plusieurs fois pour voir Hank, mais il faisait tout le temps la tête. Un vrai boulet, quoi. Du coup, j'ai laissé tomber. Je me suis remarié, mais ça n'a pas duré. Elle m'a quitté, on n'avait pas d'enfants, ce n'était pas bien grave. On n'avait jamais pensé finir notre vie ensemble…

Sa voix se perd dans un murmure.

— Tom ?

— Ouais, Augie ?

— Pourquoi es-tu revenu ?

— J'étais là-bas, à Cheyenne, j'avais ma petite vie, mes affaires. Puis un jour, Doris m'a appelé pour m'annoncer qu'elle avait un cancer.

Il a les larmes aux yeux maintenant. Je regarde Augie qui est à deux doigts de craquer, lui aussi.

— J'ai sauté dans le premier avion et je suis rentré. On ne s'est plus disputés, Doris et moi. On n'a pas reparlé du passé. On n'a pas ressassé ce qui nous était arrivé, ni même pourquoi j'étais revenu. Je me suis installé ici, voilà tout. Ça n'a aucun sens, je sais.

— Au contraire, réplique Augie.

Tom secoue la tête.

— Toute une vie gâchée.

Un silence s'ensuit. J'aimerais qu'on avance, mais c'est Augie, le maître du jeu.

— On a vécu six mois en forme et six mois pas très en forme. Je ne dis pas qu'ils étaient « bons » ou « mauvais ». Tout est bon quand on sait s'y prendre. Tu comprends ?

— Oui, dit Augie, je comprends.

— J'ai fait en sorte que Hank soit là le jour de la mort de Doris. On était tous les deux avec elle.

Augie ajuste sa position sur le tabouret. Je ne bouge pas. Tom Stroud finit par se détourner de la fenêtre.

— J'aurais dû t'appeler, Augie.

D'un geste, Augie coupe court à ses excuses.

— Je voulais le faire. Je t'assure. J'allais t'appeler, mais…

— Tu n'as pas à te justifier, Tom.

Augie s'éclaircit la voix.

— Hank passe te voir ici ?

— Ça lui arrive. Je pensais vendre l'appartement et placer l'argent sur un compte sous tutelle à son nom. Mais je crois qu'il trouve ici un semblant de stabilité. J'essaie de le faire soigner. Par moments… Par moments, il est bien. Et c'est presque pire. Comme s'il entrevoyait la vie qu'il pourrait avoir, et puis, soudain, tout disparaît.

Pour la première fois, le regard de Tom se pose sur moi.

— Vous étiez en classe avec Hank ?

— Oui.

— Alors vous le savez déjà. Hank est malade.

Je hoche légèrement la tête.

— Les gens ne se rendent pas compte que c'est une maladie. Ils attendent de Hank qu'il se rétablisse, qu'il se reprenne en main, mais c'est comme si on demandait à un unijambiste de traverser la pelouse en courant. Il ne peut pas.

— Quand avez-vous vu Hank pour la dernière fois ? je lui demande.

— Il y a quelques semaines, mais ses visites ne sont pas régulières.

— Vous n'étiez donc pas inquiet ?

Tom Stroud semble hésiter.

— Oui et non.

— C'est-à-dire ?

— Même si je l'étais, je ne pouvais pas faire grand-chose. Hank est adulte. Il n'a pas d'attaches. Si je vous avais appelés, qu'auriez-vous fait ?

La réponse est évidente.

— Hank vous a-t-il montré la vidéo sur laquelle il apparaît près du collège Benjamin-Franklin ?

— Quelle vidéo ?

Je sors mon téléphone portable et la lui montre.

Tom porte la main à son visage.

— Mon Dieu… qui a posté ça ?

— On ne sait pas.

— Je peux… je ne sais pas… signaler la disparition de Hank ?

— Vous pouvez, dis-je.

— Alors faisons-le. Augie ?

Augie lève les yeux.

— Retrouve mon garçon, OK ?

Augie hoche lentement la tête.

— Nous ferons de notre mieux.

Avant qu'on parte, Tom Stroud nous conduit dans la chambre que son ex-femme avait aménagée pour Hank.

— Il ne dort jamais ici. À mon avis, Hank n'a pas remis les pieds dans cette pièce depuis que je suis revenu.

Quand il ouvre la porte, nous sentons une odeur de renfermé. Nous entrons et, en apercevant le mur du fond, je me retourne pour voir la tête d'Augie.

Le mur est tapissé de photos en noir et blanc, de coupures de presse et de vues aériennes de la base des missiles Nike du temps de sa splendeur. Les documents ont l'air vieux : les photos sont cornées, les coupures de presse jaunies comme les dents d'un fumeur. Je scrute le mur à la recherche d'un ajout récent, de quelque chose qu'on ne trouve pas en deux clics sur Internet, mais je ne vois rien de spécial.

Notre réaction n'échappe pas à Tom.

— Oui, Hank était obsédé par cette ancienne base.

À nouveau, je regarde Augie. Qui ne veut toujours rien savoir.

— Il vous a dit des choses là-dessus ? je demande.

— Comme quoi ?

Je hausse les épaules.

— N'importe.

— Rien de cohérent.

— Et d'incohérent ?

Tom Stroud se tourne vers Augie.

— Vous pensez que cette base a quelque chose… ?

— Non, dit Augie.

— Hank divaguait, me répond Tom. C'était un lieu secret, tenu par des méchants qui se livraient à des expériences de contrôle mental… ce genre de délire.

Il sourit tristement.

— C'est drôle.

— Quoi donc ?

— Enfin, pas drôle, ironique. Comme je vous l'ai dit, Hank a toujours été obsédé par cet endroit. Depuis tout gamin.

Il marque une pause. Augie et moi nous taisons.

— Bref, Doris disait en plaisantant qu'il avait peut-être raison… qu'un labo secret se livrait à des expériences bizarres dans cette base. Un soir, quand Hank était petit, il a pu s'aventurer sur le Sentier, les méchants l'ont attrapé, ont fait quelque chose à son cerveau, et c'est pour ça qu'il est devenu ce qu'il est aujourd'hui.

La pièce est plongée dans le silence. Tom rit pour détendre l'atmosphère.

— C'était de l'humour, dit-il. Humour noir. Quand ça vous tombe dessus, on se raccroche à n'importe quelle branche, non ?

14

La principale Deborah Keren est enceinte.

La bienséance exige qu'on fasse semblant de ne rien remarquer, sauf qu'elle est toute menue et habillée en orange, un drôle de choix à moins qu'on ne cherche délibérément à adopter le look citrouille. Elle s'agrippe aux accoudoirs de son fauteuil et se relève avec effort. Je lui dis que ce n'est pas la peine, mais elle est déjà à moitié debout, et il faudrait probablement un treuil pour l'aider à se rasseoir en toute sécurité.

— J'en suis au huitième mois. Je vous le dis parce que personne n'ose me demander si je suis enceinte, de peur de commettre une gaffe.

— Ah bon, vous êtes enceinte ?

Elle esquisse un sourire oblique.

— Non, j'ai avalé une boule de bowling.

— J'aurais dit plutôt un ballon de plage.

— Vous êtes un boute-en-train, Nap.

— C'est votre premier ?

— Oui.

— Magnifique. Toutes mes félicitations.

— Merci.

Elle se dirige vers moi.

— C'est bon, vous avez fini de m'embobiner avec vos cajoleries ?

— Ça a marché ?

— Tellement bien que si je ne l'étais pas déjà, je serais tombée enceinte sur-le-champ. Que puis-je pour vous, Nap ?

On ne se connaît pas très bien, mais, dans une ville comme Westbridge, un flic et une principale de collège se croisent forcément aux nombreuses manifestations organisées par la municipalité. Elle sort dans le couloir. Je la suis, m'efforçant de ne pas imiter sa démarche en canard. Les couloirs sont déserts comme il se doit aux heures de cours. Le décor n'a pas beaucoup changé depuis qu'on a été élèves ici, Leo : sol carrelé, deux rangées de casiers, mur jaune pissenlit. Le plus grand changement, qui n'en est pas un, c'est la perspective. On dit que, plus vous vieillissez, plus votre ancienne école semble rapetisser. C'est vrai. Et c'est peut-être cette perspective qui tient en respect les fantômes du passé.

— C'est au sujet de Hank Stroud, lui dis-je.

— Intéressant.

— Comment ça ?

— Vous n'êtes pas sans savoir que les parents se plaignent constamment de lui.

Je hoche la tête.

— Mais je ne l'ai pas vu depuis plusieurs semaines. Cette vidéo virale a dû lui faire peur.

— Vous étiez au courant ?

— Je me tiens au courant de tout ce qui a trait à mon établissement…

Elle jette un œil par la petite vitre rectangulaire dans une salle de classe, puis passe à la porte suivante.

— … mais à part ça, la moitié du pays l'a vue, non ?

— Avez-vous déjà surpris Hank en train de s'exhiber ?

— Si c'était le cas, je vous aurais déjà appelé, ne croyez-vous pas ?

— La réponse est donc non.

— La réponse est non.

— Vous pensez qu'il l'a fait ?

— Qu'il s'est exhibé ?

— Oui.

Nous longeons le couloir. Elle inspecte une autre salle de classe. Quelqu'un dans la salle a dû l'apercevoir, car elle esquisse un petit signe de la main.

— J'ai un avis mitigé sur Hank.

Une élève tourne le coin et, en nous voyant, s'arrête net.

— Où vas-tu, Cathy ? demande la principale.

Cathy évite soigneusement de nous regarder.

— Vous voir.

— OK. Attends dans mon bureau. J'en ai pour quelques minutes.

Cathy passe devant nous en rasant le mur comme une servante effarouchée. Je regarde Deborah, mais ce ne sont pas mes affaires. Elle est déjà repartie.

— Vous avez un avis mitigé sur Hank, lui dis-je, histoire de la ramener à nos moutons.

— Les abords du collège font partie de l'espace public. Tout le monde a le droit de se trouver là, y compris Hank. On a des joggeurs qui passent devant tous les jours. Tenez, Kimmy Konisberg, par exemple. Vous voyez qui c'est ?

Kimmy Konisberg est, faute de meilleure définition, la MILF de la ville, autrement dit la mère de famille bonne à baiser. Elle a des atouts et n'hésite pas à en faire étalage.

— Qui ça ?

— Bon, d'accord. Eh bien, tous les matins, Kimmy fait son jogging dans une tenue plus que moulante, mais qui, en réalité, ne soutient rien du tout. Une autre que moi aurait dit qu'elle cherche à aguicher nos ados.

— Et cette autre que vous aurait-elle raison ?

— Touché. Cette ville est une bulle de protection tissée d'hypocrisie. Je peux le comprendre. Je comprends que les gens viennent s'installer ici avec leurs gosses. Pour qu'ils se sentent en sécurité. Ma foi…

Elle pose la main sur son ventre.

— … moi aussi, je veux que mes gosses soient en sécurité. Mais les surprotéger n'est pas sain. J'ai grandi à Brooklyn. Je ne vais pas vous raconter la galère que cela a été. Des Hank, j'en croisais six par jour. Alors nos jeunes pourraient peut-être apprendre la compassion. Hank est un être humain, pas un déchet. Il y a quelques mois, les gamins ont découvert qu'il avait été élève ici. Du coup, l'un d'eux… vous connaissez Cory Mistysyn ?

— Je connais sa famille. Des gens bien.

— Oui, ça fait longtemps qu'ils vivent dans notre ville. Bref, Cory a exhumé un vieux trombinoscope datant de la dernière année de Hank au collège.

Elle s'arrête, se tourne vers moi.

— Vous et Hank étiez de la même année, non ?

— Exact.

— Alors, vous comprenez. Les gamins ont été choqués. Hank a été comme eux : il a fait partie de la chorale, a gagné l'expo science, a même été trésorier de la classe. Ça les a fait réfléchir.

— Personne n'est à l'abri.

— Absolument.

Elle fait deux pas de plus.

— Mon Dieu ! j'ai tout le temps faim, et quand je mange, j'ai envie de vomir. Ce huitième mois est un vrai cauchemar. D'ailleurs, en ce moment, j'en veux à tous les hommes.

— Je me le tiendrai pour dit.

Et j'ajoute :

— Vous avez parlé d'un avis mitigé.

— Pardon ?

— À propos de Hank. Alors, quel est l'avis numéro deux ?

— Oh !…

Elle se remet en route, précédée par son ventre.

— Vous savez, j'ai horreur qu'on stigmatise les troubles mentaux – cela va sans dire –, mais, moi non plus, je n'aime pas voir Hank traîner par ici. Je ne *crois* pas qu'il représente un danger, mais je n'en suis pas sûre. À force d'être politiquement correcte, je crains de ne pas réussir à protéger mes élèves. Vous voyez ce que je veux dire ?

Je fais signe que oui.

— Donc, je n'aime pas voir Hank ici. Oui, et alors ? Je n'aime pas que la maman de Mike Inga se gare toujours dans la zone d'arrêt interdit pour le déposer au collège. Je n'aime pas que le papa de Lisa Vance l'aide clairement à faire ses devoirs de dessin. Je n'aime pas que les parents d'Andrew McDade débarquent en fulminant après chaque bulletin scolaire pour renégocier les notes de leur fils. Il y a plein de choses que je n'aime pas.

Elle s'interrompt, pose la main sur mon bras.

— Mais savez-vous ce qui me révolte le plus ?

Je la regarde.

— C'est l'humiliation publique sur Internet. Pour moi, c'est la pire forme du vigilantisme. Et Hank est juste le dernier exemple en date. L'an dernier, quelqu'un a posté la photo d'un gamin avec la légende : « Ce punk a volé mon iPhone, mais il oublie que toutes les photos qu'il prend sont sur mon cloud. S'il vous plaît, retweetez-moi pour m'aider à le retrouver. » Le « punk » en question était Evan Ober, un de nos élèves. Vous le connaissez ?

— Son nom ne me dit rien.

— Et pour cause. Evan est un garçon sans histoire.

— Avait-il volé l'iPhone ?

— Bien sûr que non. Et, justement, tout le problème est là. Il est sorti avec Carrie Mills, et son ex-petit ami, Danny Turner, ne l'a pas digéré.

— C'est donc Turner qui a posté cette photo.

— Oui, mais je ne peux pas le prouver. L'anonymat protège les harceleurs. Vous voyez la fille qu'on vient de croiser ?

— Celle que vous avez envoyée attendre dans votre bureau ?

— Oui, Cathy Garrett. Elle est en classe de sixième. En sixième, Nap. Il y a quelques semaines, Cathy a oublié son téléphone aux toilettes. Une autre fille l'a trouvé. Elle a photographié en gros plan ses… parties intimes, et a envoyé la photo à tous les contacts de Cathy, y compris ses parents, ses grands-parents, tout le monde.

Je grimace.

— C'est une malade, cette gamine.

— Je sais.

Elle se mord la lèvre et place ses deux mains sur ses reins.

— Ça va ?

— Je suis enceinte de huit mois, rappelez-vous.

— Oui.

— C'est comme si on avait garé un bus scolaire sur ma vessie.

— L'avez-vous chopée, celle qui a pris la photo ?

— Non. On a cinq ou six suspectes, toutes âgées de douze ans, mais le seul moyen de le savoir…

Je lève la main.

— N'en dites pas plus.

— Cathy a été tellement traumatisée par cette histoire qu'elle vient me voir pratiquement tous les jours. Nous parlons, elle se calme et retourne en classe.

Deborah s'arrête, jette un coup d'œil par-dessus son épaule.

— Il faut que j'y aille. Elle m'attend.

Nous rebroussons chemin.

— Vous parlez de l'anonymat des harceleurs, dis-je. Donc, vous ne croyez pas que Hank se soit exhibé, c'est bien ça ?

— Non, mais vous l'avez dit vous-même. Je ne *sais* pas parce que je ne *peux* pas savoir. C'est l'ennui avec ce genre d'insinuation. On essaie de ne pas y penser, mais on n'y arrive pas toujours. Peut-être que Hank l'a fait, et peut-être pas. Je ne peux pas réécrire l'histoire, désolée.

— Vous avez vu cette vidéo, n'est-ce pas ?

— Oui.

— À votre avis, qui aurait pu filmer ça ?

— Une fois de plus, je n'ai pas de preuves.

— Je n'ai pas besoin de preuves.

— Je ne veux pas lancer d'accusations en l'air, Nap. Laissons cela aux harceleurs sur le Net.

Nous nous approchons de son bureau. Elle me regarde. Je la regarde. Puis elle laisse échapper un long soupir.

— On a une élève de quatrième, Maria Hanson. Ma secrétaire peut vous donner son adresse. Sa mère, Suzanne, est souvent venue me voir pour se plaindre de Hank. Je lui disais que, légalement, nous ne pouvions rien faire, et ça la faisait sortir de ses gonds.

La principale observe Cathy à travers la vitre. Ses yeux s'embuent.

— J'y vais, dit-elle.

— OK.

— Zut.

Elle essuie ses larmes du bout des doigts et se tourne vers moi.

— Tout est sec ?

— Oui.

— Huit mois, dit-elle. Mes hormones partent en vrille.

Je hoche la tête.

— C'est une fille ?

Elle me sourit.

— Comment avez-vous deviné ?

Elle me quitte en se dandinant. À travers la vitre, je la vois prendre Cathy dans ses bras et la tenir pendant que la fillette sanglote sur son épaule.

Sur ce, je m'en vais trouver Suzanne Hanson.

15

Il n'existe pas de quartier défavorisé à Westbridge. Tout juste un demi-hectare, peut-être.

Il y a ce lotissement vieillissant de maisons pouvant loger trois familles, coincé entre un concessionnaire Ford et un magasin de sport pas loin du centre-ville. Maura et sa mère sont venues s'installer ici l'été avant la terminale. Elles sous-louaient deux pièces à une famille vietnamienne. Le père de Maura avait pris la poudre d'escampette après avoir vidé leur compte en banque. Sa mère faisait des petits boulots à droite et à gauche et buvait comme un trou.

La famille Hanson habite au rez-de-chaussée d'une construction en brique couleur rouille. Le perron en bois grince sous mes pas. Je sonne, et un grand costaud en combinaison de mécanicien vient m'ouvrir. Avec le prénom « Joe » peint au pochoir sur la poche de poitrine. Joe n'a pas l'air enchanté de me voir.

— Qui êtes-vous ?

Je lui montre ma plaque. Une femme, Suzanne Hanson sans doute, surgit derrière lui. En voyant ma plaque, elle ouvre de grands yeux alarmés. Je m'empresse de la rassurer.

— Tout va bien, dis-je.

Méfiant, Joe se plante devant sa femme et me scrute en plissant les paupières.

— C'est pour quoi ?

Je range ma plaque.

— On a eu plusieurs plaintes à l'encontre d'un certain Hank Stroud. On m'a chargé d'enquêter sur cette affaire.

— Tu vois, Joe ? dit la femme.

Elle contourne son mari et ouvre la porte en grand.

— Entrez, entrez.

Nous traversons le vestibule et passons dans la cuisine. Elle m'invite à m'asseoir à la table. Le sol est recouvert de lino. La table ronde, en faux bois. La chaise est peinte en blanc céruse. Au-dessus de la porte, il y a une horloge avec des dés rouges en guise de chiffres et l'inscription FABULEUSE LAS VEGAS. La table est jonchée de miettes. Suzanne les balaie d'une main dans la paume de l'autre main, puis les jette dans l'évier et fait couler l'eau.

Je sors un stylo et un calepin, histoire de faire genre.

— Savez-vous qui est Hank Stroud ?

Suzanne s'installe face à moi. Joe reste debout à côté d'elle, la main sur son épaule, me surveillant comme si j'étais venu leur voler quelque chose ou bien coucher avec sa femme.

— C'est cet horrible pervers qui traîne autour du collège, répond-elle.

— Je suppose que vous avez dû le voir plus d'une fois.

— Je le croise presque tous les jours. Il mate toutes les filles, y compris ma Maria qui n'a que quatorze ans !

Je hoche la tête avec un sourire qui se veut amical.

— Et vous l'avez vu de vos propres yeux ?

— Bien sûr. C'est affreux. D'ailleurs, il est grand temps que la police prenne les choses en main. On travaille dur, on économise pour venir habiter une jolie ville comme Westbridge… c'est normal que nos enfants se sentent protégés, non ?

— Tout à fait.

— Au lieu de ça, un clochard… On dit toujours, « clochard » ?

J'écarte les mains en souriant.

— Pourquoi pas ?

— Eh bien, ce clochard tourne autour de nos gosses. Dans une ville comme la nôtre, tous les jours, on tombe sur ce pouilleux – c'est ce qu'il est, même si on ne doit pas employer ce mot –, qui traîne dans les parages. C'est comme une mauvaise herbe, grosse et moche, dans un beau jardin fleuri, vous comprenez ?

Je hoche la tête.

— Il faut arracher la mauvaise herbe.

— Exactement !

Je fais mine de prendre des notes.

— Avez-vous déjà vu M. Stroud faire autre chose que lorgner les collégiennes ?

Elle ouvre la bouche, mais la main sur son épaule exerce une brève pression pour la faire taire. Je croise le regard de Joe. Il sait pourquoi je suis là. Je sais qu'il sait, et il sait que je sais.

Bref, la partie est terminée. Ou alors elle ne fait que commencer.

— C'est bien vous qui avez posté cette vidéo de Hank Stroud, n'est-ce pas, madame Hanson ?

Ses yeux lancent des éclairs. Elle secoue son épaule pour se débarrasser de la main de Joe.

— Qui vous dit que c'est moi ? Vous n'en savez rien.

— Ah ! mais si, dis-je. Nous avons déjà effectué une analyse vocale. Et nous avons identifié l'adresse IP d'où la vidéo a été postée.

Je leur laisse une seconde pour digérer l'information.

— Les deux prouvent que c'est vous, madame Hanson, qui avez enregistré et posté cette vidéo.

C'est un mensonge, bien entendu. Je n'ai effectué aucune analyse vocale ni vérification d'adresse IP.

— Et même si c'était vrai ? demande Joe. Je ne dis pas que c'est elle, mais, de toute façon, ce n'est pas interdit par la loi, si ?

— Je m'en fiche. Je suis là pour comprendre ce qui s'est passé, point.

Je la regarde droit dans les yeux. Elle baisse le regard un instant.

— Vous avez filmé M. Stroud. Si vous continuez à le nier, je vais finir par m'énerver. Alors dites-moi ce que vous avez vu.

— Il… Il a baissé son pantalon, dit-elle.

— Quand ça ?

— La date, vous voulez dire ?

— Oui, pour commencer.

— Il y a un mois, peut-être.

— Avant les cours, après les cours, à quel moment ?

— Avant. C'est à ce moment-là que je le croise. Je dépose ma fille chaque matin à sept heures quarante-cinq et j'attends qu'elle passe la porte. Vous feriez pareil, non ? Vous emmenez votre fille de quatorze ans dans ce beau collège et là vous tombez sur ce type pas net. Je ne comprends pas pourquoi la police ne fait rien.

— Décrivez-moi exactement ce qui s'est passé.

— Je vous l'ai dit. Il a baissé son pantalon.

— Votre fille se dirigeait vers l'entrée du collège. Et il a baissé son pantalon.

— C'est ça.

— Dans la vidéo, il a le pantalon sur lui.

— Il l'a remonté.

— Je vois. Il a donc baissé son pantalon, puis il l'a remonté.

— Oui.

Elle regarde à gauche. Je ne sais plus si c'est qu'elle s'apprête à mentir ou si elle cherche à se souvenir. Peu importe. Je ne crois pas à ces choses-là.

— Il m'a vue avec le téléphone à la main. Du coup, il a paniqué et remonté son pantalon.

— Combien de temps est-il resté, selon vous, avec le pantalon baissé ?

— Je n'en sais rien. Comment voulez-vous que je le sache ?

— Vous pensez qu'elle avait un chronomètre sur elle ? ajoute Joe.

— C'était bien assez long, vous pouvez me croire.

Je ravale la repartie salace qui m'était venue en tête et l'invite à continuer.

Suzanne a l'air décontenancée.

— Que je continue, comment ça ?

— Il a baissé son pantalon. Il a remonté son pantalon, dis-je, imperturbable. C'est tout ?

Joe n'est pas content.

— Quoi, ça ne vous suffit pas ?

— Comment savez-vous que son pantalon n'a pas simplement glissé ?

Une fois de plus, Suzanne fixe la table avant de lever les yeux. Je sens venir un bobard. Et je ne suis pas déçu.

— Il a baissé son pantalon. Et il a crié à ma fille de regarder son… Il s'est mis à le caresser et tout.

La nature humaine est tellement prévisible. J'en ai la preuve tous les jours, Leo. Un témoin me raconte quelque chose dans l'espoir de me choquer. Moi, l'enquêteur, je joue les blasés. L'autre, s'il est sincère, ne réagit pas. Tandis que le menteur va en rajouter des tonnes pour me faire partager son indignation. J'emploie le mot « rajouter », mais, en réalité, c'est de l'affabulation pure et simple. Ils ne peuvent pas s'en empêcher.

Je le sais maintenant et je n'ai pas envie de perdre mon temps. Le moment est venu de prendre le taureau par les cornes.

Observe et prends-en de la graine, Leo.

— Vous mentez, dis-je.

La bouche de Suzanne s'arrondit de stupeur.

Le sang monte au visage de Joe.

— Vous traitez ma femme de menteuse ?

— Quelle est la partie de « vous mentez » dont le sens vous échappe, Joe ?

Si Suzanne portait un collier de perles, elle serait en train de le tripoter.

— Comment osez-vous ?

Je lui souris.

— Je sais que vous mentez parce que je viens de parler à Maria.

La moutarde lui monte au nez.

— Vous avez fait quoi ? crie-t-elle.

— Votre fille a mis du temps à l'admettre, mais elle a fini par avouer qu'en réalité il ne s'était rien passé.

Tous deux, le mari et la femme, sont au bord de l'apoplexie. J'essaie de cacher ma jubilation.

— Vous n'avez pas le droit de faire ça !

— Faire quoi ?

— Parler à notre fille sans notre permission, déclare-t-elle. Je vous ferai retirer votre plaque.

Je fronce les sourcils.

— Mais qu'est-ce que vous avez tous à me dire ça ?

— Quoi ?

— Cette menace. « Je vais vous faire retirer votre plaque. » Vous avez entendu cette phrase à la télé, c'est ça ?

Joe fait un pas vers moi.

— Je n'aime pas la façon dont vous traitez ma femme.

— Ça m'est égal. Asseyez-vous, Joe.

— On joue les durs, ricane-t-il. Tout ça parce qu'on porte une plaque.

— Encore cette plaque…

Je soupire, sors la plaque, la fais glisser sur la table.

— Vous la voulez ? Tenez, prenez-la.

Je me lève et me retrouve nez à nez avec Joe.

— On y va ?

Joe recule d'un pas. Je me rapproche de lui. Il s'efforce de soutenir mon regard, mais il a du mal.

— Ça ne vaut pas le coup, marmonne-t-il.

— Qu'avez-vous dit ?

Sans répondre, il fait le tour de la table et va s'asseoir à côté de sa femme.

Je fusille Suzanne Hanson du regard.

— Si vous ne me dites pas la vérité, j'ouvrirai une enquête en bonne et due forme et vous inculperai pour violation de la loi fédérale sur Internet section 418. En cas de condamnation, vous risquez cent mille dollars d'amende et jusqu'à quatre ans de prison.

Tout cela est de l'invention pure. Je doute qu'il existe une quelconque loi fédérale sur Internet. Le numéro de la section est une jolie trouvaille, hein, qu'en penses-tu ?

— Ce pouilleux n'a rien à faire ici, insiste-t-elle. Et vous autres, vous ne voulez pas vous bouger !

— Alors vous êtes passée à l'acte, dis-je.

— On devrait lui interdire de traîner si près d'un collège !

— Il a un nom. C'est Hank Stroud. Et il est porté disparu.

— Quoi ?

— Depuis que vous avez posté cette vidéo, personne ne l'a revu.

— Tant mieux, riposte-t-elle.

— Ah bon ?

— Ça lui a peut-être fait peur.

— Et vous vous en félicitez ?

Suzanne ouvre la bouche, la referme.

— Je voulais juste protéger mon enfant. Et tous les autres élèves du collège.

— Allez, dites-moi tout.

Elle finit par cracher le morceau.

Suzanne reconnaît avoir « exagéré » au point d'avoir tout inventé. Hank ne s'est jamais exhibé. Lassée et frustrée par ce qu'elle considérait comme du laxisme de la part du collège et des forces de l'ordre, Suzanne Hanson a cru bien faire.

— Ce n'est qu'une question de temps avant qu'il passe à l'acte. J'ai juste voulu l'en empêcher.

— Quel altruisme, dis-je avec tout le mépris dont je suis capable.

Suzanne a « fait le ménage » pour que la réalité de sa ville colle à l'image du paradis terrestre qu'elle s'en faisait. Hank n'était qu'un déchet. Qu'il fallait balancer dans le caniveau tel un affront pour la vue et l'odorat. J'aurais bien sermonné Suzanne Hanson pour son manque d'empathie, mais à quoi bon ? Jc mc souvicns, quand on avait une dizaine d'années, d'avoir traversé en voiture un quartier pauvre de Newark. Normalcment, les parents disent aux mômes de regarder par la vitre et d'être reconnaissants de ce que la vie leur offre. Mais papa avait une autre vision des choses. Il a prononcé une seule phrase qui est restée gravée dans ma mémoire : « Tout le monde a ses rêves et ses espoirs. »

Je m'efforce d'y penser lorsque je croise la route de l'un de mes semblables. Est-ce valable pour des ordures comme Très ? Évidemment. Lui aussi a ses rêves et ses espoirs. Et c'est tant mieux. Mais lorsque vos rêves et vos espoirs broient les rêves et les espoirs d'autrui…

À vrai dire, je me désintéresse du sort de Très et consorts. Peut-être que j'ai tort. Mais c'est comme ça. Ou serais-je en train de me chercher des excuses ?

Qu'en penses-tu, Leo ?

Lorsque je quitte leur maison à l'atmosphère confinée – Joe claque la porte derrière moi pour prouver qu'il en a, du moins à ses propres yeux –, je prends une grande inspiration et jette un œil sur l'ancien logement de Maura. Elle ne m'a jamais invité chez elle, et je n'y suis allé qu'une seule fois. Environ deux semaines après ta mort et celle de Diana. Je me tourne vers l'arbre sur le trottoir d'en face. C'est là que je m'étais caché pour attendre. J'avais d'abord vu sortir la famille vietnamienne. Un quart d'heure plus tard, la mère de Maura avait émergé en trébuchant, vêtue d'une robe d'été mal ajustée, et avait titubé jusqu'à l'arrêt de bus.

Une fois tout le monde parti, j'avais pénétré dans la maison.

La raison de cette intrusion était simple : je cherchais des indices pour savoir où était Maura. Lorsque j'avais coincé sa mère un peu plus tôt, elle avait vaguement parlé d'un transfert dans une école privée. Laquelle ? avais-je demandé. Elle n'avait pas voulu me le dire. « C'est fini, Nap », avait affirmé Mme Wells. Son haleine empestait l'alcool. « Maura a tourné la page, et tu devrais faire pareil. »

Mais je ne l'avais pas crue. J'étais donc entré chez elle par effraction. J'avais fouillé tous les placards et tiroirs. J'avais inspecté la chambre de Maura. Ses affaires et son cartable étaient toujours là. Comme si elle était partie en laissant tout derrière elle. J'avais également cherché mon blouson de sport.

Elle avait beau se moquer de ma passion pour le sport, de l'importance absurde qu'on y accordait dans cette ville, et de l'aspect ringard, quasi sexiste de toute l'entreprise, Maura adorait porter mon blouson. Peut-être pour son côté vintage. Ou par provocation. Ce n'était pas forcément contradictoire. Maura était une vieille âme.

J'avais donc cherché mon blouson, vert avec des manches blanches, deux crosses de hockey croisées dans le dos et mon nom avec l'inscription CAPITAINE sur le devant.

Mais je ne l'avais pas trouvé.

L'avait-elle pris au moment de partir ? Pourquoi n'était-il pas dans sa chambre ?

Je détourne les yeux de son ancienne maison et fixe l'horizon. Je sais où j'ai envie d'aller. Je traverse la rue et rejoins la voie ferrée. On n'est pas censé marcher sur les rails, mais j'ai décidé de vivre dangereusement. Je quitte le centre-ville, passe devant Downing Road et Coddington Terrace, puis devant le garde-meuble et la vieille usine convertie en salle des fêtes et club de fitness.

Je suis loin de la civilisation maintenant, sur la colline entre la gare de Westbridge et celle de Kasselton. J'évite les éclats de bouteilles de bière et m'approche du bord. En bas, j'aperçois le clocher de l'église presbytérienne. Il s'illumine à sept heures du soir ; tu as donc dû le voir cette nuit-là. Ou étais-tu trop défoncé pour t'en rendre compte ? J'avais remarqué ton goût prononcé pour les drogues euphorisantes et l'alcool. Avec le recul, je suppose que j'aurais dû intervenir, mais, à l'époque, je n'y ai pas prêté attention. Tout le monde en prenait : toi, Maura, la plupart de nos amis. Si je ne me suis pas joint à vous, c'est uniquement à cause de mes activités sportives.

J'inspire profondément encore une fois.

Comment en est-on arrivés là, Leo ? Que faisais-tu ici, à l'autre bout de la ville, au lieu de flâner dans les bois du côté de l'ancienne base Nike ? Voulais-tu être seul avec Diana ? Cherchiez-vous à éviter vos potes du Club des conspirateurs ? Vous étiez-vous éloignés délibérément de l'ancienne base ?

Que faisais-tu ici, sur ces rails de la voie ferrée ?

J'attends que tu dises quelque chose. Mais tu te tais.

J'attends parce qu'il n'y en a plus pour longtemps. Dans la journée, l'express circule toutes les heures. Finalement, j'entends le coup de sifflet quand il quitte la gare de Westbridge. Il n'est plus très loin. J'ai presque envie de monter sur les rails. Je ne veux pas mourir, non. Je ne suis pas suicidaire. Je veux juste savoir ce que tu as ressenti. Je veux reconstituer cette nuit-là pour revivre la même expérience. Je regarde le train surgir au loin. Les rails vibrent si fort qu'on se demande comment ils tiennent en place. Avez-vous senti cette vibration, toi et Diana ? Ou bien restiez-vous au bord, comme moi en ce moment ? Avez-vous regardé le clocher avant de vous décider à traverser à la toute dernière seconde ?

Je vois le train qui s'approche. L'avez-vous vu cette nuit-là ? L'avez-vous entendu ? Senti ? Je pense que oui. Il fonce sur les rails avec une puissance inimaginable. Je recule d'un pas. Quand il passe, je me trouve à dix mètres de la voie ; pourtant je ferme les yeux et lève la main pour protéger mon visage. Le déplacement d'air manque de me faire perdre l'équilibre. Le monstre d'acier lancé à pleine vitesse pulvérise tout sur son passage.

L'esprit, comme le cœur, vagabonde où bon lui semble, et j'imagine la grille frontale de la locomotive entrant en contact avec la chair humaine. J'imagine ces roues qui tournent inexorablement, broyant les os jusqu'à les réduire en miettes.

J'entrouvre les yeux pour voir le train passer. J'ai l'impression qu'il n'en finit pas de foncer, d'écraser, de broyer. Ma vue se brouille. Mes yeux s'emplissent de larmes.

J'ai vu les photos cauchemardesques, sanguinolentes de la scène, mais, bizarrement, elles ne m'ont pas touché. Le carnage était tel qu'il ne pouvait exister de lien entre ces monceaux de cire informes et toi et Diana. Ou alors mon cerveau m'a empêché de le voir.

Lorsque le train s'éloigne enfin et que le silence revient, je scrute les alentours. Aujourd'hui encore, après tant d'années, je continue à chercher des indices, des preuves, un élément qui nous aurait échappé. C'est une drôle de sensation. L'horreur est intacte, mais, quelque part, c'est aussi un lieu sacré, celui de ton dernier souffle.

En redescendant, je consulte les messages sur mon téléphone. Aucune nouvelle de notre ex-camarade de classe Beth Fletcher née Lashley. Je tente à nouveau de la joindre à Ann Arbor. La secrétaire essaie de noyer le poisson, si bien que je finis par hausser le ton. Elle me passe alors une dénommée Cassie qui se présente comme la « responsable administrative » du cabinet.

— Le Dr Fletcher n'est pas disponible actuellement.

— Cassie, j'en ai marre de me faire balader. Je suis flic. Il faut que je lui parle.

— Je ne peux que lui transmettre le message.

— Où est-elle ?

— Je ne saurais vous le dire.

— Attendez, vous ne savez pas où elle est ?

— Cela ne me regarde pas. J'ai votre nom et votre numéro de téléphone. Y a-t-il autre chose que je doive lui communiquer ?

Au point où j'en suis…

— Vous avez un stylo, Cassie ?

— Oui.

— Dites au Dr Fletcher que notre ami Rex Canton a été assassiné. Dites-lui que Hank Stroud est porté disparu. Dites-lui que Maura Wells a refait brièvement surface avant de disparaître à nouveau. Dites au bon docteur que tout cela remonte au Club des conspirateurs. Dites-lui de me rappeler.

Elle marque une pause, puis :

— Est-ce Laura avec un *L* ou Maura avec un *M* ?

Impassible.

— Maura avec un *M*.

— Je transmets le message au Dr Fletcher.

Et elle raccroche.

Je n'aime pas ça. Peut-être que je devrais contacter la police d'Ann Arbor pour qu'ils envoient quelqu'un au domicile et au cabinet de Beth Fletcher. Tout en marchant, je passe en revue les différentes pièces du puzzle : votre « accident » à toi et Diana, l'assassinat de Rex, la présence de Maura sur la scène de crime, Hank et la vidéo virale, le Club des conspirateurs. J'essaie de les assembler dans ma tête, de trouver des correspondances, mais rien ne colle, rien ne semble se recouper.

Peut-être qu'il n'y a rien, justement. C'est ce que me dirait Augie. Et il aurait probablement raison, sauf que me ranger à son opinion ne m'avancerait guère.

J'aperçois la bibliothèque municipale de Westbridge, et une idée germe dans mon esprit. La façade de l'édifice est en brique rouge, comme les universités prestigieuses du siècle dernier. Le reste est moderne et aérien. J'aime les bibliothèques, ce mélange de nouvelles sections informatiques et de livres jaunis par les ans. Pour moi, une bibliothèque, c'est un peu comme une cathédrale, un lieu de recueillement à la gloire du savoir, un sanctuaire où livres et enseignement sont élevés au rang de religion. Quand on était gamins, papa nous emmenait ici le samedi matin. Il nous laissait dans la section enfants/jeunes adultes avec la recommandation expresse de ne pas faire de bêtises. Je feuilletais les livres par dizaines. On en attrape un, généralement réservé à un public plus âgé, on s'affale sur un pouf poire dans un coin et on le lit de la première à la dernière page.

Je descends les marches jusqu'au sous-sol poussiéreux. Ici, c'est comme dans l'ancien temps : des rangées de bouquins – sans intérêt pour le visiteur occasionnel – sur des étagères en aluminium. Plus quelques bureaux à tiroirs pour les vrais bûcheurs. Au fond, une pancarte à l'entrée de la vieille salle porte l'inscription HISTOIRE DE LA VILLE. Je tambourine sur le bois et passe la tête à l'intérieur.

Jeff Kaufman lève les yeux, et ses lunettes de lecture glissent sur son nez. Retenues par une chaîne, elles rebondissent sur sa poitrine. Il est vêtu d'un épais cardigan boutonné jusqu'au sternum. Son crâne chauve est auréolé de touffes de cheveux gris qui semblent vouloir s'envoler.

— Bonjour, Nap.

— Bonjour, monsieur Kaufman.

Il fronce les sourcils. Jeff Kaufman était bibliothécaire et historien de la ville bien avant notre arrivée à Westbridge, et quand on appelle un personnage éminent « monsieur » dans son enfance, il est difficile de passer à l'usage du prénom à l'âge adulte. J'entre dans la pièce encombrée et demande à M. Kaufman de me parler de l'ancienne base de missiles Nike à proximité du collège.

Son regard s'illumine. Il prend deux ou trois secondes pour rassembler ses idées, puis m'invite à m'asseoir à table en face de lui. La table est jonchée de photos en noir et blanc datant des temps immémoriaux. Je les scrute en espérant y voir la vieille base. Elle n'y est pas.

Kaufman s'éclaircit la voix.

— Les bases de missiles Nike ont été construites au milieu des années 1950 dans tout le nord du New Jersey. On était au paroxysme de la guerre froide. À l'époque, tiens-toi bien, on faisait faire des exercices aux élèves des écoles : ils devaient se réfugier sous les tables en cas d'attaque nucléaire. Tu imagines un peu. Ici, à Westbridge, la base a été installée en 1954.

— L'armée disséminait ses bases au cœur des agglomérations ?

— Et pourquoi pas ? Au milieu des cultures aussi. Il y avait beaucoup d'exploitations agricoles dans le New Jersey.

— Et c'était quoi, ces missiles Nike, exactement ?

— C'étaient des missiles sol-air. Autrement dit, un moyen de défense aérienne contre les avions soviétiques, et notamment leur Tu-95 capable de parcourir douze mille kilomètres sans se ravitailler en carburant. Il y avait une douzaine de sites avec des batteries de missiles. On en voit des restes à Sandy Hook, si tu veux aller y faire un saut. À Livingston, il y a maintenant des ateliers d'artiste. Il y a eu des batteries de missiles à Franklin Lakes, East Hanover, Morristown.

J'ai du mal à y croire.

— Des missiles Nike dans toutes ces villes ?

— Eh oui. Ils ont commencé par des missiles Ajax, plus petits mais qui mesuraient quand même près de dix mètres. Ils étaient stockés dans des sites de lancement souterrains et remontés à la surface comme une voiture dans un atelier de carrosserie.

— Je ne comprends pas, dis-je. Comment le gouvernement a-t-il fait pour garder un secret pareil ?

— Ce n'était pas un secret, répond Kaufman. Au début, tout au moins.

Il se renverse sur sa chaise et joint les mains sur son ventre.

— Au contraire, ces bases étaient un objet de fierté. Quand j'avais sept ans – en 1960 donc –, j'en ai visité une, tiens-toi bien, avec les louveteaux. L'idée que le site de missiles voisin nous protégeait des avions soviétiques à long rayon d'action était censée nous permettre de dormir sur nos deux oreilles.

— Mais les choses ont changé, n'est-ce pas ?

— Oui.

— Quand ?

— Au début des années 1960.

Jeff Kaufman se lève avec un soupir et ouvre un grand fichier derrière lui.

— Figure-toi que les Ajax ont été remplacés par de plus gros missiles Hercules.

Il sort deux photos d'un engin blanc d'aspect terrifiant avec l'inscription US ARMY sur le côté.

— Longueur douze mètres. Vitesse de croisière Mach 3, ce qui correspond à trois fois la vitesse du son. Portée cent quarante kilomètres.

Il se rassied, pose les mains à plat sur la table.

— Mais le grand changement et la raison pour laquelle ils n'ont pas fait de bruit autour de ce programme, c'est la charge utile.

— C'est-à-dire ?

— Les missiles étaient équipés d'une tête nucléaire W31.

Cela paraît difficilement concevable.

— Il y avait des armes nucléaires… ?

— Ici même, sous notre nez. Des têtes nucléaires armées. Et à plusieurs reprises, on aurait flirté avec la catastrophe. L'un des missiles a glissé de son chariot pendant le transport. Il a atterri sur le béton et la tête s'est fissurée. On a vu de la fumée s'en échapper. Personne n'était au courant, bien sûr. Le secret était bien gardé. Le programme Nike a été maintenu jusqu'au début des années 1970. Le centre de contrôle de Westbridge a été l'un des derniers à fermer. Ce devait être en 1974.

— Et ensuite ? Que sont devenus les sites après la fermeture ?

— La guerre n'était plus d'actualité, à l'époque. On était en train de terminer celle du Viêtnam. Du coup, ils ont été laissés à l'abandon. Pour finir, la plupart ont été vendus. À East Hanover, on a construit une copropriété à l'emplacement de la batterie de missiles. L'une des voies a été appelée « allée Nike ».

— Et la base de Westbridge ?

Jeff Kaufman me sourit.

— Le sort de notre base, réplique-t-il, est un peu plus trouble.

J'attends.

Il se penche vers moi et me pose la question dont je m'étonne qu'elle ne soit pas venue plus tôt sur le tapis :

— Puis-je savoir pourquoi tu t'y intéresses tout à coup ?

J'allais inventer un prétexte bidon ou lui répondre que je préférais ne pas en parler, mais, après tout, qu'est-ce que je risquais ?

— C'est en rapport avec une affaire en cours.

— Je peux te demander quel genre d'affaire ?

— C'est une vieille histoire.

Jeff Kaufman croise mon regard.

— Tu veux parler de la mort de ton frère ?

Et vlan.

Je me tais… en partie parce que j'ai appris à la fermer et laisser les autres en tirer leurs propres conclusions, et en partie parce que je suis incapable de proférer un son.

— Ton père et moi, nous étions amis, dit-il. Tu le sais, n'est-ce pas ?

Je hoche la tête avec difficulté.

— Et Leo…

Kaufman se redresse. Son visage a perdu un peu de sa couleur.

— Il voulait connaître l'histoire de la base, lui aussi.

— Leo est venu vous voir ?

— Oui.

— Quand ?

— Je ne sais plus très bien. Plusieurs fois, en tout cas, dans l'année qui a précédé sa mort. Leo était fasciné par la base. Et il est venu avec des amis.

— Vous ne vous souvenez pas de leurs noms ?

— Non, je regrette.

— Que leur avez-vous dit ?

Il hausse les épaules.

— La même chose qu'à toi.

L'esprit en ébullition, je me sens à nouveau perdu.

— Le jour du service commémoratif, je t'ai serré la main. Je doute que tu t'en souviennes. Il y avait beaucoup de monde, et tu avais l'air complètement prostré. J'en ai parlé à ton père.

Je secoue ma torpeur.

— Pour lui dire quoi ?

— Que Leo venait me voir ici pour me questionner sur la base.

— Et comment a-t-il réagi ?

— Il avait l'air content. Leo était un garçon brillant, très curieux. J'ai cru faire plaisir à ton père, c'est tout. Jamais je n'aurais pensé que sa mort pouvait être liée… D'ailleurs, je ne le pense toujours pas. Sauf que te voici, Nap. Et que, toi aussi, tu as oublié d'être bête.

Il lève les yeux.

— Alors dis-moi. Existe-t-il un lien ?

Plutôt que de lui répondre, je déclare :

— J'ai besoin de savoir le reste de l'histoire.

— Très bien.

— Qu'est devenue la base de Westbridge après l'arrêt du programme Nike ?

— Officiellement ? Elle a été reprise par le ministère de l'Agriculture.

— Et officieusement ?

— Tu n'allais jamais par là, quand tu étais gamin ?

— Si.

— Moi aussi, de mon temps. On se faufilait par un trou dans le grillage. Une fois, on avait tellement picolé qu'un militaire nous avait ramenés chez nous dans sa Jeep. J'ai été interdit de sortie pendant trois semaines.

Il sourit à ce souvenir.

— Tu as réussi à t'approcher de la base ?

— Pas vraiment.

— Et voilà.

— Je ne vous suis pas très bien.

— La sécurité était plus draconienne à l'époque du ministère de l'Agriculture qu'à celle du centre de contrôle des missiles nucléaires.

Kaufman penche la tête sur le côté.

— Pourquoi, à ton avis ?

Je ne réponds pas.

— Réfléchis un peu. Une base militaire déserte. Le dispositif de surveillance est déjà en place. Si tu étais une institution gouvernementale se livrant à des activités clandestines… Pense à ces agences de trois lettres qui pourraient opérer secrètement en plein jour. Ce ne serait pas la première fois. Prends l'ancienne base aérienne de Montauk : il y a des dizaines de rumeurs qui circulent à son sujet.

— Quelles rumeurs ?

— Savants nazis, contrôle mental, expériences avec le LSD, OVNI et autres sornettes.

— Et vous y croyez ? Vous croyez que le gouvernement des États-Unis a caché des nazis et des extraterrestres à Westbridge ?

— Pour l'amour du ciel, Nap, ils ont bien caché des armes nucléaires ici !

Une lueur brille dans les yeux de Kaufman.

— Serait-il déraisonnable de supposer qu'il y a eu autre chose aussi ?

Je ne pipe pas.

— Pas forcément des nazis ou des extraterrestres. Ils auraient pu tester toutes sortes de technologies avancées : recherches dans le domaine militaire, lasers, drones, changement climatique, piratage des réseaux. Est-ce si invraisemblable, compte tenu des mesures de sécurité qu'ils avaient mises en place ?

La réponse est non.

Jeff Kaufman se lève pour arpenter la pièce.

— Ma réputation de chercheur n'est plus à faire. J'ai fouillé la question, à l'époque. Je me suis même rendu à Washington pour consulter les archives. Tout ce que j'ai trouvé, ce sont des études banales sur le maïs et le bétail.

— Vous en avez parlé à mon frère ?

— À lui et à ses amis, oui.

— Ils étaient combien ?

— De quoi parles-tu ?

— Les copains de Leo.

— Cinq ou six, je ne sais plus.

— Filles, garçons ?

Il réfléchit.

— Je crois qu'il y avait deux filles, mais je ne le jurerais pas. Peut-être qu'il n'y en avait qu'une.

— Vous savez que Leo n'est pas mort seul.

Il hoche la tête.

— Bien sûr. Il était avec Diana Styles. La fille du capitaine.

— Diana faisait-elle partie de la bande, quand ils sont venus vous voir ?

— Non.

Je ne sais pas trop qu'en penser.

— Y a-t-il autre chose à votre connaissance qui pourrait m'aider ?

— T'aider pour quoi, Nap ?

— Admettons que vous ayez raison. Que ce qui se passait là-dedans était classé secret-défense. Admettons que Leo et sa bande l'aient découvert. Que leur serait-il arrivé ?

À son tour de rester sans voix. Il se borne à me dévisager, bouche bée.

— Qu'avez-vous appris d'autre, monsieur Kaufman ?

— Juste deux choses.

Il se racle la gorge et se rassied.

— J'ai trouvé le nom d'un des commandants. Andy Reeves. Théoriquement un expert en agriculture de l'État du Michigan, mais quand j'ai examiné son cursus, disons que c'était fumeux.

— La CIA ?

— Il correspond bien au profil. Et il habite toujours dans la région.

— Avez-vous eu l'occasion de lui parler ?

— J'ai essayé.

— Et ?

— Il a dit qu'ils effectuaient des travaux de routine. Compter les vaches et les récoltes, selon sa propre expression.

— Et la deuxième chose ?

— La fermeture de la base.

— Oui, elle date de quand ?

— D'il y a quinze ans, répond Kaufman. Trois mois après la mort de ton frère et de la fille d'Augie.

En chemin vers ma voiture, j'appelle Augie.

— Je viens de parler à Jeff Kaufman.

Je crois entendre soupirer.

— Ah ! super.

— Il m'a appris des choses intéressantes sur l'ancienne base.

— J'imagine.

— Connaissez-vous Andy Reeves ?

— Je l'ai rencontré, oui.

Je coupe par le centre-ville.

— Comment ?

— Ça fait presque trente ans que je suis à la tête de la police municipale. Il a dirigé la base quand c'était un centre d'études agricoles.

Je passe devant une nouvelle enseigne qui vend seulement des ailes de poulet, mais à toutes les sauces. Rien que l'odeur suffit à faire grimper mon taux de cholestérol.

— Vous y avez cru, vous ?

— Cru à quoi ?

— Que c'était un centre d'études agricoles ?

— J'y crois, réplique Augie, bien plus qu'à ces histoires de contrôle mental. En tant que chef de la police, j'ai connu tous les commandants de la base, et mon prédécesseur, tous ceux qui avaient été nommés avant eux.

— D'après Kaufman, c'était un site de missiles nucléaires.

— C'est ce que j'ai entendu aussi.

— Puis, quand la base a changé de mains, la sécurité a été démultipliée.

— J'aime bien Kaufman, mais là, il dramatise.

— Comment ça ?

— À leurs débuts, les bases Nike étaient ouvertes au public. Il a dû te le dire, non ?

— Exact.

— Alors quand elles sont passées au nucléaire, il aurait paru suspect d'imposer le secret d'un seul coup. La sécurité a été renforcée, oui, mais de manière discrète.

— Et après leur fermeture ?

— Il a pu y avoir de nouveaux dispositifs, mais ils n'ont fait que moderniser les installations existantes, genre changer de clôture.

Je traverse Oak Street, la rue des restaurants. Se suivent dans l'ordre un japonais, un thaï, un français, un italien, un dim sum et un restaurant spécialisé dans la « fusion californienne ». Viennent ensuite les agences bancaires. Je ne vois pas très bien à quoi elles servent. Personne n'y entre, sauf pour tirer de l'argent au distributeur.

— J'aimerais parler à Andy Reeves, dis-je à Augie. Vous pourriez m'arranger ça ?

Je m'attends à une rebuffade. Mais il répond :

— OK, je m'en occupe.

— Vous n'essayez pas de m'en dissuader ?

— Non, dit Augie. Tu as l'air d'y tenir.

Il raccroche. J'arrive à ma voiture quand mon portable sonne. C'est Ellie.

— On a besoin de toi au foyer.

Le ton de sa voix ne me dit rien qui vaille.

— Qu'est-ce qui se passe ?

— Rien. Tâche de venir le plus vite possible, OK ?

Je me glisse dans la voiture et attrape le gyrophare amovible. Je ne l'utilise pratiquement jamais, mais, là, c'est un de ces moments où il faut le faire. Je le colle sur le toit et démarre sur les chapeaux de roues.

Je mets douze minutes pour arriver au foyer. Je traverse le vestibule à la hâte, tourne à gauche, longe le couloir au pas de charge. Ellie m'accueille à la porte de son bureau. À en juger par son expression, l'événement est de taille.

— Quoi ? je demande.

Sans un mot, elle me désigne l'intérieur de son bureau. Je pousse la porte.

Il y a deux femmes dans la pièce.

Celle qui est à ma gauche, je ne la connais pas. L'autre… Il me faut une seconde pour réaliser qui elle est. Elle a bien vieilli, mieux que je ne l'aurais imaginé. Ces quinze dernières années ont été clémentes pour elle. Je pense à la tempérance, au yoga, à toutes ces choses-là. En tout cas, cela y ressemble.

Nos regards se rencontrent. Je ne dis rien. Je ne bouge pas.

— Je savais bien qu'on en reviendrait à vous, lâche-t-elle.

Je me revois dans la rue face à la rangée de maisons. Je revois la robe d'été mal ajustée, la démarche titubante. C'est Lynn Wells.

La mère de Maura.

16

Je n'y vais pas par quatre chemins.

— Où est Maura ?

— Fermez la porte, dit l'autre femme.

Ses cheveux couleur carotte sont assortis à son rouge à lèvres. Elle porte un tailleur gris et un chemisier à frou-frou. Je ne suis pas un expert, mais elle a dû les payer cher.

— Et vous êtes ?

Je tends la main vers la porte. Ellie hoche brièvement la tête tandis que je la referme.

— Mon nom est Bernadette Hamilton. Je suis une amie de Lynn.

Je sens qu'elle est plus qu'une amie, mais je n'en ai rien à cirer. Mon cœur bat si fort que cela doit se voir à travers ma chemise. Je regarde Mme Wells, prêt à réitérer ma question avec véhémence, mais quelque chose me retient.

Du calme, me dis-je.

J'ai un million de questions à lui poser, mais je sais aussi qu'un interrogatoire réussi exige une patience quasi surhumaine. Mme Wells est venue à moi, et non l'inverse. Elle s'est même servie d'Ellie comme intermédiaire pour éviter de se présenter chez moi ou à mon travail. Tout cela a dû lui demander un certain effort.

Moralité : elle attend quelque chose de moi.

Le mieux serait de la laisser parler. De me taire. C'est ma façon habituelle de procéder. Pourquoi en changer sous prétexte que c'est personnel ? Alors je garde mon calme. Je n'insiste pas, ne la pousse pas dans ses retranchements.

Pas encore. Prends ton temps. Calcule bien ton coup.

Mais une chose est sûre, Leo : elle ne quittera pas cette pièce sans me dire où est Maura.

Je reste debout en attendant qu'elle fasse le premier pas.

Elle finit par rompre le silence.

— J'ai eu une visite de la police.

Je ne bronche pas.

— Ils m'ont dit que Maura était peut-être mêlée à l'assassinat d'un policier.

Comme je ne réagis toujours pas, elle demande :

— Est-ce vrai ?

Je hoche la tête. Son amie Bernadette pose sa main sur la sienne.

— Vous croyez vraiment que Maura puisse être mêlée à un assassinat ? interroge Mme Wells.

— C'est possible.

Ses yeux s'agrandissent. Je vois la main qui recouvre la sienne se crisper.

— Maura serait incapable de tuer. Vous le savez bien.

Je ravale une riposte caustique.

— L'officier de police qui est venue chez moi. Reynolds, elle s'appelle. De quelque part en Pennsylvanie. Elle m'a dit que vous l'aidiez dans son enquête ?

C'est formulé comme une question, mais je refuse de mordre à l'hameçon.

— Je ne comprends pas, Nap. Pourquoi enquêteriez-vous sur un crime commis dans un autre État ?

— Le lieutenant Reynolds vous a-t-elle communiqué le nom de la victime ?

— Je ne crois pas. Elle a juste dit qu'il était dans la police.

— Il s'appelait Rex Canton.

Je ne la quitte pas des yeux. Aucune réaction.

— Ce nom ne vous dit rien ?

Elle fouille dans sa mémoire.

— A priori non.

— Rex était dans la même classe que nous.

— Au lycée de Westbridge ?

— Oui.

La couleur déserte son visage.

Au diable la patience. Quelquefois, une question directe suffit à les déstabiliser :

— Où est Maura ?

— Je ne sais pas, répond Lynn Wells.

Je hausse mon sourcil droit en signe d'incrédulité.

— Je vous assure. C'est pour ça que je viens vous voir.

Elle lève la tête.

— J'espérais que vous pourriez m'aider.

— À retrouver Maura ?

— Oui.

Ma voix est lourde de non-dits.
— Je n'ai pas revu Maura depuis mes dix-huit ans.
Le téléphone sur le bureau se met à carillonner. Aucun de nous n'y prête attention. Je regarde Bernadette, mais elle n'a d'yeux que pour Lynn Wells.
— Si vous voulez que je vous aide à retrouver Maura…
Je m'efforce de parler d'un ton calme, professionnel, détaché malgré mon cœur qui s'emballe.
— … il faut me dire tout ce que vous savez.
Lynn Wells se tourne vers Bernadette, qui secoue la tête.
— Il ne peut pas nous aider.
Elle acquiesce.
— C'était une erreur.
Les deux femmes se lèvent.
— On n'aurait pas dû venir.
Elles se dirigent vers la porte.
— Vous allez où comme ça ? je demande.
— On s'en va, répond Lynn Wells d'une voix ferme.
— Non, dis-je.
Bernadette tente de me contourner. Je lui barre le passage.
— Poussez-vous, dit-elle.
Je regarde Lynn Wells.
— Maura est dans le pétrin jusqu'au cou.
— Qu'en savez-vous ?
Bernadette tend la main vers la poignée de la porte, mais je ne bouge pas.
— Vous comptez nous retenir ici de force ?
— Oui.

Je ne plaisante pas. J'ai passé toute ma vie d'adulte à attendre des réponses, et maintenant qu'elles sont là, à portée de main, je n'ai pas l'intention de les laisser filer. La question ne se pose même pas. Tant que Lynn Wells ne m'aura pas dit tout ce qu'elle sait, elle ne sortira pas d'ici. Au temps pour la déontologie.

Je leur fais mes yeux de dingue, mais ça ne marche pas. Je tremble intérieurement, et je crois qu'elles le sentent.

— On ne peut pas lui faire confiance, dit Bernadette.

Je l'ignore et m'adresse à Lynn, à elle seule.

— Il y a quinze ans, je suis rentré chez moi après un match de hockey. J'avais dix-huit ans. J'étais en terminale. J'avais un frère jumeau qui était aussi mon meilleur ami. Et je sortais avec une fille que je considérais comme mon âme sœur. Je me suis assis à la table de cuisine et j'ai attendu le retour de mon frère…

Lynn Wells scrute mon visage. Je n'arrive pas à déchiffrer son expression. Ses yeux s'emplissent de larmes.

— Je sais. Nos deux vies ont basculé cette nuit-là.

— Lynn…

D'un geste, elle réduit Bernadette au silence.

Je demande :

— Que s'est-il passé ? Pourquoi Maura s'est-elle enfuie ?

— C'est à vous de nous le dire, non ? siffle Bernadette.

Sa réaction me déconcerte. Lynn pose la main sur son épaule.

— Va m'attendre dehors.

— Je ne te laisserai pas.

— Il faut que je parle à Nap seule à seul.

Bernadette proteste, mais elle n'a aucune chance de gagner. Je m'écarte légèrement, histoire de ne prendre aucun risque. J'ouvre la porte juste ce qu'il faut pour qu'elle puisse passer. Je suis suffisamment fou pour garder un œil sur la mère de Maura, au cas où elle essaierait de se sauver. Mais elle ne bouge pas. Bernadette finit par sortir en me décochant un regard noir.

Nous sommes seuls à présent, la mère de Maura et moi.

— Si on s'asseyait ? suggère-t-elle.

— Vous savez comment c'était à l'époque, entre Maura et moi.

Nous avons tourné les deux chaises devant le bureau d'Ellie pour nous asseoir face à face. Je remarque une alliance à la main gauche de Lynn. Elle ne cesse de la tripoter tout en parlant.

Comme elle attend une réponse, je lui dis :

— Je sais, oui.

— C'était dur. Et c'était ma faute. En grande partie, du moins. Je buvais trop. J'étais en colère contre mon statut de mère célibataire qui m'empêchait de… je ne sais même pas quoi. De boire encore plus, j'imagine. Et puis, pour Maura, c'était la période de l'adolescence, ce qui n'arrangeait rien. De toute façon, elle a toujours été rebelle de nature. C'est ce qui vous a plu chez elle, non ? Bref, le tout mélangé…

Elle serre et desserre les poings, les doigts écartés pour mimer une explosion.

— On tirait le diable par la queue. Je cumulais deux emplois. Un chez Kohl et un autre comme serveuse chez Bennigan. Maura a travaillé à temps partiel chez Jenson, à l'animalerie. Tu t'en souviens ?

— Oui.

— Sais-tu pourquoi elle a démissionné ?

— Elle m'a parlé d'une allergie aux poils de chien.

Lynn esquisse un sourire sans joie.

— Mike Jenson n'arrêtait pas de lui mettre la main aux fesses.

Même après toutes ces années, mon sang ne fait qu'un tour.

— Sérieux ?

— Maura disait que vous étiez une tête brûlée. Elle craignait que si vous l'appreniez… Enfin, peu importe. À l'époque, nous habitions Irvington, mais ce travail à l'animalerie nous a donné un aperçu de Westbridge. C'est une collègue de chez Kohl qui m'a soufflé l'idée. Elle m'a conseillé de trouver une location bon marché dans une ville où il y a de bonnes écoles. « Comme ça, ta fille aura la meilleure éducation possible », m'a-t-elle dit. Ça m'a fait tilt. Maura, elle est ce qu'elle est, mais c'était une gamine dégourdie. Du coup, on a déménagé. Et vous deux vous êtes rencontrés peu de temps après…

La voix de Lynn Wells s'étiole.

— Je suis en train de tourner autour du pot, dit-elle.

— Alors passons directement à cette nuit-là.

Elle acquiesce.

— Maura n'est pas rentrée à la maison.

Je ne dis rien.

— Je ne m'en suis pas rendu compte tout de suite. J'ai travaillé tard, puis je suis sortie avec des amis. Pour boire, évidemment. Je ne suis pas rentrée avant quatre heures du matin. Ou peut-être à quatre heures, je ne sais plus. Je n'ai pas regardé dans sa chambre. La mère modèle, hein ? Mais au fond, ça n'aurait rien changé. Qu'aurais-je fait, si j'avais vu que Maura n'était pas là ? Pas grand-chose. J'aurais pensé qu'elle était restée chez toi. Ou qu'elle était allée en ville. Elle allait souvent voir des amis à Manhattan. Un peu moins depuis que vous sortiez ensemble. Quand je me suis réveillée et que Maura n'était toujours pas là, eh bien, il n'était pas loin de midi. Je me suis dit qu'elle était déjà partie. Logique, non ? Après, je suis allée travailler. Ce jour-là, j'enchaînais deux services chez Bennigan. Un peu avant la fermeture, le barman est venu me dire qu'il y avait un appel pour moi. J'ai trouvé ça bizarre. Je me suis fait enguirlander par le patron. En fait, c'était Maura.

Je sens mon portable vibrer dans ma poche.

— Que vous a-t-elle dit ?

— J'étais inquiète… elle ne m'appelait jamais au boulot. J'ai demandé : « Ça va, chérie ? » Et elle a répondu : « Maman, je vais partir pour quelque temps. Si on te pose des questions, tu diras que j'ai été trop perturbée par ce qui s'est passé et que j'ai changé de lycée. » Et elle a ajouté : « Ne parle pas à la police. »

Lynn prend une grande inspiration.

— Je lui ai demandé si elle était shootée. C'est la première chose que j'ai dite à ma fille qui m'appelait à l'aide. « Tu t'es shootée ou quoi ? »

— Qu'a-t-elle répondu ?

— Rien. Elle a raccroché. Je ne suis même pas sûre qu'elle m'ait entendue. Et je n'ai pas compris de quoi elle parlait, pourquoi elle était perturbée. J'étais complètement à l'ouest, Nap. Je ne savais pas encore pour votre frère et la petite Styles. Je suis donc retournée servir les clients. Il y avait deux tables qui rouspétaient déjà. J'étais en train de prendre la commande de la table en face du bar… vous savez, avec des écrans télé au mur ?

Je hoche la tête.

— D'habitude, il y a du sport, mais quelqu'un avait mis les infos. C'est là que j'ai vu… Mon Dieu, quelle horreur. Ils n'ont pas donné de noms. Je n'ai donc pas su que c'était votre frère, rien. Juste que deux jeunes de Westbridge s'étaient fait écraser par un train. Là, j'ai mieux compris le coup de fil de Maura. J'ai compris pourquoi elle n'était pas dans son assiette. Pourquoi elle avait besoin de quelques jours pour s'en remettre. Je ne savais pas quoi faire, mais j'ai appris deux ou trois choses dans ma vie. Notamment à ne pas agir dans la précipitation. Je ne suis pas quelqu'un d'intelligent. Quelquefois, quand on se trouve à la croisée des chemins, mieux vaut rester sur place tant qu'on n'a pas une idée précise de l'endroit où on veut aller. J'ai donc terminé mon service comme si de rien n'était. Comme je l'ai dit, tout cela tombait sous le sens. Sauf cette histoire de ne pas parler aux flics. Ça m'a chagrinée, mais j'étais trop occupée pour y penser. Bref, une fois que j'ai eu fini, je suis sortie pour prendre ma voiture. J'étais censée retrouver un gars que j'avais commencé à fréquenter, mais je n'avais qu'une envie : rentrer chez moi et m'écrouler. Il n'y avait personne sur le parking. Sauf ces hommes qui m'attendaient.

Elle cille et détourne la tête.

— Des hommes ? je répète.

— Ils étaient quatre.

— Genre flics ?

— C'est ce qu'ils ont dit. Ils m'ont montré leurs plaques.

— Et que voulaient-ils ?

— Savoir où était Maura.

J'imagine la scène. Bennigan a fermé depuis belle lurette, remplacé par un autre restaurant de la chaîne Macaroni Grill, mais je connais le parking.

— Que leur avez-vous dit ?

— Que je n'en savais rien.

— Je vois.

— Ils étaient très polis. Leur chef, celui qui parlait pour tout le monde, avait un teint très pâle et une drôle de voix chuchotée. Ça m'a filé la chair de poule. Et il avait les ongles trop longs. Je n'aime pas ça chez un homme. Il m'a assuré que Maura n'avait rien à craindre. Que si elle se manifestait maintenant, tout irait bien. Il était très insistant.

— Mais vous ne saviez rien.

— C'est ça.

— Et ensuite ?

— Ensuite…

Les larmes aux yeux, elle porte la main à sa gorge.

— Je ne sais même pas comment décrire ce qui m'est arrivé.

Je pose ma main sur la sienne.

— Ça va aller.

L'atmosphère n'est plus la même dans la pièce. Il y a de l'électricité dans l'air.

— Que s'est-il passé ensuite, madame Wells ?

— Ce qui s'est passé ensuite…

Elle s'interrompt, hausse les épaules.

— Il y a eu une semaine entre les deux.

Je marque une pause. Puis :

— Je ne comprends pas.

— Moi non plus. La première chose dont je me souviens, c'est qu'on cogne à ma porte. J'ouvre les yeux. Je suis couchée dans mon lit. Je jette un œil à travers le store pour voir qui c'est.

Elle me regarde.

— C'était vous, Nap.

Je m'en souviens aussi. Je suis allé frapper chez elle, car je n'avais aucune nouvelle de Maura depuis la mort de mon frère, sauf un coup de fil pour me dire que c'était trop atroce et qu'elle allait partir.

Et que c'était fini entre nous.

— Je n'ai pas ouvert, dit-elle.

— Je sais.

— Je suis désolée.

Je balaie ses excuses d'un geste de la main.

— Vous dites que c'était une semaine plus tard.

— Justement. J'ai cru qu'on était le lendemain matin, mais, en fait, c'était huit jours après. Je ne savais pas quoi faire. J'ai essayé de reconstituer les événements. L'explication la plus plausible, c'est que je m'étais saoulée à mort et que j'avais sombré. Il me semblait que le type pâle à la voix chuchotée m'avait remerciée, me disant de le contacter si jamais j'avais des nouvelles de Maura, et qu'ils étaient partis.

Là-dessus, j'étais montée dans ma voiture pour aller faire la tournée des bars.

Elle penche la tête sur le côté.

— Ça se tient, pas vrai, Nap ?

La température dans la pièce chute de dix degrés.

— Mais, à mon avis, ça ne s'est pas passé comme ça.

— Et qu'est-il arrivé, selon vous ?

— Je pense que ce type pâle à la voix chuchotée a dû me faire quelque chose.

J'entends ma propre respiration comme si on pressait deux conques contre mes oreilles.

— Du genre ?

— Je pense qu'ils m'ont emmenée quelque part pour m'interroger encore une fois au sujet de Maura. Je m'en suis vaguement souvenue à mon réveil. C'était un mauvais souvenir, mais il s'est évaporé comme le font les rêves. Vous n'avez jamais connu ça ? On se réveille après un cauchemar, persuadé qu'on ne pourra pas l'oublier, et soudain les images disparaissent.

Je m'entends répondre :

— Tout à fait.

— Eh bien, c'est pareil. Je sais que ça a été horrible. Comme le pire des mauvais rêves. Mais j'ai beau me casser la tête, j'ai l'impression de me cramponner à un nuage de fumée.

Je hoche la tête faute de mieux… une manière de parer les coups.

— Et alors, qu'avez-vous fait ?

— J'ai juste…

Lynn Wells hausse les épaules.

— Je suis retournée travailler chez Kohl. Je pensais me faire sonner les cloches pour mon absence, mais on m'a dit que j'avais appelé pour prévenir que j'étais malade.

— Et vous ne vous en souvenez pas.

— Non. Pareil chez Bennigan. J'aurais téléphoné pour me faire porter pâle.

Je me laisse aller en arrière, essayant de digérer ce que je viens d'apprendre.

— Je… Je suis devenue parano aussi. J'avais l'impression d'être suivie. Si je voyais un homme en train de lire le journal, j'étais sûre qu'il m'épiait. Vous aussi, vous traîniez souvent autour de la maison, Nap. Je vous chassais, mais je savais bien que ça ne pouvait pas durer. Je devais faire quelque chose jusqu'à ce que Maura m'explique le pourquoi du comment. Je vous ai donc raconté qu'elle avait changé d'établissement. J'ai contacté le lycée de Westbridge pour annoncer qu'on allait déménager et que j'allais leur faire savoir où transférer son dossier. Ils n'ont pas posé trop de questions. Je pense que beaucoup de vos camarades de classe étaient sous le choc et sont restés chez eux quelques jours.

Lynn Wells porte à nouveau la main à sa gorge.

— J'ai soif.

Je me lève pour faire le tour du bureau. Ellie a un petit frigo sous sa fenêtre. Je ne sais toujours pas pourquoi Mme Wells m'a contacté par son intermédiaire, mais il y a des questions plus urgentes à régler. J'ouvre le frigo, trouve des bouteilles alignées comme à la parade et en sors une.

— Merci.

Elle dévisse le bouchon et boit à grandes goulées comme… bref, comme une alcoolique.

— Vous avez arrêté de boire, lui dis-je.

— On est alcoolique à vie, mais oui, ça fait treize ans que je n'y ai plus touché.

J'acquiesce en signe d'approbation, non pas qu'elle en ait besoin.

— C'est grâce à Bernadette. Elle est mon roc. J'étais au fond du trou quand je l'ai rencontrée. Nous nous sommes mariées légalement il y a deux ans.

Je ne sais comment réagir – j'aimerais revenir à notre conversation –, si bien que je me contente d'un :

— OK.

Puis j'ajoute :

— Au bout de combien de temps avez-vous eu des nouvelles de Maura ?

Elle boit une autre lampée avant de revisser le bouchon.

— Des jours ont passé. Puis des semaines. Je sursautais chaque fois que le téléphone sonnait. J'aurais voulu en parler à quelqu'un, mais à qui ? Maura m'a dit de ne pas m'adresser à la police, et après ce que j'avais vécu avec le type à la voix chuchotée, ma foi, si on hésite sur la direction à prendre, on reste où on est. Mais j'avais peur. Je faisais cauchemar sur cauchemar. J'entendais cette voix chuchotée me demander encore et encore où était Maura. Je ne savais pas quoi faire. Toute la ville pleurait la mort de votre frère et de Diana. Le père de Diana, le chef de la police, est venu me voir un jour. Lui aussi voulait savoir où était Maura.

— Que lui avez-vous dit ?

— La même chose qu'aux autres. Maura a été bouleversée par ce qui s'était passé. Elle est partie se reposer chez mon cousin à Milwaukee, après quoi elle allait changer de lycée.

— Et ce cousin à Milwaukee, il existe vraiment ?

Elle hoche la tête.

— Il a promis de me couvrir.

— Et combien de temps après avez-vous eu des nouvelles de Maura ?

Elle scrute la bouteille d'eau qu'elle tient dans sa paume, une main sur le bouchon blanc.

— Trois mois.

J'essaie de dissimuler ma stupeur.

— Alors, pendant trois mois… ?

— J'ignorais totalement où elle était. Je n'avais aucun contact. Rien.

Je ne sais que dire. Mon téléphone se remet à vibrer.

— Je me faisais un sang d'encre. Maura était une fille débrouillarde, pleine de ressources, mais je me suis dit qu'elle était peut-être morte. Je pensais que le type pâle à la voix chuchotée l'avait retrouvée et tuée. J'essayais de garder mon sang-froid, mais, franchement, que pouvais-je faire ? Aller voir la police, mais pour leur dire quoi ? Ces gars-là, soit ils l'avaient tuée, soit – si je faisais trop d'histoires – ils en profiteraient pour la tuer. C'était ça, mon choix. Ou bien Maura allait s'en sortir toute seule, ou bien…

— … elle était morte, dis-je.

Lynn Wells acquiesce.

— Où l'avez-vous revue, finalement ?

— Dans un Starbucks à Ramsey. Je suis allée aux toilettes, et soudain elle a surgi derrière moi.

— Elle ne vous avait pas appelée d'abord ?

— Non.

— Elle a débarqué comme ça, sans prévenir ?

— Oui.

Je m'efforce de comprendre.

— Et ensuite ?

— Elle m'a dit qu'elle était en danger, mais que ça irait.

— Et quoi d'autre ?

— C'est tout.

— Vous ne lui avez pas demandé… ?

— Évidemment que je lui ai posé des questions.

Pour la première fois, Lynn Wells hausse le ton.

— Je l'ai attrapée par le bras et l'ai suppliée de m'en dire plus. Je me suis excusée pour tout le mal que je lui avais fait. Elle m'a serrée contre elle, puis m'a repoussée avant de filer par la sortie de secours. Je l'ai suivie, mais… vous ne comprenez pas.

— Eh bien, expliquez-moi.

— Quand j'ai ouvert la porte des toilettes… il y avait des hommes dans la salle.

Je laisse passer une seconde pour être sûr d'avoir bien entendu.

— Les mêmes hommes ?

— Pas exactement, mais… l'un d'eux est sorti par-derrière aussi. Je suis allée à ma voiture et là…

— Et là quoi ?

Lynn Wells lève les yeux, et lorsque je vois ses larmes, sa main qui se pose sur sa gorge, je sens mon cœur dégringoler en chute libre comme dans un ascenseur fou.

— Certains diraient que le choc d'avoir revu ma fille m'a fait replonger dans l'ivrognerie.

Une fois de plus, je lui prends la main.

— Combien de jours ce coup-ci ?

— Trois. Vous voyez le tableau maintenant ?

Je hoche la tête.

— Maura était au courant.

— C'est ça.

— Elle savait qu'ils vous interrogeraient. Peut-être en vous administrant des drogues. Peut-être en ayant recours à la violence. Or si vous ignoriez tout de ses faits et gestes…

— Je ne pouvais pas les renseigner.

— Mieux que ça, lui fais-je remarquer.

— Que voulez-vous dire ?

— Maura cherchait à vous protéger. Quelles que soient les raisons de sa cavale, les connaître vous aurait mise vous aussi en danger.

— Oh, mon Dieu !…

J'essaie de me concentrer.

— Et donc ? je demande.

— Donc rien.

— Êtes-vous en train de me dire que vous n'avez pas revu Maura depuis le jour du Starbucks ?

— Si, on s'est vues six fois.

— En quinze ans ?

Lynn acquiesce.

— Toujours par surprise. Toujours à la va-vite pour me faire savoir qu'elle allait bien. Pendant un moment, elle a créé un compte e-mail pour nous deux. On n'envoyait rien. On laissait les messages dans la boîte brouillons. On avait le même mot de passe. Elle utilisait un VPN pour que ça reste anonyme. Puis elle a estimé que c'était trop risqué. En un sens, bizarrement, elle n'avait rien à me dire. Je lui racontais ma vie.

Que j'avais arrêté de boire, ma rencontre avec Bernadette. Mais elle ne me parlait jamais de la sienne. C'était un vrai supplice.

Ses doigts se resserrent autour de la bouteille d'eau.

— Je ne sais absolument pas où elle est ni ce qu'elle fait.

Mon portable se remet à vibrer.

Cette fois, je jette un œil sur l'écran. C'est Augie. Je réponds :

— Allô ?

— On a retrouvé Hank.

17

Tu te souviens du dixième anniversaire de Hank, Leo ?

C'était l'année du laser tag, des pistolets Nerf et des fêtes à thème autour du sport. Eric Kuby a eu droit à un match de foot en bulle. Alex Cohen a fêté son anniversaire dans un centre commercial avec minigolf et Rainforest Café. Michael Stotter a eu des jeux vidéo et des manèges en réalité virtuelle. On était attachés aux sièges et secoués dans tous les sens, comme sur un véritable grand huit. De quoi vous donner la nausée.

La fête de Hank, à l'instar de Hank lui-même, a été différente. Elle a eu lieu dans un labo de sciences à l'université de Reston. Un binoclard en blouse blanche nous a guidés à travers une série d'expériences. On a fabriqué du slime avec de la poudre de borax et de la colle liquide. Des balles en polymère qui rebondissaient et des billes de glace géantes. On a travaillé avec des réactions chimiques, du feu et de l'électricité statique. La fête a été plus réussie que je ne l'aurais cru – un paradis pour geeks où même un fana de sport pouvait trouver son bonheur –, mais ce qui m'a le plus marqué, c'est l'expression de Hank, son regard rêveur, le sourire niais plaqué sur son visage. Même à l'époque, même à dix ans, j'ai senti à quel point Hank était heureux. Il était dans son élément (lol), et rares étaient ceux d'entre nous qui auraient pu atteindre ce degré de béatitude. J'aurais voulu – sans arriver à le formuler sur le coup – que le temps s'arrête, que Hank reste à jamais dans cette salle, avec ses amis et ses passions réunis au-delà des quarante-cinq minutes de divertissement et quinze minutes de gâteau d'anniversaire. J'y repense maintenant, à cette fête, à la joie sans partage de Hank, à notre chemin de vie, au temps écoulé entre cette fameuse journée et aujourd'hui, au lien entre le gamin comblé souriant d'un air niais et l'homme nu, mutilé, pendu à une branche d'arbre.

Je regarde son visage – boursouflé, grotesque, putréfié même – et je revois le petit garçon à la fête de ses dix ans. C'est ça quand on a grandi avec quelqu'un. La puanteur fait reculer tout le monde, mais, moi, elle ne me gêne pas. Ce n'est pas mon premier cadavre. Le corps nu de Hank semble désossé, une marionnette suspendue par un fil. Son torse porte des traces de coups de couteau, mais quelque chose de plus atroce encore saute aux yeux.

Hank a été castré.

Je suis flanqué de mes deux supérieurs. D'un côté, le procureur du comté d'Essex Loren Muse. De l'autre, Augie. Nous observons la scène en silence.

Muse se tourne vers moi.

— Je croyais que vous aviez demandé un congé pour convenance personnelle.

— Plus maintenant. Je veux cette enquête.

— Vous connaissiez la victime, n'est-ce pas ?

— Je l'ai connue il y a très longtemps.

— N'empêche. C'est hors de question.

Muse est une femme toute menue dotée d'une autorité peu commune. Elle indique un homme qui est en train de descendre la colline.

— Manning s'en chargera.

Augie n'a toujours pas prononcé un mot. Des cadavres, il en a vu aussi, mais son visage est blême. Les homicides sont du ressort du comté ; la police municipale n'offre qu'un soutien logistique. Mon rôle est de faire la liaison entre les deux.

Muse jette un œil par-dessus son épaule.

— Vous avez vu toutes ces équipes de télévision ?

— Oui.

— Et vous savez pourquoi elles sont là ?

Je hoche la tête.

— La vidéo virale.

— Un homme est désigné comme prédateur sexuel sur Internet. La vidéo a été vue par trois ou quatre millions de personnes. Cet homme, on le retrouve pendu dans les bois. Et quand on saura qu'il a été castré...

Elle n'a pas besoin de finir sa phrase. Tout le monde a compris. C'est un fiasco absolu. Je suis presque soulagé maintenant de ne pas avoir à gérer le dossier.

Alan Manning passe devant nous comme si nous n'étions pas là. Il s'arrête devant la dépouille de Hank qui se balance doucement et fait mine de l'examiner. Je connais Manning. Il n'est pas mauvais en tant qu'enquêteur. Mais ce n'est pas une flèche non plus.

Muse fait un pas en arrière. Augie et moi suivons.

— J'ai su par Augie, me dit-elle, que vous avez parlé à la mère de famille, celle qui a posté la vidéo.

— Suzanne Hanson.

— Que vous a-t-elle dit ?

— Qu'elle avait menti. Hank ne s'était jamais exhibé.

Muse se tourne lentement vers moi.

— Répétez-moi ça ?

— Mme Hanson ne voulait simplement pas d'un indésirable à proximité du collège.

— Et maintenant il est mort.

Je ne réponds pas.

— Quelle ignorance, quelle bêtise…

Elle secoue la tête.

— Je vais voir si on ne peut pas l'inculper.

Personnellement, je n'ai rien contre.

— Pensez-vous, demande Muse, qu'elle puisse être impliquée dans cette affaire ?

Non, me dis-je. Je tiens à rester honnête. Je ne veux pas lancer Manning sur une fausse piste, mais pour le bien de l'enquête, une manœuvre de diversion s'impose. Je déclare donc :

— C'est une bonne idée que Manning commence par les Hanson.

Nous contemplons le cadavre. Le front plissé, Manning tourne autour. Comme s'il voulait imiter quelque chose qu'il aurait vu à la télé ; on s'attend presque à ce qu'il brandisse une loupe géante à la Sherlock Holmes.

— Je connais le père de Hank, dit Augie.

— Alors c'est peut-être à vous de le prévenir, répond Muse. Avec tous les médias qui grouillent dans les parages, le plus tôt sera le mieux.

— Je peux l'accompagner ? je demande.

Elle hausse les épaules, l'air de dire : « Si ça vous chante. »

Augie et moi nous éloignons. Franco Cadeddu, le légiste du comté, un brave type, vient d'arriver. Il nous salue en passant d'un bref hochement de tête. Franco est toujours très concentré sur la scène de crime. Je lui rends son salut. Pas Augie. Les gars de la police scientifique, combinaisons, gants et masques chirurgicaux, débarquent à la hâte. Augie ne les regarde même pas. Le visage fermé, il se prépare à la pénible tâche qui l'attend.

— Ça ne tient pas debout, dis-je.

Augie met un moment à réagir.

— Quoi donc ?

— Le visage de Hank. Il n'est pas violacé. Sa couleur n'est pas différente du reste du corps.

Augie se tait.

— Il n'est pas mort par strangulation ni parce qu'il a eu le cou brisé.

— Franco établira la cause du décès.

— Autre chose : l'odeur. Elle est plus que putride. On voit déjà des signes de décomposition.

Augie ne ralentit pas le pas.

— Hank a disparu il y a trois semaines, dis-je. À mon avis, la mort remonte à ce moment-là.

— Encore une fois, attendons les conclusions de Franco.

— Qui a découvert le corps ?

— David Elefant, répond Augie. Il était en train de promener son chien sans laisse. Le chien a filé par là et s'est mis à hurler.

— Ça lui arrive souvent, à Elefant ?

— Quoi ?

— De promener son chien dans les parages. Ce ravin est un peu à l'écart, mais ce n'est pas non plus le bout du monde.

— Je ne sais pas. Pourquoi ?

— Admettons que j'aie raison. Que la mort remonte à trois semaines.

— OK.

— Si le corps de Hank était resté pendu tout ce temps-là à cet arbre, ne croyez-vous pas que quelqu'un l'aurait déjà trouvé ? Ou aurait remarqué l'odeur ? On n'est pas très loin de la civilisation ici.

Augie se tait.

— Augie ?

— Je t'entends.

— Il y a quelque chose qui cloche.

Il finit par s'arrêter et se retourne vers la scène de crime.

— Un homme a été castré et pendu à un arbre. Voilà ce qui cloche.

— Ça n'a rien à voir avec cette vidéo virale, dis-je.

Augie garde le silence.

— Je pense que c'est en rapport avec le Club des conspirateurs et l'ancienne base militaire. Je pense que c'est en rapport avec Rex, avec Leo et Diana.

Je le sens se raidir quand je prononce le nom de sa fille.

— Augie ?

Il se remet en route.

— Plus tard.

— Quoi ?

— On en parlera plus tard, dit Augie. Pour l'instant, je dois annoncer à Tom la mort de son fils.

Tom Stroud contemple fixement ses mains. Sa lèvre tremble. Il n'a pas dit un mot depuis qu'il nous a ouverts. Il a compris. Tout de suite. Il a compris en voyant nos têtes. Il paraît que la première étape du deuil, c'est le déni. Pour avoir souvent joué les porteurs de mauvaises nouvelles, je sais que ce n'est pas vrai. La première étape est une prise de conscience totale et immédiate. Dès qu'on apprend la nouvelle, on sait que c'est irréversible, que la mort est définitive, que votre monde s'écroule et que rien ne sera plus comme avant. Le tout en quelques secondes. La sidération se propage dans vos veines, vous submerge. Votre cœur se brise. Vos jambes flageolent. Votre corps tout entier est prêt à lâcher. Vous avez envie de vous rouler en boule. De vous jeter dans un puits sans fond.

C'est là qu'intervient le déni.

Le déni vous sauve. Il dresse une barrière de protection. Le déni vous empoigne avant que vous ne sautiez dans le précipice. Votre main repose sur un poêle chaud. Le déni vous la fait retirer.

Les souvenirs de cette nuit-là m'assaillent quand nous entrons chez Tom Stroud, et, quelque part, j'aspire à une barrière de protection. Je me suis cru obligé de venir, mais en écoutant Augie annoncer la mauvaise nouvelle – la pire des nouvelles, comme cette nuit où tu as trouvé la mort –, j'accuse durement le coup. Je cille et, soudain, Tom Stroud devient mon père. Il fixe pareillement la table. Grimace pareillement comme si on le frappait. La voix d'Augie – mélange d'âpreté, de douceur, de compassion, de détachement – me replonge dans le passé plus sûrement qu'une image ou une odeur, cauchemardesque déjà-vu où il parle à un père de la mort de son enfant.

Les deux hommes sont assis dans la cuisine. Je me tiens derrière Augie, à deux mètres de distance, prêt à bondir du banc mais espérant que le coach ne me fera pas entrer sur le terrain. J'ai les jambes en coton. Plus je réfléchis, plus le tableau se brouille. L'enquête officielle, menée par Manning et le bureau du procureur, va suivre la piste de la vidéo virale. Cela semble logique : la vidéo est rendue publique, l'opinion s'enflamme, quelqu'un décide de prendre les choses en main.

C'est simple. Clair. Et peut-être même juste.

L'autre théorie, c'est la mienne. Quelqu'un est en train de liquider les anciens membres du Club des conspirateurs. Sur les six membres présumés, quatre ont été tués avant leur trente-cinquième anniversaire. Et il n'y aurait aucun rapport ? D'abord Leo et Diana. Puis Rex. Et maintenant Hank. J'ignore où est Beth. Reste Maura, bien sûr, qui a vu quelque chose cette nuit-là et qui se cache depuis.

Et pourtant.

Pourquoi maintenant ? Admettons qu'ils aient tous vu quelque chose qu'ils n'auraient pas dû voir. C'est peut-être de la parano, même s'ils se faisaient appeler le Club des conspirateurs, mais j'ai besoin d'aller au bout de mon raisonnement.

Admettons qu'ils aient vu quelque chose cette nuit-là.

Ils ont pris la fuite et les méchants… n'auraient rattrapé que Leo et Diana, cette nuit-là ? Bon, admettons. Ils auraient donc traîné Leo et Diana à l'autre bout de la ville pour simuler un accident sur la voie ferrée. Soit. Supposons que les autres aient réussi à se sauver. Ils n'ont pas retrouvé Maura. Jusqu'ici, tout se tient.

Mais quid de Rex, Hank et Beth ?

Ces trois-là n'ont jamais cherché à se planquer. Ils ont fini le lycée en même temps que nous.

Pourquoi les gars de la base ne les ont-ils pas tués ?

Pourquoi avoir attendu quinze ans ?

Et, en parlant de timing, pourquoi les méchants auraient-ils supprimé Hank au moment précis où cette vidéo a été postée sur le Net ? Est-ce que cela a un sens ?

Non.

Alors que vient faire cette vidéo virale là-dedans ?

Il y a quelque chose qui m'échappe.

Tom Stroud se met à pleurer. Son menton s'affaisse sur sa poitrine. Ses épaules sont secouées de spasmes. Augie pose la main sur son avant-bras. Ce n'est pas assez. Augie se rapproche. Tom sanglote maintenant sur son épaule. Je vois Augie de profil. Il ferme les yeux, le visage douloureux. Tom sanglote de plus belle. Le temps passe. Personne ne bouge. Finalement, les sanglots s'apaisent. Tom Stroud s'écarte et regarde Augie.

— Merci d'être venu me le dire en personne.

Augie hoche vaguement la tête.

Tom s'essuie le visage avec sa manche et esquisse un semblant de sourire.

— Nous avons quelque chose en commun maintenant.

Augie le regarde d'un air interrogateur.

— Une chose terrible, poursuit Tom. Nous avons chacun perdu un enfant. Je comprends ta douleur. C'est comme… comme faire partie du pire club qui soit.

Au tour d'Augie de tiquer, comme s'il venait de recevoir un coup.

— Tu crois que c'est à cause de cette vidéo immonde ? demande Tom.

J'attends la réponse d'Augie, mais il semble perdu. Je réponds à sa place :

— Ils vont certainement se pencher là-dessus.

— Hank n'a pas mérité ça. Même s'il s'est exhibé…

— Il ne s'est pas exhibé.

Tom Stroud lève les yeux sur moi.

— C'était un mensonge. Une mère de famille n'aimait pas que Hank traîne à côté du collège.

Le regard de Tom s'agrandit. Je repense aux différentes étapes du deuil. Le déni peut rapidement faire place à la colère.

— Elle a tout inventé ?

— Oui.

Son expression ne change pas, mais on sent sa température monter.

— Comment s'appelle-t-elle ?

— Ça, on ne peut pas vous le dire.

— Vous croyez que c'est elle ?

— Qui a tué Hank ?

— Oui.

Je réponds honnêtement :

— Non.

— Qui alors ?

J'explique que l'enquête vient juste de commencer et lui sers le couplet rebattu du « Nous faisons tout notre possible ». Je demande s'il n'a pas quelqu'un qui pourrait venir lui tenir compagnie. Oui, il a son frère. Augie ne desserre pas les dents. Debout à la porte, il se balance d'avant en arrière sur ses talons. J'installe Tom de mon mieux, mais je ne suis pas un baby-sitter. Augie et moi sommes restés déjà assez longtemps chez lui.

— Merci encore, dit Tom en nous raccompagnant.

N'en étant plus à une banalité près, je lui dis :

— Toutes mes condoléances.

Augie me précède dans l'allée. Je dois me hâter pour le rattraper.

— Qu'est-ce qu'il y a ?

— Rien.

— Vous avez été bien silencieux là-bas. Votre téléphone téléchargeait une mise à jour ou quoi ?

— Non.

Arrivé à la voiture, Augie ouvre la portière, et nous nous engouffrons à l'intérieur.

— Alors qu'est-ce que c'est ? je demande.

À travers le pare-brise, Augie contemple d'un œil torve la maison de Tom Stroud.

— Tu as entendu ce qu'il m'a dit ?

— Qui ça ? Tom ?

Il continue à fixer la porte d'entrée d'un œil assassin.

— Lui et moi, on a quelque chose en commun.

Un frémissement parcourt son visage.

— Il comprend ma douleur.

Sa voix est lourde de mépris. Sa respiration, laborieuse. Ne sachant comment réagir, je reste muet.

— J'ai perdu une fille de dix-sept ans, belle, pétillante. Une fille à l'avenir prometteur. Elle était tout pour moi, Nap. Tu piges ? Elle était toute ma vie.

Son regard noir se pose maintenant sur moi. Je ne moufte pas.

— C'est moi qui réveillais Diana chaque matin. Tous les mercredis, je lui faisais des pancakes aux pépites de chocolat. Quand elle était petite, le samedi on allait à l'Armstrong Diner, rien que nous deux, puis chez Silverman pour acheter des barrettes, des chouchous ou des pinces à cheveux en écaille de tortue. Elle en avait toute une collection. Moi, je n'étais qu'un papa gâteau, je n'y connaissais rien. Tous ces trucs-là étaient encore dans sa chambre quand je l'ai vidée. Je les ai jetés. Quand elle a attrapé la fièvre rhumatismale en CP, j'ai dormi huit nuits d'affilée dans un fauteuil à Saint Barnabas. En priant Dieu d'épargner ma petite fille. J'ai assisté à tous les matchs de hockey, concerts, spectacles de danse, remises de prix et réunions de parents d'élèves. Quand elle a eu son premier rendez-vous, je l'ai suivie en cachette au cinéma tellement j'étais inquiet. Quand elle sortait, je restais éveillé jusqu'à son retour, incapable de fermer l'œil tant que je ne la savais pas saine et sauve à la maison. Je l'ai aidée à préparer ses dossiers de candidature pour l'université… que personne n'a lus puisqu'elle est morte avant d'avoir pu postuler. J'aimais cette gamine de toutes mes forces, chaque jour de sa vie, et lui…

Augie crache littéralement ce mot en direction de la maison de Tom Stroud.

— … il s'imagine qu'on a quelque chose en commun ? Cet homme, qui a abandonné son gosse dans un moment difficile, il croit comprendre ma douleur ?

Il s'est frappé la poitrine en disant « ma ». Puis il a fermé les yeux.

D'un côté, j'ai envie de le réconforter, de faire remarquer que Tom Stroud vient de perdre son fils et qu'il faut être indulgent avec lui. D'un autre côté, je vois exactement ce qu'Augie veut dire et me sens déjà moins enclin à l'indulgence.

Augie rouvre les yeux, scrute à nouveau la maison.

— On devrait peut-être changer d'angle d'approche, dit-il.

— Comment ça ?

— Où était Tom Stroud pendant toutes ces années ?

Je ne dis rien.

— OK, il a vécu dans l'Ouest, poursuit Augie, où il a ouvert un magasin d'articles de pêche.

— Et un stand de tir, j'ajoute.

Nos deux regards se tournent vers la maison.

— Il dit qu'il revenait de temps à autre pour essayer de renouer avec son gamin, qui le rejetait.

— Et alors ?

Augie ne répond pas tout de suite. Finalement, il exhale dans un souffle :

— Peut-être qu'il était là il y a quinze ans.

— C'est un peu tiré par les cheveux, non ?

— Possible, acquiesce Augie. Mais ça ne coûte rien de vérifier.

18

En arrivant devant chez moi, je tombe sur les Walsh. Je leur adresse un grand sourire amical. Genre, on peut être célibataire et inoffensif. Ils me saluent d'un signe de la main.

Tout le monde ici connaît ton histoire tragique. C'est devenu une légende locale. Je m'étonne même qu'aucun Springsteen du cru n'ait composé l'« Ode à Diana et Leo ». Chacun imagine que cela n'arrive qu'aux autres. Les êtres humains sont ainsi faits. Ils veulent des détails non seulement par curiosité morbide, mais surtout pour se persuader que cela ne les concerne pas. Ces jeunes-là buvaient trop. Ils se droguaient. Ils prenaient des risques inconsidérés. Leurs parents les ont mal élevés. Ils ne les ont pas suffisamment surveillés. Ce n'est pas à nous que cela arriverait.

Le déni n'est pas réservé au deuil.

Je suis toujours sans nouvelles de Beth Lashley. Ça m'inquiète. J'appelle la police d'Ann Arbor, et on me passe un enquêteur nommé Carl Legg. J'explique que je cherche une cardiologue du nom de Beth

Fletcher, née Lashley, et qu'à son cabinet on me fait tourner en bourrique.

— Est-elle recherchée dans le cadre d'une affaire criminelle ? s'enquiert Legg.

— Non. Il faut juste que je lui parle.

— Je vais passer à son cabinet.

— Merci.

— Pas de problème. Je vous recontacte dès que j'en saurai plus.

Tout est calme dans la maison ; les fantômes sont partis se coucher. Je monte à l'étage et tire sur la poignée. L'échelle du grenier descend. Je grimpe en essayant de me rappeler la dernière fois où j'y ai mis les pieds. J'ai sûrement aidé à monter tes affaires au grenier, même si je n'en garde aucun souvenir. Peut-être que, voulant m'épargner, papa s'en est chargé lui-même. Ta mort a été brutale. Pas la sienne. Nous avons passé du temps ensemble. Il a accepté son sort, pendant que, moi, je préférais me voiler la face. Lorsque son corps a lâché, papa s'était déjà défait – et m'avait débarrassé par la même occasion – de la plupart de ses biens matériels. Il a donné ses propres habits. Il a mis de l'ordre dans sa chambre.

Il a tout rangé avant l'arrivée de la Camarde pour que je n'aie pas à le faire.

Sans surprise, le grenier sent le renfermé. Il fait chaud, et j'ai du mal à respirer. Je m'attends à trouver des malles, des piles de cartons comme au cinéma, mais, en fait, il y en a très peu. Papa a posé quelques planches de bois, mais le reste du revêtement de sol, c'est de l'isolant rose. C'est mon souvenir le plus marquant. Toi et moi, on venait là, gamins, et on jouait à marcher sur les planches, car si on posait le pied sur du rose, on allait passer à travers et atterrir à l'étage du dessous. J'ignore si c'était vrai, mais c'est ce que papa nous a toujours dit. Je me souviens que, enfant, j'étais terrifié à cette idée, comme si l'isolant était du sable mouvant qui risquait de m'engloutir à tout jamais.

On rencontre rarement des sables mouvants dans la vraie vie, hein ? Alors qu'ils occupent une place énorme au cinéma et à la télé, on n'entend guère parler de gens piégés et morts dans des sables mouvants.

Pendant que mon esprit vagabonde, je repère le carton dans un coin. Un carton, un seul. Tu sais bien, Leo, que papa n'était pas attaché aux objets. Tes vêtements sont partis. Tes jouets sont partis. Faire le vide est une phase du processus de deuil… même si j'ignore de quelle étape il pourrait s'agir. L'acceptation peut-être, bien que l'acceptation soit censée être la phase finale, et papa avait encore du chemin à faire de ce côté-là. C'était certes quelqu'un d'émotif, mais ses sanglots déchirants – sa poitrine qui se convulsait, ses épaules qui tremblaient, ses bruyants gémissements de douleur – me faisaient peur. Parfois, j'avais l'impression qu'il allait se briser, que son chagrin inextinguible finirait par fendre sa cage thoracique.

Et non, nous n'avons eu aucunes nouvelles de maman.

Papa l'a-t-il prévenue ? Je n'en sais rien. Je n'ai jamais posé la question. Il ne m'en a jamais parlé.

J'ouvre le carton pour voir ce que mon père a mis de côté. Une pensée soudaine me traverse l'esprit : il savait, évidemment, que tu n'ouvrirais jamais ce carton. Il savait qu'il ne l'ouvrirait pas non plus. Donc, tout ce qu'il y a dedans n'a de valeur que pour moi. Tout ce que papa a gardé, il l'a fait en pensant que j'en aurais besoin un jour.

Le carton est scellé avec du scotch qui s'enlève difficilement. Je sors une clé de ma poche pour le couper au milieu. Puis je relève les rabats et jette un œil à l'intérieur. Je ne sais pas ce que je m'attends à trouver. Je te connais. Je connais ta vie. Nous avons partagé la même chambre depuis notre naissance jusqu'à ton dernier jour. Je doute de découvrir quelque chose d'extraordinaire.

Mais en voyant la photo sur le dessus, je me sens à nouveau perdu. C'est un cliché de nous quatre : toi avec Diana, moi avec Maura. Je me souviens bien de ce jour-là. La photo a été prise dans le jardin de Diana. À l'occasion de son dix-septième – et dernier – anniversaire. C'était une belle soirée d'octobre. Nous avions passé la journée dans un grand parc d'attractions. Un ancien collègue d'Augie, qui travaillait pour l'un des principaux sponsors du parc, nous avait obtenu des bracelets coupe-file avec accès illimité à toutes les attractions. Pas d'attente aux manèges, Leo. Tu te rappelles ? Je n'ai pas beaucoup de souvenirs de toi et de Diana. On s'était séparés : vous deux étiez restés dans la partie arcade – tu as gagné pour elle une peluche Pikachu –, tandis que Maura et moi avions enchaîné les manèges les plus extrêmes. Maura portait un petit haut à faire damner un saint. Toi et Diana vous êtes fait prendre en photo avec un personnage de cartoon. Lequel déjà ? Je parie que c'est… oui, c'est la seconde photo. Je l'extirpe du carton. Toi et Diana avec Titi au milieu et des jets d'eau en arrière-plan.

Deux semaines plus tard, vous alliez mourir tous les deux.

Je scrute la photo de nous quatre. Sur l'image, la nuit est tombée. Les autres invités sont massés derrière nous. Nous sommes tous fatigués, je suppose ; la journée a été longue. Maura est assise sur mes genoux, nos deux corps entremêlés comme seuls les ados savent le faire. Tu es assis à côté de Diana. Elle ne sourit pas. Tu as l'air défoncé. La mine hébétée et le regard vitreux. Je te trouve aussi… perturbé, peut-être. Je ne m'en suis pas rendu compte sur le moment. J'étais trop absorbé par mes propres préoccupations. Maura, le hockey, l'entrée à l'université. Mon avenir était assuré, pensais-je, même si je n'avais pas de véritable projet, aucune idée de ce que je voulais devenir. Seule certitude, une brillante carrière m'était promise.

On sonne à la porte.

Je glisse la photo dans le carton et me redresse, mais le plafond est trop bas. Courbé en deux, je regagne la trappe. Pendant que je redescends, la sonnette retentit une deuxième fois. Et une troisième. Avec impatience.

Je crie :

— J'arrive !

Je dévale l'escalier et aperçois par la fenêtre mon vieux camarade de classe, David Rainiv. Son costume trois-pièces semble avoir été taillé par un démiurge. J'ouvre la porte. Au-dessus de sa cravate Hermès nouée à la perfection, son visage est blême et décomposé.

— J'ai appris pour Hank.

Je ne lui demande pas comment. L'adage « les nouvelles vont vite » n'a jamais été aussi pertinent qu'à l'ère d'Internet.

— C'est vrai, ce qu'on dit ?

— Je ne suis pas habilité à en parler.

— Il paraît qu'on l'a trouvé pendu à un arbre.

Il ne cherche pas à cacher sa tristesse. Je repense à notre conversation près du terrain de basket, à la manière dont il m'a spontanément offert son aide. Ce n'est pas le moment de lui battre froid.

— Je suis désolé, lui dis-je.

— Hank s'est-il pendu, questionne David, ou a-t-il été assassiné ?

Je m'apprête à répéter que je n'ai pas le droit d'en parler, mais il a l'air profondément désespéré. Est-il venu chez moi en quête d'une confirmation ou bien pour autre chose ?

— Il a été assassiné.

Ses yeux se ferment.

— Saurais-tu quelque chose là-dessus ?

Ses yeux restent clos.

— David ?

— Peut-être bien, répond-il finalement. Mais ce n'est pas sûr.

19

Les Rainiv habitent au fond d'une impasse du nouveau quartier huppé, dans une villa avec piscine intérieure, salle de bal, huit cents salles de bains et un million de mètres carrés de surface pratiquement inutilisés. Le style nouveau riche par excellence. Le portail en fer forgé représente des enfants jouant avec un cerf-volant. Ça veut faire vieux tout en ayant l'air neuf. C'est surchargé, tarabiscoté, tape-à-l'œil. Mais ça, c'est mon avis. Je connais David depuis longtemps. C'est un type bien. Il donne beaucoup d'argent aux œuvres caritatives. Il donne de son temps et de son énergie à la municipalité. Je l'ai vu avec ses gosses. Il ne joue pas les pères modèles – vous savez, ceux qui en font des tonnes au centre commercial ou au parc pour qu'on dise : « Waouh, quel papa attentionné », alors que c'est surtout pour la galerie. Non, il n'est pas comme ça. En voyant son visage ravagé, je songe à l'historique de son amitié avec Hank. Ce genre de loyauté, cela vous pose un homme. Je n'aime pas ses goûts ni ceux de sa femme en matière d'habitat. Et alors ? Il n'y a qu'à passer outre. Arrêtons de juger.

Nous pénétrons dans un garage de la taille d'un gymnase universitaire – encore un jugement ? – et descendons de voiture. Il me conduit par une porte latérale dans ce que communément on nomme un sous-sol, sauf qu'ici on trouve une salle de cinéma et une cave à vin, alors il faut inventer un autre terme. Un souplex ? Il me précède dans une petite pièce et allume la lumière. Au fond, à droite, trône un coffre-fort mécanique à l'ancienne.

— Ce n'est pas toi qui es chargé de l'enquête ?

C'est la troisième fois que David me pose la question.

— Non. En quoi est-ce si important ?

Il se penche pour actionner le cadran.

— Hank m'a confié quelque chose.

— Récemment ?

— Non. Il y a huit ou neuf ans. Il a dit que si jamais il se faisait assassiner, je devais remettre cela à quelqu'un de confiance. Mais surtout pas aux forces de l'ordre ni aux personnes mêlées à l'enquête.

David se retourne.

— Tu comprends mon dilemme ?

Je hoche la tête.

— Je fais partie des forces de l'ordre.

— C'est vrai, mais comme je viens de le dire, c'était il y a huit ou neuf ans. Hank était déjà bien barré à l'époque. J'ai pensé que ce n'était rien, les élucubrations d'un cerveau malade. Il a insisté lourdement. Alors je lui ai promis que, s'il était assassiné, je ferais ce qu'il faut. Je ne l'ai pas vraiment pris au sérieux. Mais maintenant…

Il tourne le cadran une dernière fois. J'entends un déclic. David me dévisage, la main sur la poignée.

— J'ai confiance en toi, Nap. Tu es dans la police, mais je crois que Hank serait d'accord pour que je te le donne.

Il ouvre le coffre, fouille à l'intérieur – j'évite de regarder par discrétion – et sort une vidéocassette dont l'effet de déjà-vu me cause un choc. Je me souviens du caméscope Canon PV1 que papa t'a acheté quand tu étais en première. Tu étais fou de joie. Pendant un moment, tu as filmé tout et n'importe quoi. Tu voulais devenir réalisateur. Tu parlais de tourner un documentaire. À cette idée, la douleur me submerge à nouveau.

La cassette que David me tend est dans un boîtier rouge avec l'étiquette MAXELL, 60 MINUTES… exactement comme celles que tu utilisais. Évidemment, tu n'étais pas le seul. Les cassettes Maxell étaient courantes à l'époque. Mais tout de même, en revoir une après tant d'années…

Je demande :

— Tu l'as regardée ?

— Il m'a dit de ne pas le faire.

Et tu sais ce qu'il y a dedans ?

— Non. Hank m'a chargé de la mettre en lieu sûr.

Je contemple la cassette sans rien dire.

— Ça n'a probablement rien à voir, ajoute David. J'ai entendu parler de cette vidéo virale où il était en train de s'exhiber.

— C'était un mensonge.

— Un mensonge ? Bon sang, pourquoi irait-on raconter une chose pareille ?

Hank était son ami. J'ai une dette envers lui. Je lui expose en quelques mots les motivations délirantes de Suzanne Hanson. David hoche la tête, referme le coffre-fort, tourne le cadran.

— J'imagine que tu n'as rien pour visionner ce genre de cassette, lui dis-je.

— Je ne crois pas.

— Alors essayons de trouver quelqu'un qui aurait le matériel ad hoc.

— Bob a retrouvé un vieux Canon au sous-sol, dit Ellie au téléphone. Il pense qu'il fonctionne, mais il faudrait peut-être le mettre en charge.

Je ne suis pas surpris. Ellie et Bob ne jettent rien. Plus déconcertant encore, ils rangent tout si méticuleusement que même un vieux caméscope qui n'a pas vu le jour depuis dix bonnes années doit être étiqueté et conservé avec son chargeur.

— Je peux être là dans dix minutes.

— Tu restes dîner ?

— Ça va dépendre de ce qu'il y a sur cette cassette.

— Oui, bien sûr. Je comprends.

Ellie me connaît par cœur.

— Ça va ? me demande-t-elle.

— On en parle tout à l'heure.

Elle raccroche la première.

David Rainiv conduit, les mains en dix heures dix sur le volant.

— Entre nous, hasarde-t-il, s'il n'y a pas de famille proche, pourrais-tu faire transférer le corps aux pompes funèbres Feeney quand tu auras terminé et leur dire de m'envoyer la facture ?

— Son père est revenu à Westbridge, je lui rappelle.

— Ah oui ! c'est vrai, dit David en fronçant les sourcils. J'avais oublié.

— Tu penses qu'il ne fera pas ce qu'il faut ?

Il hausse les épaules.

— Il ne s'est jamais occupé de Hank. Qui nous dit qu'il le ferait maintenant ?

Il n'a pas tort.

— Je verrai ce qu'il en est.

— Je m'en chargerai à titre anonyme, si c'est possible. Je ferai venir les gars du basket. Pour un dernier hommage. Hank l'a bien mérité.

J'ignore qui a mérité quoi, mais ça me va.

— Il y attachait une grande importance, poursuit David. Hank tenait beaucoup à honorer les morts : sa mère…

Il baisse la voix.

— … ton frère, Diana.

Nous nous taisons tous les deux. La cassette à la main, je repense à ce qu'il vient de dire et finis par demander :

— Qu'entends-tu par là ?

— À propos de… ?

— À propos de Hank qui tenait à honorer les morts. À propos de mon frère et de Diana.

— Tu es sérieux, là ?

Je le regarde.

— Hank a été anéanti par ce qui est arrivé à Leo et Diana.

— Ce n'est pas la même chose qu'« honorer ».

— Tu n'es pas au courant ?

La question doit être rhétorique.

— Hank faisait le même tour pratiquement tous les jours. Ça, tu le sais, n'est-ce pas ?

— Oui, il commençait par le Sentier derrière le collège.

— Et tu sais où il finissait ?

J'ai l'impression qu'un doigt glacé m'effleure le cou.

— Sur la voie ferrée, dit David. Hank achevait son tour à l'endroit précis où… enfin, tu as compris.

Mes oreilles bourdonnent. Les mots que prononce ma bouche semblent venir de très loin.

— Tous les jours, Hank partait de l'ancienne base militaire…

Je m'efforce de ne pas bégayer.

— … pour arriver là où Leo et Diana ont trouvé la mort ?

— Je croyais que tu le savais.

Je secoue la tête.

— Certains jours, il chronométrait son parcours. Et une fois ou deux… j'ai trouvé ça bizarre.

— Quoi ?

— Il m'a demandé de l'emmener pour voir combien de temps on mettait pour faire ce trajet en voiture.

— Entre la base militaire et la voie ferrée à l'autre bout de la ville ?

— Oui.

— Pourquoi ?

— Il ne me l'a jamais dit. Il griffonnait des calculs sur un bout de papier en marmonnant dans sa barbe.

— Et que calculait-il ?

— Aucune idée.

— Mais ce qui l'intéressait, c'était le temps qu'il fallait pour aller d'un point à un autre ?

— L'intéressait ?

David marque une pause, puis :

— Je dirais plutôt que ça l'obsédait. Moi, je ne l'ai vu que trois ou quatre fois du côté de la voie ferrée. Quand je prenais le train pour Manhattan. Chaque fois, il était en larmes. Il était très atteint, Nap. Il tenait à honorer les morts.

J'essaie de digérer ces informations. Je veux plus de détails, mais il n'y en a pas. J'interroge David sur le lien possible entre Hank et Leo, le Club des conspirateurs, Rex, Maura et Beth, ou n'importe quel autre vestige du passé. Une fois de plus, je fais chou blanc.

David Rainiv me dépose devant chez Bob et Ellie. Je le remercie. Nous nous serrons la main. Il me répète que s'il manque quoi que ce soit pour offrir à Hank une sépulture décente, il mettra la main à la poche. Je hoche la tête. Visiblement, il a autre chose à me demander, mais ça semble difficile à formuler.

— Je préfère ne pas savoir ce qu'il y a sur la cassette, finit-il par prononcer.

Je descends et le regarde redémarrer.

La pelouse d'Ellie et Bob est tellement impeccable qu'on croirait qu'ils se préparent à accueillir un tournoi de golf professionnel. Leurs bacs à fleurs sont assortis et tellement symétriques que la moitié droite de la maison semble être le reflet exact de la moitié gauche. Bob ouvre la porte et me salue d'un sourire chaleureux et d'une ferme poignée de main.

Il travaille dans l'immobilier, même si je ne sais pas très bien en quoi consiste son boulot. C'est un type formidable, je donnerais ma vie pour lui. Nous avons fait plusieurs tentatives pour sortir tous les deux, entre hommes – aller voir un match de basket ou de hockey au bar des Sports –, mais, à vrai dire, notre relation s'étiole sans Ellie. Ce qui n'est pas un problème. On dit qu'il ne peut y avoir d'amitié entre un homme et une femme sans une quelconque composante sexuelle, mais, au risque de paraître politiquement correct en diable, c'est du grand n'importe quoi.

Ellie arrive, plus circonspecte que d'habitude, et m'embrasse sur la joue. Nous savons tous les deux qu'après l'entrevue avec Lynn Wells, on a des tas de choses à se dire, mais, pour le moment, j'ai d'autres chats à fouetter.

— Le caméscope est dans mon atelier, dit Bob. Il n'est pas chargé, mais tant qu'il reste branché, ça marche.

— Merci.

— Tonton Nap !

Leurs deux filles – Leah, neuf ans, et Kelsi, sept ans – déboulent à leur tour et s'enroulent autour de moi, manquant de me faire tomber avec leurs effusions. Je ferais plus que donner ma vie pour Leah et Kelsi… je tuerais pour elles.

En tant que parrain de l'une et l'autre, et n'ayant pas de famille à moi, j'adore Leah et Kelsi et les gâte au point de me faire gronder par leurs parents. Je leur demande comment ça va à l'école, et elles me répondent avec empressement. Je ne suis pas dupe. Elles grandissent et bientôt elles n'accourront plus pour se jeter sur moi, mais ce n'est pas grave. D'aucuns pourraient penser que je suis triste de ne pas avoir d'enfants ni d'être un oncle pour les tiens.

On aurait fait des tontons d'enfer pour nos gosses respectifs, Leo.

Ellie tente de les détacher de moi.

— C'est bon, les filles, ça suffit. Tonton Nap a des choses à faire avec papa dans son atelier.

— Quelles choses ? s'enquiert Kelsi.

— C'est pour son travail, répond Bob.

Leah :

— Quoi pour son travail ?

Kelsi :

— Pour ton travail dans la police, tonton Nap ?

Leah :

— C'est pour arrêter des bandits ?

— Oh ! dis-je, c'est beaucoup moins spectaculaire que ça.

Au fait, est-ce qu'elles connaissent le mot « spectaculaire » ? Et comme ce n'est peut-être pas vrai par-dessus le marché, je me borne à préciser :

— Je voudrais juste regarder cette cassette.

— On peut la regarder avec toi ? demande Leah.

Ellie vient à ma rescousse.

— Certainement pas. Allez plutôt mettre la table.

Elles protestent pour la forme avant d'obéir. Bob et moi nous dirigeons vers l'atelier dans le garage. Sur une pancarte au-dessus de la porte, on peut lire : ATELIER DE BOB. C'est gravé dans du bois, et chaque lettre est d'une couleur différente. Comme vous vous en doutez déjà, on pourrait filmer des tutoriels de bricolage dans l'atelier de Bob. Les outils sont accrochés dans l'ordre décroissant, du plus grand au plus petit et à distance égale les uns des autres. Tuyaux et bois de charpente sont stockés sous forme de pyramides contre le mur du fond. L'éclairage est au néon. Des boîtes en plastique, toutes étiquetées avec soin, renferment des clous, des vis, des agrafes, des rallonges. Le sol est tapissé de dalles en PVC. Les couleurs sont neutres, apaisantes. Il n'y a pas de poussière, pas de sciure, rien qui puisse troubler le calme relatif du lieu.

Moi qui suis incapable de planter un clou, je comprends pourquoi Bob se sent bien ici.

Le caméscope posé sur l'établi est exactement le même, un Canon PV1 ; d'ailleurs, je me demande si ce n'est pas le tien. Comme je l'ai déjà mentionné, papa a donné une grande partie de tes affaires. Peut-être que le caméscope a atterri chez Ellie et Bob, allez savoir. Il repose, l'objectif vers le haut. Bob le retourne, presse le bouton éjecter, tend la main pour que je lui donne la cassette. Il la glisse dans la fente.

— C'est prêt, déclare-t-il. Tu n'as qu'à appuyer là…

Il me montre.

— … et tu regardes ici.

Bob actionne une tirette, et un petit écran s'avance sur le côté.

Tout là-dedans me fait penser à toi. Et ce n'est pas un souvenir agréable.

— Je serai dans la cuisine si tu as besoin d'aide, dit Bob.

— Merci.

Il retourne dans la maison après avoir fermé la porte derrière lui. Sans perdre de temps, j'appuie sur le bouton. D'abord il y a des parasites, puis l'écran devient noir. On ne voit que la date.

Une semaine avant ta mort.

L'image tremblote, comme si celui qui filme était en train de marcher. Elle saute de plus en plus : il ne marche plus, il court. On ne voit rien. Rien que du noir. Je crois entendre quelque chose, mais le son est très faible.

Je trouve le bouton du volume et le monte à fond.

Le tremblement cesse, mais il fait toujours trop sombre pour distinguer quoi que ce soit. Essayer de régler le contraste ne sert à rien. J'éteins donc les lumières pour une meilleure vision. Le garage est sinistre dans l'obscurité ; les outils se font menaçants. Je regarde fixement le minuscule écran.

Soudain, j'entends une voix surgie du passé :

— Ça tourne, Hank ?

Mon cœur s'arrête.

Cette voix, c'est la tienne.

Hank répond :

— Ouais, ça tourne.

Une autre voix dit :

— Pointe-le vers le ciel, Hank.

C'est Maura. Mon cœur qui a cessé de battre explose dans ma poitrine.

Je pose les mains sur l'établi pour m'empêcher de m'effondrer. Maura semble tout excitée. Je me souviens bien de cette intonation-là. L'objectif se redresse. Hank l'avait orienté vers le sol. Maintenant, j'aperçois les lumières de la base militaire.

Encore toi, Leo :

— Vous l'entendez, les gars ?

— Oui, mais tout juste.

On dirait Rex.

Toi :

— OK, on se tait.

Maura, soudain :

— Regardez, bordel ! Pareil que la semaine dernière.

— Mon Dieu.

Toi, à nouveau :

— Tu avais raison, Maura.

Des exclamations fusent. C'est l'effervescence générale. J'essaie de deviner qui est qui. Il y a toi, bien sûr, Maura, Rex, Hank… une autre voix féminine. Diana ? Beth ? Je réécouterai cela plus tard. Je scrute l'écran pour connaître la cause de cette agitation.

Enfin je l'aperçois, descendant du ciel, comme flottant dans les airs. Je m'exclame en même temps qu'eux.

C'est un hélicoptère.

Je veux monter le volume pour entendre les rotors, mais il est déjà à fond. Hank se charge d'éclairer ma lanterne.

— Un Sikorsky Black Hawk, déclare-t-il. Hélico furtif. Il ne fait presque pas de bruit.

— Incroyable.

Cette fois, on dirait Beth.

Compte tenu du format de l'écran, j'ai du mal à suivre ce qui se passe. Mais une chose est sûre : un hélicoptère survole la vieille base militaire.

Tandis qu'il descend, Maura chuchote :

— Allons voir de plus près.

Rex :

— On va se faire repérer.

Maura :

— Et alors ?

Beth :

— Je ne sais pas trop…

Maura :

— Allez, viens, Hank.

L'image tremble à nouveau quand Hank se remet en mouvement. Visiblement, il se rapproche de la base. À un moment, il trébuche. Le caméscope plonge vers le sol. Une main se tend pour l'aider, et là… là je vois la manche blanche de mon blouson de sport. Hank se relève et braque l'objectif pile sur le visage de Maura. J'en ai un haut-le-corps. Sa tignasse brune est ébouriffée, ses yeux brillent d'excitation, son sourire ravageur cache un grain de folie.

— Maura…

Son nom m'échappe malgré moi.

Dans le haut-parleur au son grêle, je t'entends dire :

— Chut, arrêtez-vous.

L'hélico se pose. On ne distingue pas grand-chose, mais les pales continuent à tourner. Le silence est à peine croyable. Je ne suis pas sûr de bien voir… il y a peut-être une porte qui s'ouvre. Et un éclair orange vif. Probablement une personne. Mais j'ai un doute.

L'orange vif me fait penser à une tenue de prisonnier.

Un craquement soudain, comme si on avait marché sur une branche. Hank pivote le caméscope à droite. Rex crie :

— Fichons le camp d'ici !

Et tout redevient noir.

J'appuie sur l'avance rapide. Mais il n'y a rien d'autre. Je rembobine pour revoir la scène de l'hélicoptère. Puis je la regarde une troisième fois. Mais il ne m'est pas plus facile pour autant d'entendre ta voix ou de voir le visage de Maura.

Durant le quatrième visionnage, une idée me traverse la tête. Où étais-je ce soir-là ? Je ne faisais pas partie du Club des conspirateurs. À l'époque, je trouvais leur

« groupe clandestin » mignon et puéril, entre inoffensif et (quand j'étais mal luné) pitoyable. Tu avais tes propres activités, tes secrets. Je le comprends bien.

Mais comment vous autres m'avez-vous caché une chose pareille ?

Tu me disais tout, pourtant.

Je tente de remonter le temps. Où étais-je ce soir-là ? C'était, comme le soir de ta mort, un vendredi. Le vendredi était le jour du hockey. Contre qui avons-nous joué ? Je ne me souviens plus. Avons-nous gagné ? Étais-tu là quand je suis rentré ? Je ne m'en souviens plus. Je sais que j'avais rendez-vous avec Maura. Je revois les cheveux emmêlés, le sourire ravageur, les yeux brillant d'excitation, mais quelque chose était différent ce soir-là, plus électrique entre nous quand on a fait l'amour. Sur le moment, je ne me suis pas posé de questions – Maura aimait les sensations fortes –, et j'ai dû attribuer cela à mes propres performances. Moi, le grand sportif, imbu de ma petite personne.

Mais mon jumeau pendant ce temps-là ?

Je repense à la photo du grenier. La photo de nous quatre. À ton air hagard, éperdu. Il t'était arrivé quelque chose, Leo. Quelque chose de grave manifestement, mais moi, le crétin nombriliste, je ne me suis rendu compte de rien, et tu en es mort.

Je débranche le caméscope. Bob ne verra sûrement aucune objection à me le prêter. Mais j'ai besoin de réfléchir. Je ne veux pas foncer tête baissée. Hank a planqué cette vidéo parce que, même malade et parano, il savait que c'était du lourd. Et moi, quoi qu'il arrive, j'ai envie de respecter ses volontés.

Alors à qui je vais montrer ça ?

Dois-je m'adresser aux autorités ? Prévenir Muse ou Manning ? En parler à Augie ?

Chaque chose en son temps. Faire des copies d'abord. Mettre l'original en lieu sûr.

Je tourne et retourne les faits dans ma tête. L'ancienne base Nike est restée sous le contrôle du gouvernement. Se faisant passer pour une antenne du ministère de l'Agriculture afin de masquer ses véritables activités. Jusqu'ici, c'est clair. Comme il est clair, les gars, que vous avez vu quelque chose ce soir-là qui pouvait porter à la connaissance du public ce qu'étaient ces fameuses activités.

En poussant ce raisonnement plus loin, je pourrais même envisager pourquoi ils – je veux parler des « méchants » qui travaillaient à la base – auraient voulu vous réduire au silence, toi et Diana, même si je n'ai pas entendu Diana sur la vidéo. Était-elle là ? Je n'en sais rien. Mais, d'une façon ou d'une autre, vous y avez laissé votre peau.

Question : pourquoi les autres sont-ils restés en vie ?

Réponse possible : « ils » n'étaient pas au courant pour Rex, Hank et Beth. « Ils » ne savaient que pour toi et Diana. OK, ça se tient à peu près. C'est bancal, certes, mais je me contenterai de cet à-peu-près. Et je peux ajouter Maura à cette équation. « Ils » ont su pour Maura aussi. C'est pour cela qu'elle a dû se cacher. Sur la vidéo, Maura et toi êtes clairement les meneurs. Il est possible que vous y soyez retournés et que vous vous soyez fait repérer. Tu as été pris. Maura s'est enfuie.

Ça se tient toujours.

Mais, encore une fois, quid de tous les autres ? Rex, Hank et Beth ont continué à vivre leur vie. Aucun ne s'est réfugié dans la clandestinité. Auraient-ils repris les recherches, quinze ans après ? Auraient-ils découvert l'identité des trois autres grâce à un fait nouveau ?

Oui, mais lequel ?

Augie aurait-il raison de se poser des questions au sujet de Tom Stroud ? Je devrais peut-être me renseigner pour savoir quand exactement il est revenu à Westbridge.

Inutile de se perdre en conjectures. Il y a encore des choses qui m'échappent. Et ce n'est pas tout.

Il faut que je parle à Ellie.

Ce n'est sûrement pas un hasard si la mère de Maura m'a contacté par son intermédiaire. Ellie sait quelque chose. Ce n'est pas un constat que je fais de gaieté de cœur. J'ai pris assez de coups pour aujourd'hui, merci bien, mais si je ne peux pas faire confiance à Ellie – si elle m'a menti et que je ne puisse plus compter sur son soutien –, alors où va-t-on ?

J'inspire profondément et ouvre la porte de l'atelier. La première chose que j'entends, ce sont les rires de Leah et Kelsi. Oui, j'ai tendance à idéaliser cette famille à un point qui la rend quasi irréelle, mais c'est ainsi que je les vois. Un jour, j'ai demandé à Ellie comment ils faisaient, elle et Bob. Et elle m'a répondu :

— On a connu quelques guerres, l'un et l'autre, et maintenant on se bat pour préserver ce qu'on a.

Je comprends ou je crois comprendre. Ellie a beaucoup souffert du divorce tardif de ses parents. Ceci explique peut-être cela. Ou pas. On ne connaît jamais tout des autres.

Je cherche les traces de raccommodage dans la vie de Bob et Ellie. Ce n'est pas parce que je ne les vois pas qu'elles n'existent pas. Et ce n'est pas parce qu'ils les cachent que Bob et Ellie en sont moins attachants, moins humains.

Comme disait papa, tout le monde a ses rêves et ses espoirs.

J'entre dans la cuisine, mais Ellie n'y est pas. Il y a une place libre. Bob se tourne vers moi.

— Ellie a dû partir en catastrophe. Elle t'a laissé une assiette.

Par la fenêtre, je vois Ellie qui se dirige vers sa voiture. Je marmonne une excuse et me précipite pour la rattraper. Elle est en train d'ouvrir sa portière quand je crie :

— Tu sais où est Maura ?

Elle s'arrête, se retourne.

— Non.

Nos regards se croisent.

— Sa mère est passée par toi pour me joindre. Pourquoi toi, Ellie ?

— Je lui ai promis de ne rien dire.

— À qui ?

— À Maura.

Même si je m'y attendais, j'ai l'impression de recevoir une claque en pleine figure.

— Tu…

Il me faut une seconde pour récupérer ma voix.

— Tu as promis à Maura ?

Mon portable sonne. C'est Augie. Je ne réponds pas. Quoi qu'il arrive désormais – quoi que me dise Ellie –, rien entre nous ne sera plus comme avant. Je n'ai pas grand-chose pour m'ancrer dans cette vie. Je n'ai pas de famille. Et il y a peu de gens que je laisse pénétrer dans mon intimité.

Or, la personne qui m'est le plus chère vient de me faire un enfant dans le dos.

— Je dois y aller, dit Ellie. Une urgence au foyer.

— Tu m'as menti toutes ces années.

— Non.

— Mais tu ne m'as rien dit.

— J'ai donné ma parole.

Je m'efforce de ravaler ma peine.

— Je croyais que tu étais ma meilleure amie.

— Je le suis. Mais être ton amie ne signifie pas trahir les autres.

Mon portable continue à bourdonner.

— Comment as-tu pu me cacher une chose pareille ?

— On ne se dit pas tout.

— Qu'est-ce que tu racontes ? Je mettrais ma vie entre tes mains.

— Mais tu ne me dis pas tout, pas vrai, Nap ?

— Bien sûr que si.

— Mon œil !

Elle chuchote rageusement, comme le font les adultes quand ils sont fâchés mais ne veulent pas réveiller les enfants.

— Tu me caches plein de choses.

— Quoi ? Lesquelles ?

Ses yeux étincellent.

— Tu veux qu'on parle de Très ?

Je suis sur le point de répondre : « Qui ça ? » tellement je suis absorbé par mon enquête, ma recherche de vérité, et le sentiment d'avoir été trahi. Puis je me souviens de la correction à coups de batte de base-ball.

Ellie me défie du regard.

— Je ne t'ai pas menti.

— Mais tu ne m'as rien dit.

Je me tais.

— Tu crois que je ne sais pas qui a expédié Très à l'hôpital ?

— Ça n'a rien à voir avec toi.

— Je suis complice.

— Absolument pas. Je suis le seul responsable.

— Tu es bouché ou quoi, Nap ? Il y a une frontière entre ce qui est permis et ce qui ne l'est pas. Tu me la fais franchir de force. Tu enfreins la loi.

— Pour punir la vermine, dis-je. Pour aider une victime. C'est le but de notre travail, non ?

Ellie secoue la tête. Le rouge de la colère lui monte aux joues.

— Tu ne comprends donc pas ? Quand la police viendra me voir parce qu'ils feront un rapprochement entre un homme blessé et une femme battue, je serai obligée de mentir. Tu le sais. Alors, que tu le veuilles ou non, je suis ta complice. Tu m'entraînes là-dedans et tu n'as même pas la décence de me dire la vérité en face.

— Si je ne dis rien, c'est pour te protéger.

Elle secoue la tête de plus belle.

— C'est tout, tu en es sûr, Nap ?

— Comment ça ?

— Tu ne dis rien peut-être parce que je m'y opposerais. Parce que tu n'as pas à faire ça. J'ai créé ce foyer pour aider les victimes de violences, pas pour infliger des violences à leurs agresseurs.

Je répète :

— Tu n'as rien à voir là-dedans. C'était ma décision.

— Tout le monde prend des décisions.

Elle baisse la voix.

— Tu as décidé que Très méritait une leçon. Moi, j'ai décidé de tenir la promesse faite à Maura.

Mon téléphone se remet à sonner. C'est encore Augie.

— Tu ne peux pas garder ça pour toi, Ellie.

— Lâche l'affaire, rétorque-t-elle.

— Hein ?

— Tu ne m'as pas parlé de Très pour me protéger.

— Et alors ?

— Peut-être que je fais pareil pour toi.

Le téléphone continue à sonner. Je suis obligé de répondre. Pendant que je l'approche de mon oreille, Ellie saute dans sa voiture. Je m'apprête à la retenir quand j'aperçois Bob qui nous observe d'un drôle d'air depuis le pas de la porte.

Tant pis, cela attendra.

— Quoi ? je crie dans le téléphone.

— J'ai réussi à mettre la main sur Andy Reeves, annonce Augie.

Le commandant « agricole » de la base militaire.

— Et ?

— Tu connais la Taverne du Clou rouillé ?

— C'est une gargote à Hackensack, non ?

— C'était. Retrouve-le là-bas dans une heure.

20

Je copie la vieille cassette de la façon la moins technologique mais la plus rapide possible. Je la repasse sur le petit écran du caméscope et je filme avec mon smartphone. La qualité n'est pas terrible, mais je ne compte pas remporter un prix de cinéma avec. Je télécharge une copie de la vidéo sur mon cloud et, pour plus de sécurité, en expédie une autre à l'une de mes adresses mail.

Devrais-je envoyer une copie à quelqu'un d'autre pour sauvegarde ?

Oui. Mais à qui ? Je pense à David Rainiv, mais au cas où elle serait localisée – la parano peut être interprétée aussi comme un signe de prudence –, je n'ai pas envie de le mettre en danger. L'envoyer à Ellie… le problème reste le même. Et puis, j'ai besoin de prendre du recul. De réfléchir à l'attitude à adopter avec elle.

La solution la plus évidente serait Augie, mais vais-je balancer cela sur sa messagerie sans un mot d'explication ?

Je compose son numéro.

— Tu es au Clou rouillé ? s'enquiert-il.

— J’y vais. Vous allez recevoir une vidéo par mail.

Je lui parle de la visite de David Rainiv et de tout le reste. Il ne pipe pas. Mon récit terminé, je lui demande s’il est toujours là.

— Ne me l’envoie pas au boulot, dit-il.

— OK.

— Tu as mon adresse personnelle ?

— Oui.

Une nouvelle pause, plus longue. Augie se racle la gorge.

— Diana… tu dis qu’elle n’est pas sur cette vidéo ?

On l’entend dans sa voix chaque fois qu’il prononce le nom de Diana. Je t’ai perdu. Mon frère. Mon jumeau. C’est un grand malheur. Mais Augie a perdu son unique enfant. Dès qu’il prononce le nom de Diana, sa voix se fait rauque, douloureuse, comme si on le frappait pendant qu’il parle. Chaque syllabe ravive la blessure.

— Je ne l’ai pas vue ni entendue, lui dis-je, mais l’enregistrement n’est pas très bon. Vous relèverez peut-être quelque chose qui m’a échappé.

— Je continue à penser que ce n’est pas la bonne piste.

Je réfléchis un instant.

— Moi aussi.

— Alors ?

— Alors c’est la seule que j’ai. Autant aller jusqu’au bout pour voir où cela me mène.

— Ça peut être un plan.

— Même s’il n’est pas terrible.

— Non, acquiesce Augie, il n’est pas terrible.

— Qu’avez-vous dit à Andy Reeves ?

— À ton sujet ?

— La raison pour laquelle je souhaitais le voir, oui.

— Rien du tout. Qu'aurais-tu voulu que je lui dise ? Je ne le sais pas moi-même.

— Ça fait partie de mon plan. Celui qui n'est pas terrible.

— C'est mieux que rien, je suppose. Je vais regarder la vidéo. Je t'appelle si je remarque quelque chose de particulier.

Le Clou rouillé est une ancienne maison avec des murs en bardage PVC imitation cèdre et une porte rouge. Je me gare entre une Ford Mustang jaune avec la plaque EBN-IVR et un minibus avec l'inscription CLUB DES SENIORS DU COMTÉ DE BERGEN sur le côté. J'ignore ce qu'Augie sous-entendait en disant que ce n'est plus une gargote. Vu de l'extérieur, rien ne semble avoir changé. Si, il y a maintenant une rampe d'accès pour les fauteuils roulants. Ça, c'est nouveau. Je monte les marches et pousse la lourde porte rouge.

Premier constat : la clientèle est âgée.

Très âgée. Quatre-vingts ans en moyenne. Ils doivent faire partie du club des seniors. Intéressant. On leur organise bien des virées au supermarché, à l'hippodrome, au casino.

Alors pourquoi pas dans une taverne ?

L'autre chose qui me saute aux yeux, c'est un piano blanc aux bords argentés, un piano que même Liberace aurait trouvé trop tape-à-l'œil, en plein milieu de la salle, avec un pot pour les pourboires. On se croirait dans la chanson de Billy Joel. Il ne manque plus que l'agent immobilier qui se rêve écrivain, et Davy le marin, attablés devant leurs verres. Personne ici ne correspond à cette description. En revanche, il y a un vaste choix de cannes, déambulateurs et fauteuils roulants.

Le pianiste est en train de marteler « Sweet Caroline ». Elle fait partie de ces chansons qu'on joue dans les mariages et événements sportifs, une chanson également aimée des enfants et des vieillards. D'ailleurs, les clients s'en donnent à cœur joie. Ils chantent faux, ils n'ont pas de voix, mais ils s'en fichent. Et cela fait plaisir à voir.

Je ne sais pas lequel d'entre eux est Andy Reeves. Je l'imagine la soixantaine bien tapée, coupe en brosse et maintien militaire. Il y en a quelques-uns ici qui répondent à ce signalement. J'entre dans la salle. Çà et là, on aperçoit des gars plus jeunes, baraqués, qui surveillent tout ce petit monde tels des agents de sécurité sur le qui-vive. Des serveurs, me dis-je, ou bien le personnel d'accompagnement.

Le pianiste lève les yeux et hoche la tête dans ma direction. Il n'a ni la coupe en brosse ni le maintien militaire. Ses cheveux sont blonds et effilés ; son teint luisant me fait penser à un peeling chimique. Il me fait signe de venir m'asseoir à côté de lui tandis que son public beugle crescendo :

— *So good, so good, so good…*

Je m'assieds. L'un des vieux passe son bras autour de mes épaules et me pousse pour que je chante avec eux. Je m'exécute sans enthousiasme en attendant que quelqu'un – de préférence Andy Reeves – vienne me chercher. Mais personne ne s'approche. Je jette un œil autour de moi. Il y a une affiche avec quatre seniors heureux et épanouis comme sur une pub pour le Viagra et les mots « Loto mardi après-midi – 3 $ la consommation » imprimés sur leur torse. Derrière le bar, quelques-uns des serveurs/agents d'accompagnement versent un liquide rouge dans des verres en plastique.

À la fin de « Sweet Caroline », le public manifeste bruyamment son plaisir. J'attends la prochaine chanson, savourant ce semblant de normalité, mais le pianiste aux cheveux effilés se lève et annonce une « petite pause ».

Les anciens clament fougueusement leur déception.

— Cinq minutes, dit le pianiste. Vos boissons vous attendent au bar. Réfléchissez aux propositions de titres, OK ?

Ça les calme. Le pianiste ramasse l'argent dans le récipient qui rappelle un verre à cognac géant et se tourne vers moi.

— Inspecteur Dumas ?

Je hoche la tête.

— Je suis Andy Reeves.

Je remarque alors qu'il s'exprime d'une voix légèrement voilée.

Presque chuchotée.

Il prend place à côté de moi. J'essaie de deviner son âge. Avec ou sans les bizarres soins esthétiques qui font reluire sa peau, il ne peut pas avoir plus de cinquante-cinq ans. La base militaire a fermé il y a quinze ans seulement. Il n'a aucune raison d'être plus âgé que cela.

Je regarde autour de moi.

— Cet endroit, dis-je.

— Oui, eh bien ?

— C'est à mille lieues du ministère de l'Agriculture.

— Je sais.

Il écarte les mains.

— Que dire ? J'avais besoin de changer d'air.

— Vous ne travaillez donc plus pour le gouvernement ?

— J'ai pris ma retraite il y a… sept ans maintenant. Après un quart de siècle au ministère de l'Agriculture. Depuis, je me consacre à ma passion.

— Le piano.

— Oui. Enfin, pas ce style, mais il faut bien commencer quelque part, non ?

Je scrute son visage. Le bronzage provient d'un spray ou d'une cabine UV, pas du soleil. On distingue une portion de peau très pâle à la naissance des cheveux.

— C'est sûr, dis-je.

— On avait un piano dans nos anciens locaux de Westbridge. J'en jouais souvent ; c'était une façon de nous détendre quand le boulot devenait trop stressant.

Reeves change de position et sourit de toutes ses dents… des dents si longues, d'une blancheur si éclatante, qu'on pourrait en faire des touches de piano.

— Alors, que puis-je pour vous, inspecteur ?

Je mets les pieds dans le plat.

— Quel genre de travail faisiez-vous au juste à la base militaire ?

— La base militaire ?

— C'est bien ce que c'était dans le temps ? Un centre de contrôle des missiles Nike ?

— Oh oui ! je sais.

Il hoche la tête, admiratif.

— Ce lieu a une sacrée histoire, n'est-ce pas ?

Je ne réponds pas.

— Mais c'était des années avant qu'on emménage. Nous, on était un complexe de bureaux, pas une base militaire.

— Et vous dépendiez du ministère de l'Agriculture, dis-je.

— C'est ça. Notre mission consistait à définir les grandes orientations en termes d'industrie agroalimentaire, de ressources naturelles, de développement rural, de nutrition et de politiques publiques, à la lumière des dernières découvertes scientifiques et d'un management opérationnel.

On dirait une leçon apprise par cœur, ce qui est probablement le cas.

— Et pourquoi là-bas ?

— Pardon ?

— Le ministère de l'Agriculture a des bureaux à Washington, dans Independence Avenue.

— Le siège, oui. Nous étions une antenne.

— Mais pourquoi là-bas, dans les bois ?

— Et pourquoi pas ? rétorque-t-il, levant ses paumes vers le plafond. C'était un espace idéal. Je ne veux pas me vanter ni enjoliver la réalité, mais une bonne partie de nos études étaient classées top secret.

Il se penche en avant.

— Vous avez vu le film *Un fauteuil pour deux* ?

— Eddie Murphy, Dan Aykroyd, Jamie Lee Curtis, dis-je.

Il a l'air très content que je le connaisse.

— C'est ça. Rappelez-vous, les frères Duke voulaient mettre la main sur le marché du jus d'orange.

— Exact.

— Vous vous souvenez de leur méthode ?

Reeves sourit en voyant à mon expression que c'est le cas.

— Ils soudoyaient un fonctionnaire pour avoir accès au rapport mensuel du ministère de l'Agriculture sur la production d'oranges. Le ministère de l'Agriculture, inspecteur Dumas. Autrement dit, nous. D'où l'importance de nos études. D'où le secret et une étroite surveillance.

Je hoche la tête.

— Cela explique la clôture et tous ces panneaux d'interdiction.

— Absolument. Et quoi de mieux pour mener nos recherches qu'une ancienne base militaire ?

— Et personne n'a bravé l'interdit ?

Pour la première fois, je crois voir le sourire vaciller.

— Comment ça ?

— Personne n'a tenté d'entrer illégalement dans votre base ?

— Si, ça nous est arrivé, répond Reeves négligemment. Des jeunes qui se planquaient dans les bois pour boire ou fumer de l'herbe.

— Et ensuite ?

— Que voulez-vous dire ?

— Ils ne respectaient pas les panneaux d'interdiction ?

— Quelque chose comme ça.

— Et que faisaient-ils ?

— Rien. Ils passaient devant les panneaux, c'est tout.

— Et vous, que faisiez-vous quand ça arrivait ?

— Rien.

— Rien ?

— On pouvait leur dire que c'était une propriété privée.

— Vous pouviez leur dire ou vous leur disiez ?

— On a dû leur dire à plusieurs reprises.

— Comment ça se passait, exactement ?

— Pardon ?

— Décrivez-moi la situation. Un ado dépasse votre panneau. Que faites-vous ?

— Pourquoi cette question ?

J'adopte un ton cassant.

— Répondez, s'il vous plaît.

— On lui disait de faire demi-tour. On lui rappelait qu'il était en infraction.

— Qui le lui rappelait ?

— Je ne comprends pas.

— Était-ce vous ?

— Bien sûr que non.

— Qui alors ?

— Un de nos agents de sécurité.

— Ils gardaient les bois ?

— Qu'est-ce que vous dites ?

— Les premiers panneaux se trouvaient à une cinquantaine de mètres de votre clôture.

Andy Reeves réfléchit.

— Non, les gardes ne s'éloignaient pas à ce point-là. Leur principal souci était de sécuriser le périmètre.

— Vous aperceviez donc l'intrus une fois qu'il atteignait votre clôture, pas avant ?

— Je ne vois pas le rapport…

Je décide de passer à la vitesse supérieure.

— Comment faisiez-vous pour repérer ces jeunes ? Comptiez-vous uniquement sur la vigilance de vos gardes ou aviez-vous des caméras ?

— Je pense que nous devions avoir quelques…

— Vous *pensez* que vous aviez des caméras ? Vous ne vous en souvenez pas ?

Je suis en train de jouer avec ses nerfs. Volontairement. Reeves se met à tapoter la table du bout de l'ongle. Un ongle long. Il découvre à nouveau ses dents et chuchote :

— Vous avez fini de m'asticoter, inspecteur ?

— Oui, bon, désolé.

Je penche la tête sur le côté.

— Dites-moi juste une chose : pourquoi des Black Hawk furtifs se poseraient-ils de nuit dans un complexe de bureaux du…

J'esquisse des guillemets avec mes doigts.

— … ministère de l'Agriculture ?

Dans ta face, comme dirait une de mes filleules.

Andy Reeves ne s'attendait pas à celle-là. Il en reste bouche bée, mais pas très longtemps. Son regard se durcit. Le grand sourire laisse la place à quelque chose de plus reptilien.

— Je ne vois pas de quoi vous parlez, chuchote-t-il.

J'essaie de lui faire baisser les yeux, mais il n'a aucun problème à soutenir mon regard. Je n'aime pas ça. Regarder quelqu'un droit dans les yeux passe pour une preuve d'honnêteté, mais trop, c'est trop.

— Ça fait quinze ans, Reeves.

Il continue à me fixer.

— Je me fiche de ce que vous fabriquiez là-bas.

Je lutte pour ne pas donner l'impression de supplier.

— Je veux juste savoir ce qui est arrivé à mon frère.

Même timbre, même intonation, mêmes mots :

— Je ne vois pas de quoi vous parlez.

— Mon frère s'appelait Leo Dumas.

Il fait mine de réfléchir, de chercher dans les méandres de sa mémoire.

— Il a été heurté par un train avec une fille du nom de Diana Styles.

— Ah oui, la fille d'Augie.

Andy Reeves secoue la tête avec cet air qu'on prend pour évoquer un drame qui ne vous touche pas directement.

— Votre frère était le jeune homme tué en même temps qu'elle ?

Il le sait. Je le sais. Il sait que je sais.

— Toutes mes condoléances.

Sa voix dégouline de condescendance comme une pile de pancakes arrosée de sirop d'érable. C'est délibéré, bien sûr. Il se venge.

— Je vous le répète, je ne m'intéresse pas à ce que vous faisiez dans cette base. Alors, si vous voulez que j'arrête de creuser, il suffit de me dire la vérité. À moins que…

— À moins que quoi ?

— À moins que vous n'ayez tué mon frère.

Reeves ne mord pas à l'hameçon. D'un geste ostensible, il consulte sa montre et se retourne vers les vieux qui commencent à affluer vers le piano.

— Ma pause est terminée.

Il se lève.

— Avant de nous quitter, dis-je.

Je sors mon téléphone. La vidéo est déjà dessus. À l'endroit où l'hélicoptère apparaît pour la première fois. Je clique pour la lancer et rapproche l'écran de son visage. Que le faux bronzage est déjà en train de déserter.

— Je ne vois pas ce que cela peut être, dit-il.

Mais sa voix manque de conviction.

— Bien sûr que si. C'est un hélicoptère furtif Sikorsky Black Hawk survolant ce que vous appelez une antenne du ministère de l'Agriculture. Si on attend un peu, on le verra se poser et un homme en combinaison orange de prisonnier en descendre.

J'exagère un peu – en fait, on ne distingue qu'un point orange –, mais il n'en faut pas plus.

— Vous ne pouvez pas prouver…

— Oh que si ! Il y a la date, déjà. Les bâtiments et le paysage sont facilement identifiables. J'ai baissé le volume, mais les images sont toutes commentées.

Je n'en suis pas à une exagération près.

— Les ados qui ont filmé ça expliquent en détail où ils sont et ce à quoi ils assistent.

Il me regarde d'un œil torve.

— Une dernière chose, dis-je.

— Quoi ?

— On entend trois garçons sur cet enregistrement. Tous les trois sont morts dans des circonstances non élucidées.

L'un des clients âgés crie :

— Eh, Andy, je peux te demander « Livin' on a Prayer » ?

— Je déteste Madonna, dit un autre.

— Elle, c'est « Like a Prayer », espèce d'abruti. « Livin' on a Prayer », c'est Bon Jovi.

— Qui c'est que tu traites d'abruti ?

Andy Reeves les ignore. Il a fini par tomber le masque. Il ne chuchote plus, il siffle :

— Est-ce la seule copie de la vidéo ?

— Mais bien sûr, dis-je en le fixant avec des yeux de merlan frit. J'ai été assez stupide pour venir ici sans avoir fait de copies.

— Si cet enregistrement est ce que vous prétendez qu'il est, réplique-t-il entre ses dents, et j'insiste bien sur le « si », le divulguer serait un crime fédéral passible d'une peine d'emprisonnement.

— Andy ?

— Quoi ?

— Ai-je l'air d'avoir peur ?

— Le révéler serait une trahison.

Je pointe le doigt vers mon visage placide pour indiquer que ses menaces me laissent de marbre.

— Si vous vous avisez de montrer ceci à quiconque…

— Je vous arrête tout de suite, Andy. Je n'ai pas envie que vous vous preniez la tête pour rien. Si vous ne me dites pas ce que je veux savoir, soyez certain que je le divulguerai. Je le posterai sur Twitter et Facebook avec votre nom dessus.

Je fais mine de noter sur un papier imaginaire.

— Reeves, ça s'écrit avec deux « e » ou « ea » ?

— Je n'ai rien à voir avec votre frère.

— Et ma copine ? Elle s'appelle Maura Wells. Vous allez me dire que vous n'avez rien à voir avec elle non plus ?

— Mon Dieu !

Andy Reeves secoue lentement la tête.

— Vous n'avez pas l'air de comprendre.

Je n'aime pas la façon dont il dit cela, avec une soudaine assurance. Ne sachant que répondre, je me contente d'un simple :

— Alors expliquez-moi.

Un autre client crie :

— Joue-nous « Don't Stop Believin' », Andy. C'est notre préférée.

— Sinatra !

— Journey !

Il y a des murmures d'assentiment. Quelqu'un se met à chanter :

— *Juste une petite fille dans la ville.*

Un autre répond :

— *Qui vit dans un monde solitaire.*

— Un instant, les gars.

Reeves agite la main et sourit, le brave type content d'être au centre de l'attention.

— Économisez votre énergie.

Il se retourne vers moi, se penche vers mon oreille et chuchote :

— Si vous divulguez cette vidéo, inspecteur Dumas, je vous tuerai, vous et tous ceux qui vous sont chers. Suis-je clair ?

— Comme de l'eau de roche.

Je hoche la tête. Puis je l'empoigne par les couilles et serre.

Son hurlement déchire l'air nocturne.

Quelques ancêtres sursautent, surpris. Quand je le lâche, Reeves retombe sur le plancher comme un poisson sur le ponton.

Les plus jeunes, les accompagnants, réagissent. Ils se ruent vers moi. Je recule, brandis mon bouclier.

— Restez où vous êtes, je les avertis. Police.

Les vieux n'aiment pas ça. Ni trois de leurs accompagnants. Ils se rapprochent, m'encerclent. Je sors mon téléphone pour prendre une photo. Les clients m'engueulent.

— Non, mais il se prend pour qui ?… Si j'avais dix ans de moins… Ça ne se fait pas… « Livin' on a Prayer » !

L'un d'eux met un genou à terre pour porter secours à Reeves.

Il est temps d'en finir.

Je montre mon arme de service aux trois hommes qui s'approchent. Je ne la dégaine pas, mais sa seule vue suffit à les calmer.

Un vieil homme me menace du poing.

— On va porter plainte !

— Faites donc.

— Vous feriez mieux de déguerpir.

Je suis bien de son avis. Cinq secondes plus tard, j'ai quitté le Clou rouillé.

21

Je ne suis pas inquiet à l'idée d'être dénoncé à la police. Quand il aura repris ses esprits, Andy Reeves ne voudra sûrement pas ébruiter l'incident.

Ce sont ses menaces qui m'inquiètent. Quatre personnes – toi, Diana, Rex et Hank – ont été assassinées. Oui, c'est le terme que je vais employer maintenant. On laisse tomber les thèses de l'accident et du suicide. Tu as été assassiné, Leo. Et il est hors de question que ton assassin reste impuni.

J'appelle Ellie. Elle ne répond pas, et ça m'agace. Je regarde la photo sur mon téléphone, celle que j'ai prise de Reeves. Il est à terre, grimaçant de douleur, mais on voit clairement son visage. Je l'envoie à Ellie avec un texto :

Demande à la mère de Maura si elle le reconnaît.

Je reprends la voiture pour rentrer chez moi quand je me rends compte que j'ai l'estomac vide. Je bifurque à droite, direction l'Armstrong Diner. C'est ouvert vingt-quatre heures sur vingt-quatre. Par la fenêtre, je vois que Bunny est de service. Je m'apprête à descendre quand mon téléphone sonne. C'est Ellie.

— Salut, dit-elle.

— Salut.

C'est notre façon d'admettre que nous sommes allés trop loin.

— Où es-tu ? demande-t-elle.

— Chez Armstrong.

— Je te rejoins dans une demi-heure.

Elle raccroche. Je sors de la voiture et me dirige vers l'entrée du restaurant. Deux filles, une petite vingtaine d'années chacune, sont en train de fumer dehors en papotant. Une blonde et une brune. On dirait des photos de mode sur Internet ou des starlettes de la téléréalité. Ce doit être le look du moment. Je passe devant elles pendant qu'elles tirent goulûment sur leurs cigarettes. Je m'arrête et les dévisage jusqu'à ce qu'elles sentent mon regard. Elles continuent à parler tout en me surveillant du coin de l'œil. Je ne bronche pas. Elles finissent par interrompre leur conversation.

La blonde me demande avec une moue :

— Vous avez un problème ?

Je réponds :

— Je devrais passer mon chemin. Je devrais me mêler de ce qui me regarde. Mais j'ai quelque chose à vous dire d'abord.

Elles me toisent comme si j'étais cinglé.

— S'il vous plaît, ne fumez pas, dis-je.

La brune pose ses mains sur ses hanches.

— On se connaît ?

— Non.

— Vous êtes flic ou quoi ?

— Oui, je suis flic, mais la question n'est pas là. Mon père est mort du cancer du fumeur. Alors soit je passe mon chemin… soit j'essaie de vous sauver la vie. Vous n'allez probablement pas m'écouter, mais, à force de donner ce conseil, ne serait-ce qu'une seule fois, quelqu'un réfléchira et laissera tomber la cigarette. Je vous demande donc – je vous supplie même – de ne pas fumer.

Et voilà.

Je pénètre à l'intérieur. Stavros est derrière la caisse. Il me tape dans la main et m'indique une table dans un coin. Étant célibataire et n'aimant pas cuisiner, je viens souvent manger ici. La carte – c'est la coutume dans le New Jersey – est aussi épaisse qu'une bible. Bunny me donne juste le menu du jour. Elle désigne le couscous au poisson et m'adresse un clin d'œil.

Je regarde par la fenêtre. Les deux fumeuses sont toujours là. La brune me tourne le dos, la cigarette entre les doigts. La blonde me lance un regard peu amène, mais elle n'a plus de cigarette à la main. Je lève les deux pouces. Elle se détourne. En fait, elle a dû la terminer, mais il n'y a pas de petites victoires.

J'ai pratiquement fini de dîner quand Ellie entre dans la salle. À sa vue, le visage de Stavros s'illumine. On dit de certaines personnes qu'elles rayonnent de par leur seule présence. Ellie, quand elle arrive quelque part, rehausse considérablement le degré de bienveillance, d'intégrité et de chaleur humaine des gens qui l'entourent.

Mais, pour la première fois, je ne le tiens pas pour acquis.

Elle s'assied face à moi, repliant une jambe sous elle.

— Tu as transmis la photo à la mère de Maura ?

Ellie hoche la tête.

— Elle n'a pas encore répondu.

Je vois des larmes briller dans ses yeux.

— Ellie ?

— Il y a une autre chose que je ne t'ai pas dite.

— Quoi ?

— Il y a deux ans, quand j'ai passé tout un mois à Washington.

J'acquiesce.

— La conférence sur les sans-abri.

Ellie émet un petit bruit affirmatif.

— Une conférence…

Elle attrape la serviette et se tamponne les yeux.

— … qui dure un mois ?

Ne sachant que penser, je préfère me taire.

— Cela n'a rien à voir avec Maura, au fait. J'ai juste…

Je me penche par-dessus la table, pose la main sur son bras.

— Qu'est-ce que c'est ?

— Tu es la meilleure personne que je connaisse, Nap. J'ai toute confiance en toi. Mais je ne t'ai pas dit.

— Tu ne m'as pas dit quoi ?

— Bob…

J'ose à peine bouger.

— Il y avait une femme à son travail. Bob rentrait de plus en plus tard. Un soir, je l'ai surpris. Je les ai surpris tous les deux…

Mon cœur fait un plongeon. Je ne sais que répondre et je doute qu'elle s'attende à un commentaire de ma part. J'accentue la pression sur son bras. J'aimerais la réconforter, mais j'ai loupé le coche.

Une conférence qui dure un mois. Nom d'un chien.

Ma meilleure amie était en souffrance, et je n'ai rien vu.

Quel fin limier je fais !

Ellie s'essuie les yeux et se force à sourire.

— Ça va mieux maintenant. Bob et moi, on a remis les pendules à l'heure.

— Tu veux qu'on en parle ?

— Pas là, non. Je suis venue te parler de Maura. De la promesse que je lui ai faite.

Bunny se pointe, laisse tomber le menu devant Ellie, la gratifie d'un clin d'œil. Quand elle repart, je ne sais comment poursuivre. Ellie non plus. Finalement, je dis :

— Tu as fait une promesse à Maura.

— Oui.

— Quand ?

— Le soir de la mort de Leo et de Diana.

Encore un coup dans les dents.

Bunny revient pour savoir si Ellie veut commander. Elle demande un déca. Je réussis à commander un thé à la menthe. Bunny nous suggère le pudding à la banane, une tuerie. Nous déclinons tous les deux.

— Cette nuit-là, dis-je. As-tu vu Maura avant ou après la mort de Leo et de Diana ?

Sa réponse me laisse K.-O.

— Les deux.

Je ne sais que dire, ou peut-être que j'ai peur de ce que je pourrais dire. Elle regarde dehors, en direction du parking.

— Ellie ?

— Je vais rompre ma promesse à Maura. Sauf que, Nap…

— Quoi ?

— Ça ne va pas te plaire.

— Commençons par l'après, dit Ellie.

La salle est en train de se vider, mais cela ne nous gêne pas. Bunny et Stavros avaient dirigé les clients vers le côté opposé pour nous laisser tranquilles.

— Maura est venue à la maison.

J'attends la suite, mais Ellie se tait.

— Cette nuit-là ?

— Oui.

— À quelle heure ?

— Vers trois heures du matin. Mes parents étaient séparés, et papa… voulait que je sois heureuse, alors il a transformé le garage en chambre pour moi, le rêve pour une ado. Comme ça, mes amis pouvaient venir me voir à toute heure sans le réveiller.

J'avais entendu dire à l'époque que la porte d'Ellie était toujours ouverte, mais c'était avant qu'on se rapproche, avant que les cadavres de mon frère et de la meilleure amie d'Ellie soient retrouvés sur la voie ferrée. C'est curieux. Les deux relations les plus solides de ma vie d'adulte – Augie et Ellie – sont nées de cette nuit tragique.

— Bref, quand on a frappé, je ne me suis pas posé de questions. Les gens savaient que s'il n'y avait pas moyen de rentrer directement chez eux, s'ils étaient bourrés ou quoi, ils pouvaient toujours venir squatter chez moi.

— Et Maura, était-elle déjà venue ?

— Non, jamais. Je sais, je te l'ai déjà dit, mais elle m'impressionnait à l'époque. Elle était tellement plus cool que le reste d'entre nous. Tellement plus blasée et mature. Tu vois ce que je veux dire ?

Je hoche la tête.

— Alors pourquoi est-elle venue chez toi ?

— Je le lui ai demandé, mais, au début, Maura était une vraie loque, en larmes, hystérique. C'était bizarre de la voir ainsi, elle qui avait toujours été au-dessus de la mêlée. J'ai mis cinq bonnes minutes à la calmer. Elle était couverte de boue. J'ai cru qu'elle s'était fait agresser. J'ai même examiné ses vêtements pour voir s'il n'y avait rien de déchiré. J'avais lu ça dans un bouquin sur le stress post-traumatique après un viol. Enfin, quand elle a commencé à se calmer, ça a été presque trop rapide. Je ne sais comment le dire autrement. Comme si on l'avait giflée en criant : « Reprends-toi ! »

— Et qu'as-tu fait ?

— J'ai ouvert une bouteille de whisky Fireball cachée sous mon lit.

— Toi ?

Ellie secoue la tête.

— Tu crois vraiment tout savoir de moi ?

À l'évidence, non.

— En fait, Maura a refusé, prétextant qu'elle avait besoin d'avoir l'esprit clair. Elle m'a demandé si elle pouvait rester quelque temps chez moi. J'ai dit oui, bien sûr. Au fond, j'étais flattée qu'elle m'ait choisie.

— Tout cela à trois heures du matin ?

— À peu près, oui.

— Tu n'étais donc pas au courant pour Leo et Diana.

— Non.

— Maura ne t'en a pas parlé ?

— Non. Elle m'a juste dit qu'elle cherchait un endroit pour se cacher.

Ellie se penche en avant.

— Après quoi, elle m'a regardée droit dans les yeux et m'a fait promettre. Tu sais combien elle pouvait être persuasive. Elle m'a fait promettre de ne dire à personne qu'elle était là, à personne, toi y compris.

— Elle m'a mentionné ?

Ellie hoche la tête.

— J'ai cru au début que vous vous étiez disputés, mais elle était morte de peur. Elle s'était réfugiée chez moi parce que j'étais la fiable Ellie, n'est-ce pas ? Elle avait des amis plus proches. Pourquoi moi ? Je me le suis souvent demandé. Maintenant je sais.

— Quoi ?

— Pourquoi elle a frappé chez moi. Tu as entendu sa mère. Elle était recherchée. À l'époque, je l'ignorais. Maura a dû se dire que tous ses proches seraient surveillés ou interrogés.

— Elle ne pouvait donc pas rentrer chez elle.

— C'est ça. Et elle pensait sûrement qu'ils t'espionneraient ou questionneraient ton père. S'ils voulaient la trouver, ils chercheraient dans son entourage proche.

Je comprends mieux.

— Alors que, toi, tu n'étais pas amie avec elle.

— Exactement. Elle s'est dit qu'ils ne regarderaient pas de ce côté-là.

— Mais que voulaient-ils ? Pourquoi ces gens la recherchaient, tu le sais ?

— Non, pas du tout.

— Tu ne le lui as pas demandé ?

— Si. Mais elle n'a pas voulu me le dire.

— Et tu n'as pas insisté ?

Ellie réprime un sourire.

— Tu as oublié à quel point Maura pouvait être obstinée ?

Certainement pas.

— Plus tard, j'ai appris qu'elle ne m'avait rien dit pour la même raison qu'elle n'avait rien dit à sa mère.

— Pour te protéger.

— Oui.

— Et puisque tu ne savais rien, tu ne pouvais rien révéler à ces gens.

— Elle m'a aussi fait promettre… Nap…, elle m'a fait jurer que tant qu'elle ne reviendrait pas d'elle-même, je ne devais en parler à personne. J'ai essayé de tenir parole, Nap. Je sais que tu m'en veux. Mais si tu avais entendu Maura… bref, je n'avais pas envie de la trahir. Et je craignais de provoquer un désastre en parlant. Pour ne rien te cacher, en ce moment même, je continue à penser que je n'aurais pas dû te raconter tout ça.

— Pourquoi as-tu changé d'avis, alors ?

— Il y a eu trop de morts, Nap. Et je me demande si Maura ne l'est pas, elle aussi.

— Tu crois qu'elle est morte ?

— Un lien s'est créé entre sa maman et moi. Ce premier coup de fil chez Bennigan, c'est moi qui l'ai arrangé. Lynn ne te l'a pas dit parce qu'elle se doutait que tu ne me laisserais pas tranquille tant que je ne t'aurais pas dit ce que Maura et moi avions manigancé.

Je ne sais que penser de tout cela.

— Tu m'as menti pendant toutes ces années.

— Tu étais obsédé.

Encore ce mot. Ellie dit que je suis obsédé. David Rainiv dit que Hank était obsédé.

— Si je t'en avais parlé, ajoute-t-elle, je ne sais absolument pas comment tu aurais réagi.

— Tu n'avais pas à te préoccuper de ma réaction.

— Soit. Mais je n'avais pas non plus à trahir une promesse.

— Je ne comprends toujours pas. Combien de temps Maura est-elle restée chez toi ?

— Deux nuits.

— Et après ?

Ellie hausse les épaules.

— Je suis rentrée, et elle n'était plus là.

— Pas de mot, rien ?

— Rien.

— Et depuis ?

— Toujours rien. Je ne l'ai plus revue et j'ignore ce qu'elle est devenue.

Quelque chose ne colle pas là-dedans.

— Attends, quand as-tu appris la mort de Leo et de Diana ?

— Le lendemain du jour où on les a découverts. J'ai appelé chez Diana et demandé à lui parler, et…

Ses yeux débordent à nouveau.

— … sa maman… mon Dieu, la voix qu'elle avait.

— Audrey Styles te l'a dit au téléphone ?

— Non. Elle m'a demandé de passer. Mais ça s'entendait dans sa voix. J'ai foncé chez eux. Elle m'a fait asseoir dans la cuisine. Quand elle a eu fini, je suis rentrée chez moi pour parler à Maura. Mais elle était partie.

Ça ne colle toujours pas.

— Mais enfin… tu as dû te douter qu'il y avait un lien, non ?

Elle ne répond pas.

— Maura débarque chez toi la nuit de la mort de Leo et Diana. Tu as bien pensé que ceci expliquait cela.

Ellie acquiesce lentement.

— J'ai compris que cela ne pouvait pas être une coïncidence.

— Et pourtant tu n'as rien dit.

— J'avais donné ma parole, Nap.

— Ta meilleure amie venait de se faire tuer. Comment as-tu pu te taire ?

Ellie baisse la tête. Je m'interromps une seconde.

— Tu étais la fille la plus sérieuse du lycée. Je comprends que tu aies voulu tenir parole. C'est normal. Mais quand tu as appris la mort de Diana…

— Tout le monde pensait que c'était un accident, rappelle-toi. Ou une sorte de double suicide, même si je n'y ai jamais cru. Mais j'étais sûre que Maura n'avait rien à voir là-dedans.

— Voyons, Ellie, ne sois pas naïve. Comment as-tu pu n'en parler à personne ?

Elle baisse à nouveau la tête. Je le sais maintenant. Elle me cache quelque chose.

— Ellie ?

— J'ai parlé à quelqu'un.

— À qui ?

— Maura était trop futée, quand j'y repense. Que pouvais-je raconter ? Je ne savais même pas d'où elle venait.

— À qui l'as-tu dit ?

— Aux parents de Diana.

Je me fige.

— Tu l'as dit à Augie et Audrey ?

— Oui.

— Augie…

Je croyais que plus rien ne pourrait me surprendre, mais je me trompais.

— Il savait que Maura était venue chez toi ?

Elle hoche la tête. Je suis abasourdi. À qui peut-on se fier en ce monde, Leo ? Ellie m'a menti. Augie m'a menti. Qui d'autre ? Maman, bien sûr. Quand elle a dit qu'elle reviendrait vite.

Papa a-t-il menti lui aussi ?

Et toi ?

— Et comment Augie a-t-il réagi ? je demande.

— Il m'a remerciée. Et m'a recommandé de tenir ma promesse.

Il faut que je voie Augie. Il faut que j'aille chez lui pour démêler le vrai du faux. Soudain, une phrase d'Ellie me revient en mémoire.

— Tu as dit avant et après.

— Quoi ?

— Je t'ai demandé si tu avais vu Maura avant ou après la mort de Leo et Diana. Tu m'as dit les deux.

Ellie hoche la tête.

— Tu m'as parlé de l'après. Raconte-moi l'avant.

Elle évite de me regarder.

— Quoi, qu'y a-t-il ?

— C'est la partie qui ne va pas te plaire, réplique Ellie.

22

Debout sur le trottoir en face de l'Armstrong Diner, elle les observe par la fenêtre.

Il y a quinze ans, lorsque la fusillade a éclaté en pleine nuit, elle a couru se cacher. Quand elle s'est risquée dehors deux heures plus tard et qu'elle a vu les voitures avec des hommes dedans, elle a tout de suite compris. Elle a filé à la gare routière. Pour monter dans le premier car venu. Peu importait la destination. Elle voulait juste quitter la ville. Tous les cars partant de Westbridge avaient pour terminus Newark ou Manhattan. Là-bas, elle pourrait trouver des amis et du soutien. Mais il était très tard. Il n'y avait presque plus de cars à cette heure-ci. Pire, à côté de la gare, près de Karim Square, elle a aperçu des hommes qui lui ont paru louches dans des voitures en stationnement. Durant les deux nuits qui ont suivi, elle est restée chez Ellie. Ensuite, pendant trois jours, elle s'est terrée à Livingston, dans l'atelier de Hugh Warner, son prof de dessin. M. Warner était célibataire, portait une queue-de-cheval et sentait la chicha. Après cela, elle n'a plus arrêté de bouger. M. Warner avait un ami à Alphabet

City. Elle a passé deux jours chez lui. Elle s'est coupé les cheveux et s'est teinte en blonde. Pendant plusieurs semaines, elle s'est mêlée à des groupes de touristes à Central Park, auxquels elle volait de l'argent, mais elle a préféré arrêter ce genre d'activité après avoir failli se faire choper par un flic du Connecticut en congé. Un mendiant lui a parlé d'un type à Brooklyn qui fabriquait de faux papiers. Elle s'est acheté quatre nouvelles identités. Les documents n'étaient pas parfaits, mais ils lui ont permis de trouver des petits boulots temporaires. Durant trois ans, elle a changé souvent d'endroit. À Cincinnati, elle a travaillé comme serveuse dans un café. À Birmingham, elle a tenu la caisse dans un supermarché Piggly Wiggly. À Daytona Beach, elle a vendu des appartements en multipropriété en bikini, ce qui était plus glauque encore que de dépouiller des touristes. Elle dormait dans la rue, dans les parcs, dans des motels (toujours propres), chez des inconnus. Tant qu'elle continuait à bouger, elle était en sécurité. Ils ne pouvaient pas lancer un avis de recherche contre elle, placarder des affiches avec son portrait. Ils cherchaient, mais ils étaient limités. Le public ne pouvait pas les aider. Elle a adhéré à toutes sortes de mouvements religieux, feignant de révérer les personnages égotiques à leur tête en échange d'un toit, de nourriture, de protection. Elle a dansé dans des « clubs privés » – curieux euphémisme, car ils n'étaient ni l'un ni l'autre –, où elle était bien payée, mais beaucoup trop exposée. Elle a été détroussée à deux reprises, battue, et un soir elle a fini dans un sale pétrin. Elle a tourné la page pour continuer à vivre. Désormais, elle sortait avec un couteau sur elle. Sur un parking dans la banlieue de Denver, deux hommes s'en sont pris à elle. Elle en a poignardé un dans le ventre. Le sang a jailli de sa bouche. Elle s'est enfuie. Il est peut-être mort. Elle ne l'a jamais su. Quelquefois, elle traînait dans des campus universitaires où la surveillance n'était pas trop stricte. Elle est allée jusqu'à assister à des cours. Près de Milwaukee, elle a essayé de se poser, elle a même obtenu sa licence d'agent immobilier, mais, au moment où il allait apposer sa signature, un avocat s'est aperçu que ses papiers n'étaient pas en règle. À Dallas, elle s'est occupée de taxes dans un cabinet de comptabilité qui avait pignon sur rue : ils disaient employer de vrais comptables, mais sa formation s'était résumée à trois semaines dans un Courtyard Marriott. Pour la première fois, peut-être parce que la solitude lui pesait trop, elle s'est liée d'amitié avec une collègue, elle s'appelait Ann Hannon. Ann était drôle et chaleureuse. Elles ont loué un appartement ensemble. Elles sortaient avec des hommes, allaient au cinéma et sont même parties en vacances à San Antonio. Ann Hannon était la seule en qui elle avait suffisamment confiance pour lui dire la vérité, mais, bien sûr, pour leur sécurité à toutes les deux, elle ne l'a pas fait. Un jour, en arrivant au cabinet, elle a aperçu deux hommes assis dans le hall en train de lire leurs journaux. Il y avait souvent du monde dans ce hall, mais ces deux-là avaient l'air louche. Elle a vu Ann à travers la vitre. Son amie, toujours souriante, ne souriait pas. Alors elle s'est enfuie à nouveau. Comme ça. Elle n'a jamais appelé Ann pour lui dire au revoir. Cet été-là, elle a travaillé dans une conserverie en Alaska. Puis, pendant trois mois, elle a vendu des excursions sur un navire de croisière entre Skagway et Seattle. Elle a croisé quelques hommes gentils sur sa route. Mais la plupart ne l'étaient pas du tout. Les années passant, elle est tombée en deux occasions sur des gens qui l'ont reconnue comme étant Maura Wells : une première fois à Los Angeles et la seconde à Indianapolis. Avec le recul, elle se disait que cela devait arriver. Quand on passe sa vie dans la rue ou dans des lieux publics, on finit par se faire remarquer. Ce n'était pas bien grave. Elle n'a pas nié, ne s'est pas fait passer pour quelqu'un d'autre. Elle avait une explication toute prête : elle était en train de boucler son troisième cycle d'études universitaires. Et dès que la personne tournait les talons, elle disparaissait. Elle avait toujours un plan B, savait toujours où était l'aire de repos des routiers : avec un physique comme le sien, c'était le moyen de transport le plus simple. Jamais un homme ne refuserait de la faire monter dans son camion. Quelquefois, elle prenait le temps de les regarder manger et discuter entre eux pour essayer de repérer celui qui lui paraissait le moins dangereux. On pouvait se tromper, bien sûr. Elle ne faisait jamais appel aux femmes, même à celles qui semblaient bienveillantes, car les femmes qui faisaient la route avaient appris à se méfier, et elle craignait d'être dénoncée. Elle possédait toute une collection de perruques maintenant, et de lunettes sans ordonnance. De quoi changer d'apparence si jamais quelqu'un parlait d'elle quelque part.

Il y a toutes sortes de théories pour expliquer pourquoi, quand on vieillit, les années passent plus vite. La plus populaire est aussi la plus évidente. Quand on vieillit, chaque année représente un pourcentage moindre de notre vie. À dix ans, une année, c'est dix pour cent. À cinquante ans, c'est deux pour cent. Mais Maura a lu quelque chose qui invalidait cette thèse. Elle a lu que le temps passe plus vite quand on est enfermé dans une routine, qu'on n'apprend rien de nouveau, qu'on reste bloqué dans le même mode de vie. Le mieux, pour ralentir le temps, est de vivre de nouvelles expériences. On dit en plaisantant que notre semaine de vacances a passé trop vite, mais, si on y réfléchit, elle a duré beaucoup plus longtemps que la semaine où l'on vaque à nos occupations quotidiennes. On se plaint non pas parce que le temps a filé trop vite, mais parce qu'on a été heureux. Pour faire ralentir le temps, pour allonger les journées, il suffit donc de varier ses activités. De voyager dans des endroits exotiques. De suivre des cours.

En un sens, c'est ainsi qu'elle a vécu.

Jusqu'à Rex. Jusqu'à cette nouvelle fusillade. Jusqu'à Hank.

Derrière la vitre, elle lit la détresse sur le visage de Nap. C'est la première fois en quinze ans qu'elle le revoit. La plus grande interrogation de sa vie. La route qu'elle n'a pas prise. Elle se laisse traverser par les émotions sans chercher à les réprimer.

À un moment, même, elle sort de l'ombre.

Elle se tient sous le réverbère, bien visible, sans bouger, s'en remettant au destin au cas où Nap tournerait la tête, regarderait dehors et…

Elle lui laisse dix secondes. Rien. Elle compte à nouveau jusqu'à dix.

Mais Nap ne regarde pas par la fenêtre.

Maura pivote et se fond dans la nuit.

23

— Diana et moi, on avait des projets, commence Ellie.

Il n'y a plus que deux tables occupées, à l'autre bout du comptoir. Je m'efforce de garder la tête froide, d'écouter d'abord et de juger ensuite.

— Maintenant que j'y pense, on devait vraiment coller à un stéréotype. J'étais la présidente du conseil des élèves. Diana, la vice-présidente. On était cocapitaines de l'équipe de foot. Nos parents étaient amis. Ils sortaient souvent dîner ensemble, tous les quatre.

Elle lève les yeux.

— Augie… a-t-il des relations féminines ?

— Pas beaucoup.

— Tu m'as dit qu'il était parti dans le Sud avec une amie.

— Yvonne. À Hilton Head.

— Où est-ce, en Géorgie ?

— C'est une île au large de la Caroline du Sud.

— Et ça s'est bien passé ? demande Ellie.

Que m'a dit Augie, déjà ?

— Je ne crois pas que ça va marcher.

— Dommage.

Je n'en rajoute pas.

— Il ne devrait pas rester seul. Cela aurait fait de la peine à Diana.

Je croise le regard de Bunny, mais elle détourne la tête, histoire de ne pas déranger. Quelqu'un met en marche l'un des vieux juke-box. Les Tears for Fears nous rappellent dans leur chanson que « chacun veut diriger le monde ».

— Tu dis que tu as vu Maura avant la mort de Leo et Diana.

J'essaie de ramener la conversation au sujet qui me préoccupe.

— J'y viens.

Je la laisse parler.

— Voilà, Diana et moi étions à la bibliothèque du lycée. Tu ne t'en souviens sûrement pas, mais on avait notre grand bal d'automne programmé pour la semaine d'après. Diana était à la tête du comité d'organisation. J'étais son assistante.

Elle a raison. Je ne m'en souviens pas. Le bal d'automne. Maura aurait refusé d'y aller. Moi, ça m'était égal.

— Je m'y prends mal, dit Ellie.

— Mais non, ça va.

— Bref, ce bal, c'était toute une affaire pour Diana. Elle y travaillait depuis un mois. Et elle n'arrivait pas à choisir entre deux thèmes. L'un, c'était « Promenade à l'ancienne », et l'autre, « Il était une fois un livre de contes ». Diana voulait réunir les deux.

Ellie a le regard vague. Un petit sourire joue sur ses lèvres.

— Moi, j'étais catégoriquement contre. J'ai dit à Diana qu'il fallait un thème, un *seul*, sans quoi ce serait l'anarchie, et à cause de mon perfectionnisme à la noix, la dernière fois que j'ai parlé à ma meilleure amie, on a failli se disputer.

Elle s'interrompt. Je lui laisse le temps de se ressaisir.

— On discute, le ton monte, et là-dessus Maura arrive et s'adresse à Diana. Comme j'étais énervée, je n'ai pas vraiment écouté au début. Maura voulait que Diana vienne avec elle ce soir-là. Diana a dit non, qu'elle en avait assez.

— Assez de quoi ?

— Elle n'a pas précisé. Enfin si, elle a ajouté…

Ellie marque une nouvelle pause, me regarde.

— Quoi ?

— Elle a dit qu'elle en avait assez de toute leur bande.

— Et par « bande », elle sous-entendait… ?

— Écoute, franchement, ça ne m'intéressait pas. J'étais obnubilée par cette histoire de thème pour le bal. Comment pouvait-on assortir la « Promenade à l'ancienne », sujet que j'aimais bien, avec des jeux de foire, des cacahuètes et du pop-corn, à « Il était une fois un livre de contes » ? Je ne voyais même pas ce que ça voulait dire. Mais maintenant, après ce qu'on a vu dans le trombinoscope, je pense que Diana parlait du Club des conspirateurs. J'imagine. Mais ce n'est pas ça qui ne va pas te plaire.

— C'est quoi alors ?

— Ce qu'elle a dit ensuite.

— À savoir ?

— Diana voulait attendre une quinzaine de jours… après le bal, puisque c'était à elle de l'organiser. Mais elle a dit qu'elle en avait marre de ton frère et de ses copains. Elle m'a fait jurer de garder le secret : elle avait décidé de rompre avec Leo.

Je réagis au quart de tour :

— Foutaises.

Ellie se tait.

— Diana et Leo, c'était du solide. D'accord, on était encore au lycée, mais…

— Leo avait changé, Nap.

Je secoue la tête.

— Il avait des sautes d'humeur. C'est ce que disait Diana. Il lui parlait mal. OK, beaucoup de jeunes faisaient leurs expériences en terminale, dans des soirées ou en d'autres occasions…

— C'était aussi son cas, ni plus ni moins. Leo allait bien.

— Non, Nap, il n'allait pas bien.

— Nous partagions la même chambre. Je savais tout de lui.

— Tu ne savais pas ce qu'ils manigançaient dans leur Club des conspirateurs. Tu ne savais pas que lui et Diana traversaient une mauvaise passe. Ce n'est pas ta faute. Tu avais Maura et ton hockey. Tu n'étais qu'un gamin…

Elle voit ma tête, et sa phrase reste en suspens.

— Quoi qu'il soit arrivé ce soir-là…, reprend Ellie.

Je lui coupe la parole.

— Comment ça, « Quoi qu'il soit arrivé » ? Cette base militaire abritait des activités secrètes. Leo, Maura et le reste de la bande ont découvert ce qui s'y passait.

Même si Leo était défoncé ou que Diana ait *peut-être* envisagé de rompre avec lui une semaine plus tard, qu'est-ce que ça change ? Ils ont vu quelque chose. J'en ai la preuve maintenant.

— Je sais, répond Ellie avec douceur. Je suis de ton côté.

— Je n'en ai pas l'impression.

— Nap ?

Je la regarde.

— Tu devrais peut-être laisser tomber, dit-elle finalement.

— Même pas en rêve.

— Et si Maura ne tient pas à ce qu'on la retrouve ?

— Je ne fais pas ça pour Maura. Je le fais pour Leo.

Mais une fois dehors sur le parking, après avoir embrassé Ellie et l'avoir raccompagnée à sa voiture, une pensée surgit des cendres et refuse de mourir. Peut-être qu'Ellie a raison. Peut-être que je ferais mieux de laisser tomber.

Je la regarde quitter sa place de stationnement. Elle ne se retourne pas, ne m'adresse pas un dernier signe de la main. Voilà qui ne lui ressemble guère. C'est un détail infime, mais qui me déconcerte. Promesse ou pas, elle m'a caché des choses pendant quinze ans. On pourrait croire que le fait d'avoir vidé son sac a restauré la confiance entre nous.

Visiblement, ce n'est pas le cas.

Je jette un œil sur le parking pour voir si les fumeuses sont encore là, mais elles ont dû partir depuis longtemps. Pourtant, je sens qu'on m'observe. J'ignore qui c'est. Et je m'en fiche. Les paroles d'Ellie me lacèrent le cerveau.

Et si Maura ne tient pas à ce qu'on la retrouve ?

Qu'est-ce que je cherche exactement ?

C'est bien beau de vouloir faire triompher la justice. Mais est-ce une si bonne idée ? Combien de morts faudra-t-il avant que je me décide à faire machine arrière ? En débusquant Maura, est-ce que je ne la mets pas en danger, sans parler des autres ?

Je suis têtu. Je suis déterminé. Mais je ne suis ni inconscient ni suicidaire.

Dois-je laisser tomber ?

Comme j'ai toujours l'impression d'être épié, je me retourne. Un peu plus loin dans la rue, je vois une silhouette derrière un arbre. Il n'y a pas de quoi en faire un plat, mais avec ma tendance à la paranoïa, je porte la main à mon arme dans son étui. Juste pour m'assurer qu'elle est là.

Je fais un pas vers ma voiture quand mon téléphone sonne. Le numéro est masqué.

— Allô ?

— Inspecteur Dumas ?

— Lui-même.

— Ici Carl Legg de la police d'Ann Arbor. Vous m'avez demandé de localiser le Dr Fletcher.

— Vous avez réussi ?

— Non. Mais il y a deux ou trois choses que vous devriez savoir. Allô, vous êtes toujours là ?

Je me glisse dans ma voiture.

— Je vous écoute.

— Désolé, j'ai cru que ça avait coupé. J'ai fait un saut au cabinet du Dr Fletcher et j'ai parlé à la responsable administrative.

— Cassie.

— C'est ça, dit Legg. Vous la connaissez ?

— Elle ne s'est pas montrée très coopérative au téléphone.

— Nous non plus, elle ne nous a pas accueillis à bras ouverts, mais on a insisté.

— Je vous en suis très reconnaissant, Carl.

— Il faut bien s'entraider entre collègues. Donc, le Dr Fletcher a téléphoné un beau matin de la semaine dernière pour annoncer qu'elle se mettait en congé. Elle a annulé tous ses rendez-vous et en a transféré un maximum à son associé, le Dr Paul Simpson.

Je jette un regard en direction de l'arbre. Rien ne bouge.

— Cela lui était déjà arrivé dans le passé ?

— Non. D'après Cassie, le Dr Fletcher est une femme très discrète, mais entièrement dévouée à ses patients. Ce n'est absolument pas son genre de tout annuler du jour au lendemain. J'ai aussi parlé à son mari.

— Et que vous a-t-il dit ?

— Qu'ils étaient séparés et qu'il ignorait totalement où elle pouvait être. Lui aussi a reçu un coup de fil au cours duquel elle lui a annoncé qu'elle prenait un congé. Il confirme que ce n'est pas dans ses habitudes, mais que, depuis leur séparation – je cite –, elle est « en train de se découvrir ».

Je mets le moteur en marche et sors de la place de parking.

— OK, merci, Carl.

— Il y aurait moyen de passer à la vitesse supérieure, bien sûr. Éplucher ses factures de téléphone, ses relevés de cartes bancaires et tout le toutim.

— Je vais voir.

Sauf que cela implique des formalités comme demander un mandat, et je ne suis pas certain de vouloir aller jusque-là. Je remercie Carl Legg encore une fois et raccroche. Je prends la direction de l'immeuble d'Augie dans Oak Street. Je roule lentement, car j'ai besoin de réfléchir pour remettre de l'ordre dans mes idées.

Augie a été informé que Maura s'était cachée chez Ellie cette nuit-là.

Que faut-il en penser ? Je n'en ai aucune idée. A-t-il voulu en savoir plus ? A-t-il mené son enquête ?

Et surtout, pourquoi ne m'a-t-il rien dit ?

Mon portable sonne à nouveau, et cette fois c'est ma chef, Loren Muse.

— Demain matin, dit-elle. Neuf heures. Dans mon bureau.

— C'est pour quoi ?

— Neuf heures.

Elle raccroche.

Super. Je me demande si l'un des anciens du Clou rouillé n'a pas signalé l'agression testiculaire contre Andy Reeves. Mais il ne sert à rien de s'en inquiéter maintenant. Je clique sur le numéro d'Augie. Pas de réponse. Je m'étonne qu'il ne m'ait pas rappelé depuis que je lui ai envoyé la copie de la vidéo de Hank.

Je suis presque arrivé au croisement avec Oak Street. Tant pis pour le temps de réflexion. Je me gare derrière l'immeuble en brique et coupe le moteur. Pendant quelques instants, je contemple le vide, mais ça n'aide pas. Je descends et contourne le bâtiment. Les réverbères diffusent une lumière terne et ambrée. Une centaine de mètres plus loin, j'aperçois une femme d'un certain âge qui promène un énorme chien. Un dogue allemand, sûrement. En fait, je ne vois que sa silhouette. Quand je distingue ce qui ressemble à une cigarette dans sa main, je soupire et me pose la question de savoir si je dois l'apostropher ou non.

Ce sera non. Je suis un emmerdeur patenté, mais je n'ai pas l'intention de me lancer dans une croisade.

Cependant, tandis que je la regarde se baisser, un sac plastique à la main pour nettoyer, quelque chose attire mon attention.

Une voiture jaune.

Du moins, elle paraît jaune. Cet éclairage ambré joue des tours au blanc et au crème, et même à certaines teintes claires métallisées. Je décide d'aller y voir de plus près. Au moment où je double la femme, je me dis qu'il ne me coûte rien de ne pas céder à l'hypocrisie.

— S'il vous plaît, ne fumez pas, je lui lance au passage.

Elle se contente de me suivre des yeux, ce qui me va très bien. J'ai été confronté à toutes sortes de réactions. Un gars, un vegan, m'a sermonné sur mes habitudes alimentaires bien plus nocives, selon lui, que le tabac et la nicotine. Ce en quoi il n'avait peut-être pas tort.

La voiture est jaune. Et c'est une Ford Mustang.

Comme celle qui était garée devant le Clou rouillé.

De près, je peux lire la plaque : EBN-IVR.

Cela ne m'avait pas frappé d'emblée la première fois, mais là je viens de piger.

ÉBÈNE et IVOIRE, en référence au piano.

Cette Ford Mustang jaune appartient à Andy Reeves.

Une fois de plus, j'effleure mon arme de service. Sans trop savoir pourquoi. Quant à Andy Reeves, je devine sans difficulté où il est.

Chez Augie.

Quand je repasse devant la vieille femme, elle me dit :

— Merci.

Elle a une voix rauque. Je m'arrête.

— C'est trop tard pour moi, dit-elle.

Son regard se voile.

— Mais c'est gentil de votre part. Continuez comme ça.

Tout ce qui me vient à l'esprit, c'est un ramassis de clichés. Alors, pour ne pas gâcher cet instant, je hoche la tête et poursuis mon chemin.

La résidence est vieillotte et fonctionnelle ; ses bâtiments ne portent pas de noms fantaisistes. Les bâtiments A, B et C bordent la route de gauche à droite. La rangée de derrière, ce sont les bâtiments D, E et F. Et ainsi de suite. Chaque immeuble est divisé en quatre appartements : deux au rez-de-chaussée (appartements 1 et 2) et deux au premier étage (appartements 3 et 4). Augie habite le bâtiment G, appartement 2. Je remonte l'allée en courant et tourne à gauche.

Et je manque de lui rentrer dedans.

Andy Reeves sort de chez Augie. Le dos tourné, il est en train de refermer la porte. Je tourne les talons. Sauf que, s'il emprunte l'allée, il me verra forcément.

Je me réfugie derrière un buisson. Quand je jette un œil sur la fenêtre derrière moi – bâtiment E, appartement 1 –, j'aperçois une femme noire avec une énorme tignasse qui me regarde fixement.

Super.

Je lui adresse un sourire qui se veut rassurant. Ça n'a pas l'air d'être très efficace.

Je m'éloigne en direction du bâtiment D. L'idée que quelqu'un compose le 911 ne m'inquiète guère. Le temps qu'ils réagissent, l'affaire sera réglée. Qui plus est, je suis flic, et Augie est notre capitaine.

Effectivement, Andy Reeves longe d'un pas chaloupé l'allée où je me trouvais tout à l'heure. S'il tourne la tête à droite, il a une chance infime de me repérer, bien que je sois masqué par un lampadaire hors service. Je sors mon téléphone et clique à nouveau sur le numéro d'Augie. Je tombe directement sur la boîte vocale.

Je n'aime pas ça.

Supposons qu'Andy Reeves s'en soit pris à Augie. Dois-je le laisser partir sans rien faire ?

J'ai le cerveau en ébullition. De deux choses l'une : soit je m'assure qu'Augie va bien, soit j'interpelle Andy Reeves. Mon choix est fait. Je contourne le bâtiment D pour me rendre chez Augie. Voici comment je vois la situation : si je fonce et trouve Augie… bref… j'aurai encore le temps de rattraper le chaloupant Andy Reeves avant qu'il ne regagne sa voiture. Au pire, si j'arrive trop tard, il roule dans une Ford Mustang jaune fluo. Dois-je vous faire un dessin ?

L'appartement d'Augie est plongé dans le noir. Je n'aime pas ça non plus. Je me rue sur la porte et cogne énergiquement.

— Holà, doucement. C'est ouvert.

Le soulagement me submerge. C'est la voix d'Augie.

Je pousse la porte. Il n'y a pas de lumière à l'intérieur. Assis dans l'obscurité, Augie me tourne le dos. Sans bouger, il demande :

— Qu'est-ce qui t'a pris ?

— Quand ça ?

— C'est vrai que tu as agressé Reeves ?

— J'ai dû lui comprimer un peu les burnes.

— Bon Dieu ! tu as perdu la tête ?

— Il m'a menacé. Et vous aussi, d'ailleurs.

— Comment cela ?

— Il a dit qu'il me tuerait, moi et tous ceux qui me sont chers.

Augie soupire. Il n'a toujours pas bougé.

— Assieds-toi, Nap.

— On peut allumer ? C'est un peu lugubre ici.

Augie tend la main vers une lampe de table. Elle n'éclaire pas grand-chose, mais cela me suffit. Je prends place dans mon fauteuil favori. Augie reste dans le sien.

— Comment avez-vous su pour le presse-burnes ?

— Reeves sort d'ici. Il est très contrarié.

— Je pense bien.

Je remarque alors le verre dans la main d'Augie. Il remarque que je remarque.

— Sers-toi, dit-il.

— Ça ira.

— Cette vidéo que tu m'as envoyée. L'hélico que les jeunes ont filmé.

— Oui ?

— Tu ne dois la montrer à personne.

Inutile de demander pourquoi. Je tente une approche indirecte :

— Vous l'avez visionnée ?

— Oui.

— J'aimerais avoir votre avis là-dessus.

Augie pousse un gros soupir.

— Une bande d'ados s'est trop approchée d'un site gouvernemental malgré les panneaux d'interdiction et a filmé un hélicoptère en train d'atterrir.

— C'est tout ?

— Aurais-je oublié quelque chose ?

— Avez-vous réussi à identifier les voix sur l'enregistrement ?

Il réfléchit un instant.

— La seule voix que j'ai reconnue avec certitude est celle de ton frère.

— Et Diana ?

Augie secoue la tête.

— Diana n'est pas sur la vidéo.

— Vous avez l'air bien sûr de vous.

Il porte le verre à ses lèvres, se ravise, le repose. Son regard se perd au loin, dans le passé.

— Le week-end avant sa mort, Diana a fait la tournée des universités à Philadelphie. Nous étions tous les trois : elle, Audrey et moi. On a visité Villanova, Swarthmore et Haverford. Toutes nous ont plu, même si Diana a trouvé Haverford un peu trop petit et Villanova trop grand. Quand nous sommes rentrés le dimanche, elle hésitait entre deux établissements : Swarthmore et Amherst que nous avions visité plus tôt.

Il a toujours son air lointain et la voix dénuée d'émotion.

— Si elle avait fait son choix, elle n'a pas eu l'occasion de m'en parler. Les deux formulaires d'inscription étaient sur son bureau la nuit où elle est morte.

Cette fois, il boit une grande gorgée. Je laisse passer quelques secondes.

— Augie, ils cachaient quelque chose dans cette base.

Je m'attends à une objection, mais il hoche la tête.

— C'est possible.

— Ça ne vous étonne pas ?

— Qu'une obscure agence gouvernementale protégée par des barbelés soit une couverture ? Non, Nap, ça ne m'étonne pas.

— Je suppose qu'Andy Reeves vous a parlé de cette vidéo, dis-je.

— En effet.

— Et ?

— Il m'a prié de faire en sorte qu'elle ne soit pas divulguée. Il a dit que cela équivaudrait à une trahison, que c'était une question de sécurité nationale.

— Il doit y avoir un lien avec Leo et Diana.

Il ferme les yeux et secoue la tête.

— Voyons, Augie. Ils découvrent le secret, et une semaine plus tard, ils sont morts.

— Non, réplique Augie. Il n'y a aucun lien. Du moins, pas celui auquel tu penses.

— Vous êtes sérieux ? Vous croyez que tout cela est une énorme coïncidence ?

Augie scrute le fond de son verre comme pour y chercher la réponse.

— Tu es un excellent enquêteur, Nap. Je ne dis pas ça parce que c'est moi qui t'ai formé. Ton cerveau… Tu es brillant à bien des égards. Tu vois clairement des choses que d'autres ne soupçonnent même pas. Mais, parfois, il faut revenir aux fondamentaux, aux éléments connus. Cesse de t'agiter. Examine les faits. Examine ce que nous savons déjà.

Je me tais et j'attends.

— Primo, Leo et Diana ont été retrouvés sur la voie ferrée à des kilomètres de la base militaire.

— Ça peut s'expliquer.

Il m'arrête d'un geste de la main.

— Certainement. Tu vas me dire qu'on aurait pu les déplacer ou quelque chose comme ça. Mais, pour l'instant, laisse-moi énoncer les faits bruts. Pas de conjectures.

Il lève un doigt.

— Fait numéro un : leurs corps ont été trouvés à des kilomètres de la base militaire. Fait numéro deux…

Un autre doigt.

— … le médecin légiste a conclu que la mort avait été causée par un choc frontal avec un train en mouvement, et rien d'autre. Avant d'aller plus loin, c'est bon jusqu'ici ?

Je hoche la tête. Je ne suis pas spécialement d'accord avec lui : pousser quelqu'un, voire déposer un cadavre sous un train permet de masquer des blessures antérieures. Mais je veux entendre ses arguments.

— Voyons maintenant la vidéo que tu as découverte. En admettant qu'elle soit authentique – et il n'y a pas de raison pour qu'elle ne le soit pas –, une semaine avant sa mort, Leo a vu un hélicoptère au-dessus de la base. D'après toi, c'est à cause de ça qu'il a été tué. Note bien que Diana n'était pas avec eux quand ils ont filmé cette scène.

— Leo a pu lui en parler.

— Non.

— Non ?

— Encore une fois, tiens-t'en aux preuves, Nap. Si tu t'en tiens aux preuves, tu concluras comme moi que Diana n'était pas au courant.

— Je ne vous suis pas, dis-je.

— C'est pourtant simple.

Mon regard croise le sien.

— Est-ce qu'il t'a parlé de cet hélicoptère ?

J'ouvre la bouche, mais aucun son n'en sort. Je vois à quoi il veut en venir. Lentement, je secoue la tête.

— Et ta copine, Maura ? Elle est sur la vidéo, n'est-ce pas ?

— Oui.

— Elle t'en a parlé ?

— Non.

Augie marque une pause, histoire de bien enfoncer le clou.

— Ensuite, il y a le rapport toxicologique.

Je sais ce qu'il y a dedans. Des hallucinogènes, de l'alcool, de l'herbe dans leur sang.

— Oui, eh bien ?

Augie s'efforce de rester dans l'analyse, de « s'en tenir aux faits », mais sa voix s'enroue.

— Tu connaissais ma fille depuis un bon moment.

— Oui.

— On peut même dire que vous étiez amis.

— Oui.

— En fait…

Il s'exprime maintenant comme un avocat lors d'un contre-interrogatoire.

— … c'est grâce à toi que Leo et Diana étaient ensemble.

Ce n'est pas tout à fait exact. Je les ai présentés l'un à l'autre – je n'ai joué aucun rôle dans leur rapprochement –, mais ce n'est pas le moment de pinailler.

— Que cherchez-vous à démontrer, Augie ?

— Tous les pères sont naïfs quand il s'agit de leurs petites filles. Et je ne suis pas différent des autres. Pour moi, Diana était le centre du monde. En automne, elle jouait au foot. L'hiver, elle était pom-pom girl. Et elle prenait une part active dans une douzaine d'autres activités périscolaires.

Il se penche en avant, vers la lumière.

— Je suis flic. Je ne suis pas un crétin. Je sais que rien de tout cela ne protège votre enfant de la drogue et de toutes sortes d'ennuis, mais dirais-tu que Diana était une fêtarde ?

Je n'ai pas besoin de réfléchir longtemps.

— Non.

— Non, répète-t-il. Demande à Ellie. Demande-lui si Diana se droguait ou buvait avant de…

Il s'arrête, ferme les yeux.

— Ce soir-là, quand Leo est venu la chercher, j'étais chez moi. C'est moi qui lui ai ouvert. Je lui ai serré la main. Et j'ai vu.

— Vu quoi ?

— Qu'il était défoncé. Ce n'était pas la première fois. J'ai voulu intervenir. J'ai voulu empêcher Diana de sortir. Mais elle m'a regardé avec son air implorant, genre : « Ne fais pas tant d'histoires, papa. » Et je l'ai laissée partir.

Augie est en train de revivre la scène. Il te serre la main, regarde sa fille, voit la tête qu'elle fait. Il sera rongé par le remords jusqu'à la fin de sa vie.

— Alors maintenant qu'on a les données, Nap, à toi de me répondre : qu'est-ce qui est le plus plausible ? Une grande conspiration impliquant des agents de la CIA qui auraient kidnappé deux ados parce que l'un d'eux avait filmé un hélicoptère une semaine plus tôt ? D'ailleurs, si la CIA était au courant, pourquoi avoir attendu une semaine pour les éliminer ? Ils les auraient donc emmenés à l'autre bout de la ville pour les pousser sous le train qui arrivait ? Ou un scénario plus probable : une fille sort avec un garçon qui boit et se drogue. Ils font la fête. Dans un état second et, se rappelant l'histoire de Jimmy Riccio, ils sautent par-dessus les rails et se font percuter avant d'atterrir de l'autre côté.

Il me regarde et attend.

— Vous omettez plein de choses, lui dis-je.

— Non, Nap, c'est toi qui en ajoutes beaucoup.

— Il y a Rex. Il y a Hank…

— Quinze ans après.

— … et vous savez que Maura s'est cachée cette nuit-là. Ellie vous en a parlé. Pourquoi ne m'avez-vous rien dit ?

— Et quand l'aurais-je fait ? Tu n'avais que dix-huit ans. Aurais-je dû attendre tes dix-neuf ans ? Le jour où tu es sorti de l'école de police ? Ta promotion dans le comté ? Quand aurais-je dû t'annoncer une chose aussi absurde que : « Ta petite amie n'a pas voulu rentrer chez elle, alors elle a dormi chez Ellie » ?

C'est une blague ou quoi ?

— Maura était terrifiée.

Je me retiens de crier.

— Terrifiée par ce qui s'était passé la nuit où Leo et Diana ont été tués.

Il secoue la tête.

— Oublie tout ça. Ça vaudra mieux pour tout le monde.

— Oui, c'est le conseil que tout le monde me donne.

— Je t'aime, Nap. Je suis sincère. Je t'aime… non, pas comme un fils, ce serait présomptueux, ce serait faire injure à ton père, un homme d'exception qui me manque énormément, et à ma petite fille aussi, mais j'ai une immense affection pour toi. J'ai essayé d'être un bon mentor pour toi, un bon ami.

— Vous l'avez été, et bien plus encore.

Augie se laisse aller en arrière. Son verre est vide. Il le pose sur la console.

— Des proches, on n'en a plus beaucoup, ni toi ni moi. Je ne supporterais pas qu'il t'arrive quelque chose… Tu es jeune, Nap. Tu es intelligent. Tu es bon, généreux et… on dirait un profil sur un site de rencontres, bordel.

Il sourit. Je souris.

— Il faut tourner la page. Quelle que soit l'explication, tu te frottes à des individus extrêmement dangereux. Ils te le feront payer. Et à moi aussi. Tu as entendu Reeves. Il se vengera sur tous ceux qui te sont chers. Admettons que tu aies raison et que j'aie tort. Admettons qu'ils aient tué Leo et Diana. Pourquoi ? Pour les réduire au silence, j'imagine. Admettons qu'ils aient attendu quinze ans… pourquoi quinze ans ? Je n'en sais rien, mais ils ont fait appel à un tueur à gages pour loger deux balles dans le crâne de Rex. Ils ont massacré Hank et attribué sa mort à cette vidéo virale. Tout cela te paraît-il plus logique que ma théorie à moi ? Je n'ai pas la réponse. C'est peut-être vrai. Imaginons que Reeves et ses acolytes soient des monstres, des assassins sans scrupule. Imaginons que ta théorie soit la bonne, OK ?

Je hoche la tête.

— Toi et moi, passe encore, Nap… mais ne crains-tu pas qu'ils s'en prennent à Ellie pour nous arrêter ? Ou à ses deux filles ?

Je visualise Leah et Kelsi, leurs visages souriants, j'entends leurs voix, je sens leurs bras autour de mon cou.

Cette vision me refroidit. J'étais en train de foncer tête baissée, mais les paroles d'Augie me forcent à ralentir ma course effrénée. J'essaie de me rappeler mes bonnes résolutions. Réfléchir. Analyser les faits. Ne pas me précipiter.

— Il est tard, dit Augie. Il ne se passera plus rien aujourd'hui. Va te coucher. On en reparlera demain matin.

24

Je rentre à la maison, mais pas question d'aller me coucher.

Je repense à ce que m'a dit Augie, au danger potentiel que je fais courir à Ellie et à ses filles, et j'hésite sur la conduite à adopter. Il est facile d'affirmer que je ne me laisserai pas intimider, mais il faut être pragmatique aussi. Quelles sont mes chances de résoudre cette affaire ?

Le pari est risqué.

Quelles sont mes chances non seulement de découvrir la vérité sur la mort de Leo et de Diana, mais de réunir suffisamment de preuves pour aboutir à une inculpation, sans même parler de sentence ?

Là, le pari est carrément insensé.

En revanche, quelles sont les chances que moi ou l'un de mes proches subissions les terribles conséquences de mon obstination aveugle à aller jusqu'au bout de ma quête ?

La question est quasi rhétorique.

Alors cela vaut-il le coup de tenter le diable ?

Le dilemme est de taille. Le plus sage serait peut-être effectivement de laisser tomber. Tu es mort, Leo. Quoi que je fasse, quelle que soit l'abomination que j'exhumerai, cela n'y changera rien. Tu seras toujours mort et enterré. Intellectuellement, je le sais. N'empêche.

J'ouvre le navigateur Internet sur mon ordinateur portable. Je tape *Andy Reeves*, le nom de l'État, *NJ*, et j'ajoute le mot *piano*. Je tombe sur un résultat :

Bienvenue sur la page des fans d'Andy le Pianiste.

La page des fans. Je clique sur le lien. Oui, Andy Reeves, comme la plupart des musiciens, a son propre site Web. La page d'accueil le représente dans un flou artistique, vêtu d'une veste à paillettes.

Le pianiste mondialement connu Andy Reeves est un vocaliste, chansonnier et fantaisiste de talent, surnommé par ceux qui l'aiment « l'Autre Pianiste »...

Au secours.

Je fais défiler la page. Andy, « occasionnellement », anime des événements festifs « haut de gamme » tels que « mariages, soirées d'entreprise, anniversaires et bar/bat mitzvahs ». Dans un encadré au milieu de la page, on peut lire :

Vous voulez rejoindre le fan-club de l'Autre Pianiste ? Restez informé grâce à notre newsletter !

Dessous, il y a un espace pour taper mon adresse mail. Je passe.

Dans la colonne de gauche, il y a les boutons « Accueil », « Bio », « Photos », « Playlists », « Calendrier »...

Je clique sur « Calendrier » et cherche la date d'aujourd'hui. Sa prestation au Clou rouillé se termine à dix-huit heures. Après quoi, il est censé jouer dans une boîte appelée Bogoss Club entre vingt-deux heures et minuit.

Mon téléphone se met à bourdonner. C'est un texto d'Ellie.

Tu ne dors pas ?

Mes pouces s'activent sur le clavier :

Non. Il n'est que dix heures.

Tu veux venir prendre l'air ?

OK. Je passe te chercher ?

Les petites bulles s'affichent à l'écran, suivies du message d'Ellie :

Je suis déjà dehors. Rendez-vous sur le parking de BF.

Cinq minutes plus tard, j'arrive sur le parking désert du collège. Ellie et Bob n'habitent pas loin. L'endroit est bien éclairé, mais je ne la vois pas. Je me gare et descends de la voiture.

— Par ici.

Il y a une aire de jeux sur la gauche, avec balançoires, toboggans, murs d'escalade, filets, échelles, cages à poules et un sol recouvert de paillis. Assise sur une balançoire, Ellie se pousse du pied, mais doucement, comme si elle se berçait.

Une odeur de cèdre se dégage du paillis. Je lui demande :

— Ça va ?

Elle hoche la tête.

— C'est juste que je n'ai pas envie de rentrer tout de suite.

Je m'abstiens de tout commentaire.

— J'adorais les terrains de jeux quand j'étais gamine. Tu te souviens du jeu des quatre coins ?

— Non.

— Peu importe. Je suis bête. Mais je viens souvent ici.

— Dans cette aire de jeux ?

— Oui. Le soir. Ne me demande pas pourquoi.

Je m'assieds sur la balançoire d'à côté.

— Je ne savais pas.

— Eh oui, dit Ellie, on découvre beaucoup de choses l'un sur l'autre.

Je pense à ce qu'elle vient de dire.

— Pas vraiment.

— Hein ?

— Je n'ai pas de secrets pour toi, Ellie. OK, je ne t'ai pas parlé de la raclée que j'ai flanquée à Très, mais tu savais bien que c'était moi.

Elle acquiesce.

— Et toutes les autres fois. Avec Roscoe, Brandon et le copain d'Alicia… comment il s'appelle, déjà ?

— Colin.

— C'est ça.

— Donc tu sais tout de moi. Absolument tout.

— Sous-entendu, l'inverse n'est pas vrai ?

Je ne réponds pas.

— Bon, d'accord, ajoute-t-elle. Je ne te dis pas tout.

— Tu n'as pas confiance en moi ?

— Question stupide.

— Alors ?

— J'ai droit à mon jardin secret. Je n'aurais pas dû te parler de Bob. Maintenant tu vas lui en vouloir et tu chercheras un moyen pour le lui faire payer.

— Ce n'est pas impossible, dis-je sincèrement.

Elle sourit.

— Ne fais pas ça. Tu ne comprends pas. C'est le même homme que tu admirais tantôt.

Je ne suis pas d'accord, mais je garde mes réflexions pour moi.

Ellie contemple le ciel nocturne parsemé de rares étoiles.

— J'ai eu des nouvelles de la mère de Maura. Le type sur la photo que tu as envoyée. C'est bien celui qui l'a interrogée. L'homme pâle à la voix chuchotée.

Je ne suis pas surpris.

— Je l'ai vu cet après-midi.

— Qui est-ce ?

— Il s'appelle Andy Reeves.

Je pointe le menton en direction du Sentier.

— Il dirigeait la base militaire quand Leo et Diana ont été tués.

— Tu lui as parlé ?

Je hoche la tête.

— Et qu'a-t-il dit ?

— Il a menacé de flinguer tous ceux qui me sont chers.

Je la regarde.

— Encore un qui te conseille de laisser tomber, commente Ellie.

— Conseille ?

Elle hausse les épaules.

— Bon, si tu veux. Avec toi et Augie, ça fait trois.

— Augie. Voilà quelqu'un qui t'est cher.

J'acquiesce.

— Tu y réfléchis ?

— À quoi ? À l'éventualité d'abandonner l'enquête ?

— Oui.

— J'y réfléchis, oui.

Ellie se tourne vers le Sentier. Ses yeux se plissent.

— Quoi ? lui dis-je.

— J'hésite.

— C'est-à-dire ?

— À mon avis, tu ne peux pas laisser tomber maintenant.

— Je le ferai s'il y a le moindre risque pour toi ou les filles.

— Justement.

— Je ne comprends pas.

— Je t'ai suggéré de tout arrêter, je sais. Mais c'était avant que ce triste individu ne menace mes enfants. Désormais, je ne veux plus baisser les bras. Si on le fait, il restera dans les parages. Et je ne serai plus jamais tranquille.

— Si je laisse tomber, il ne t'importunera pas.

— C'est ça, ricane Ellie. Parles-en à Rex et à Hank.

Je pourrais arguer que Rex et Hank représentaient une menace plus directe, qu'ils ont assisté de visu à l'atterrissage de l'hélicoptère sur la base militaire, mais je doute que cela change quelque chose. Je comprends ce qu'elle ressent. Ellie n'a pas envie de vivre avec la peur au ventre. Elle compte sur moi pour régler cette affaire, et elle ne veut pas savoir comment.

Elle pousse vigoureusement sur ses jambes. La balançoire repart en arrière, et elle profite de l'élan pour en sauter gracieusement, levant les bras telle une gymnaste. Je tiens tellement à elle, et cependant je découvre que je ne la connais pas vraiment. Ce qui me la rend encore plus proche.

— Je ne laisserai personne te faire du mal, dis-je.

— Je sais.

Je me souviens alors du calendrier sur le site d'« Andy, l'Autre Pianiste ». Il se produit au Bogoss Club, où que cela puisse être.

Je décide d'y aller.

— Une dernière chose, dit Ellie.

— Quoi ?

— J'ai peut-être une piste concernant Beth Lashley. Quand nous étions au lycée, ses parents avaient acheté une petite ferme bio du côté de Far Hills. Ma cousine Merle a une maison là-bas. Je lui ai demandé de passer et d'aller frapper à la porte. Elle a essayé, mais il paraît que le portail est fermé à clé.

— Cela ne veut rien dire.

— Peut-être. J'y ferai un saut demain et je te tiendrai au courant.

— Merci.

— Pas de quoi.

Ellie exhale longuement son souffle et jette un œil en direction du collège.

— C'est si vieux que ça, quand on allait en classe ici ?

Je suis son regard et rétorque :
— C'était il y a une éternité.
Elle laisse échapper un petit rire.
— Bon, il faut que j'y aille.
— Tu veux que je te dépose ?
— Non, répond-elle, je préfère rentrer à pied.

25

Le Bogoss club propose « une revue chic de danseurs érotiques pour des femmes raffinées ». De nos jours, plus personne ne parle de boîtes de strip-tease. En vedette ce soir, Brandon Dard, ce que je soupçonne d'être un pseudonyme. Je trouve la Ford Mustang jaune garée dans un coin tout au bout du parking. Inutile d'entrer… je me gare à un endroit d'où je peux surveiller les sorties et la Mustang. Je remarque deux autocars et plusieurs minibus sur le parking ; il doit y avoir des groupes à l'intérieur.

Le constat en observant les allées et venues est évident. Les femmes ne viennent pas seules. Contrairement aux hommes dans un club de strip-tease, je n'en vois pas qui entrent ou sortent isolément. Elles arrivent toutes en masse, bruyantes et émoustillées d'avance. La plupart des groupes, sinon la totalité, sont là pour un enterrement de vie de jeune fille, ce qui explique les autocars et les minibus. On est responsables ou on ne l'est pas. D'accord pour faire la bringue, mais en s'assurant les services d'un chauffeur professionnel.

Il se fait tard. Les femmes qui sortent sont toutes éméchées : elles braillent, titubent, larmoient, s'écroulent les unes sur les autres, se cramponnent les unes aux autres, mais restent groupées en attendant les retardataires avant d'aller plus loin. Certains strip-teaseurs repartent aussi. Même habillés, ils sont faciles à reconnaître à leur mine renfrognée et leur démarche arrogante de bad boys. Ils portent presque tous une chemise en flanelle largement ouverte. Leurs torses épilés brillent à la lueur des lampadaires.

J'ai du mal à imaginer pourquoi le Bogoss Club aurait besoin d'un pianiste, mais, en consultant leur site sur mon téléphone (le Bogoss a sa propre appli, soit dit en passant), je découvre qu'ils proposent des « soirées à thème », dont des « bals romantiques » avec danseurs en queue-de-pie évoluant sur des airs classiques interprétés sur « un piano de concert Steinway ».

Mais je ne suis pas là pour juger, Leo.

Il est minuit passé quand Andy Reeves, en smoking, franchit la porte du club. Pas la peine de jouer à cache-cache. Je descends de voiture. Il ne semble pas ravi de me voir.

— Qu'est-ce que vous faites là, Dumas ?

— Appelez-moi par mon nom de scène, dis-je. Brandon Dard.

Ça ne l'amuse pas.

— Comment m'avez-vous retrouvé ?

— Votre newsletter. Je suis membre à part entière du fan-club de l'Autre Pianiste.

Cela n'a pas l'air de l'amuser non plus. Il presse le pas.

— Je n'ai rien à vous dire, déclare-t-il.

Puis, après réflexion :

— Sauf si vous m'avez rapporté la cassette.

— Non, mais je commence à en avoir ma claque, Andy.

— C'est-à-dire ?

— Soit vous acceptez de me parler, soit j'envoie cette vidéo par mail dans la seconde qui suit.

Je lui montre mon téléphone avec mon pouce dessus, comme si j'étais prêt à cliquer sur envoyer. Inutile de dire que c'est du bluff.

— Je commence par un ami du *Washington Post* et ensuite on verra.

Reeves me fusille du regard.

Je soupire :

— Très bien.

Je fais mine d'appuyer.

— Attendez.

Mon pouce s'immobilise.

— Si je vous informe des véritables activités de la base, vous me promettez d'en rester là ?

— Oui, dis-je.

Il fait un pas vers moi.

— Jurez-le-moi sur la mémoire de votre frère.

Il a tort de te mêler à ça, Leo, mais je jure sans ciller. Je pourrais émettre des réserves. L'avertir que si lui ou ses acolytes ont quelque chose à voir avec ta mort, non seulement j'irai le crier sur tous les toits, mais je les liquiderai personnellement l'un après l'autre.

Cela ne me gêne pas de jurer. S'il a des révélations pertinentes à me faire, alors allons-y gaiement.

— OK, dit Andy Reeves. Trouvons-nous un endroit pour parler.

— Ici, ça me va très bien.

Il balaie le parking d'un regard soupçonneux. Parmi les clientes qui traînent encore là, je doute fort qu'il y ait des oreilles indiscrètes. En même temps, comme il a travaillé toute sa vie dans une organisation gouvernementale, la CIA ou autre, je peux comprendre sa parano.

— On n'a qu'à monter dans ma voiture, suggère-t-il.

Je lui arrache les clés des mains et me glisse sur le siège passager. Lui s'installe au volant. Devant nous se dresse une vieille palissade qui a connu des jours meilleurs. Il manque des lattes de bois ; d'autres sont fêlées comme les dents d'un vagabond après un trop grand nombre de bagarres.

— J'attends, dis-je.

— Nous ne faisions pas partie du ministère de l'Agriculture.

Il s'arrête. Je rétorque alors :

— Ça, je l'avais deviné.

— Le reste est très simple. Ce qui se passait là-bas est classé secret-défense. Vous le savez maintenant. Je vous le confirme. Cela devrait vous suffire.

— Oui, mais non.

— Nous n'avons rien à voir avec ce qui est arrivé à votre frère et à Diana Styles.

Je le dévisage, l'air de dire : « Venons-en au fait. » Andy Reeves réfléchit longuement. Une fois de plus, il me fait promettre de n'en parler à personne, au grand jamais, il niera tout, rien de ce qu'il dira ne sortira de cette voiture… bref, vous avez compris.

J'acquiesce à tout pour que nous puissions avancer.

— Vous connaissez l'époque dont il est question, commence Andy Reeves. Il y a quinze ans. Après le 11-Septembre. La guerre d'Irak. Al-Qaïda. Il faut vous rappeler le contexte.

— OK, dis-je.

— Vous souvenez-vous d'un dénommé Terry Fremond ?

Je fouille dans ma mémoire.

— Oui, ça y est. Le jeune Blanc issu d'une famille aisée de la banlieue de Chicago et qui est devenu terroriste. On l'a surnommé Oncle Sam Al-Qaïda, quelque chose comme ça. Il était sur la liste des dix personnes les plus recherchées par le FBI.

— Il y est toujours, répond Reeves. Il y a quinze ans, de retour aux États-Unis, Fremond a monté une cellule terroriste. Ils étaient à deux doigts de perpétrer peut-être le pire attentat de toute l'histoire américaine, un autre 11-Septembre.

Il se tourne vers moi.

— Vous rappelez-vous la version officielle de ce qui lui est arrivé ?

— Quand il a su que les agents fédéraux étaient à ses trousses, il a fui au Canada, d'où il est reparti pour la Syrie ou l'Irak.

— Ça, dit Andy Reeves lentement et avec le plus grand soin, c'est la version *officielle*.

Il continue à me faire face. Je pense à la tache orange qui m'a fait songer à une combinaison de prisonnier. Je pense à l'emplacement isolé. Au parfum de mystère. À l'hélicoptère se posant sans bruit au cœur de la nuit.

— Vous l'avez capturé. Et vous l'avez amené à la base.

Nous avons tous entendu des rumeurs à l'époque. Et je me souviens d'autre chose, Leo… quelque chose que tu m'as dit, je ne sais plus quand. Tu étais fasciné par ce que les médias appelaient alors la « guerre contre la terreur ». Tu as évoqué ces lieux à l'étranger, secrets, inhospitaliers, où l'on amenait les combattants ennemis pour les faire parler. Ce n'étaient pas des camps pour prisonniers de guerre ordinaires, mais…

— La base, dis-je tout haut. C'était un site noir.

Andy Reeves regarde à nouveau par le pare-brise.

— Nous en avions dans des pays comme l'Afghanistan, la Lituanie, la Thaïlande, avec des noms de code tels que Mine de sel, Lumière vive ou Quartz…

Il baisse la voix.

— Il y a une prison de la CIA dans une île de l'océan Indien, une dans un ancien centre équestre ; il y en avait même une dans un grand magasin, en pleine ville. Elles étaient d'une importance cruciale dans notre lutte contre le terrorisme. C'est là que nos militaires détenaient des prisonniers de valeur à des fins d'interrogatoire renforcé.

Interrogatoire renforcé.

— C'était logique que ça se passe outre-Atlantique, poursuit Reeves. La plupart des combattants ennemis étaient des étrangers, alors pourquoi les ramener chez nous ? Les formalités juridiques sont complexes, mais si vous interrogez un détenu ailleurs que sur le sol américain, la loi peut être, disons, contournée. Vous pouvez être pour ou contre l'interrogatoire renforcé. Moi, ça m'est égal. Mais ne vous leurrez pas : nous avons pu obtenir ainsi des renseignements qui ont permis de sauver des vies. C'est le genre de morale brandie par les civils : « Je suis contre la torture. » Ah oui ? Imaginez que tabasser un monstre qui a tué des milliers de gens sauverait la vie de votre enfant… est-ce que vous le feriez ? Là, personne ne répond. Car qui dirait : « Bien sûr, je suis prêt à sacrifier mon propre enfant au nom de mes valeurs morales » ? Ils s'en tirent donc par une pirouette du style : « De toute façon, ça ne marche pas. »

Andy Reeves se retourne, le regard lourd.

— La torture, ça marche. C'est cela, le pire.

Assis dans le noir, seul avec cet homme, je sens un courant d'air froid tandis que lui commence à s'échauffer. Je connais ça. Aussi terrible que soit le secret, aussi pénible que soit la confession, une fois qu'on se lâche, les mots coulent à flots.

— Le problème est simple. Oublions l'étranger. Il y avait – et il y a toujours – des cellules terroristes ici même, aux États-Unis. Bien plus nombreuses que vous ne l'imaginez. La plupart de ces gens-là sont des citoyens américains, pitoyables extrémistes qui prônent la violence et la destruction massive. Si on les arrête à l'intérieur de nos frontières, il y aura des règles à respecter, des avocats et tout le bazar. Ils ne parleront pas, alors qu'un gros attentat est peut-être imminent.

— Vous alpaguez donc le suspect, dis-je, vous le collez dans un hélicoptère furtif et vous l'emmenez à la base pour l'interroger.

— C'était l'emplacement idéal, non ?

Je ne relève pas.

— Les détenus… ne restaient pas longtemps chez nous. Nous appelions cette base le Purgatoire.

À partir de là, nous pouvions les envoyer soit au paradis, soit à l'étranger, en enfer.

— Et qu'est-ce qui déterminait votre décision ?

Reeves me regarde comme si j'étais devenu transparent. C'est sa manière de répondre, et il ne m'en faut pas plus.

— Passons maintenant à la partie qui concerne mon frère.

— Il n'y a pas de partie concernant votre frère. L'histoire s'arrête là.

— Non, mon ami, c'est faux. Lui et ses amis ont filmé un citoyen américain détenu dans des conditions illégales.

Le visage de Reeves s'assombrit.

— Nous avons sauvé des vies.

— Pas celle de mon frère. Ni celle de Diana.

— On n'a rien à voir là-dedans. J'ignorais même l'existence de cette cassette jusqu'à ce que vous me la montriez.

Je scrute son visage pour savoir s'il ment, et même si Andy Reeves n'est pas né de la dernière pluie, j'ai l'impression qu'il est sincère. Mais, alors, comment est-il possible qu'il n'ait pas été au courant ?

Il me reste une dernière carte à jouer.

— Si vous ne saviez rien, pourquoi recherchiez-vous Maura ?

— Qui ?

Cette fois, le mensonge est flagrant. J'esquisse une grimace.

— Vous avez interrogé sa mère, dis-je. Mieux encore, je pense que vous l'avez emmenée dans votre petit site noir. Et vous avez fait en sorte qu'elle oublie ce que vous lui avez fait.

— Je ne vois pas de quoi vous parlez.

— Je lui ai montré votre photo, Andy. Elle a confirmé que c'était bien vous qui l'aviez interrogée.

Les yeux rivés sur le pare-brise, il secoue lentement la tête.

— Vous ne comprenez rien à rien.

— On était d'accord pour que vous me disiez tout. Si vous continuez à me balader…

— Ouvrez la boîte à gants, m'ordonne-t-il.

— Quoi ?

Andy Reeves pousse un soupir.

— Je vous demande juste d'ouvrir la boîte à gants, OK ?

Je me penche, tournant la tête une fraction de seconde pour trouver le bouton, mais cela suffit. Son poing – je suppose que c'est son poing, car je n'ai rien vu venir – m'atteint à la tempe gauche. Ma tête bascule à droite, mes dents s'entrechoquent. Tout le côté de mon visage est comme engourdi.

Il plonge la main dans la boîte à gants.

Je suis encore étourdi, mais une pensée réussit à surnager.

Une arme. Il va s'emparer d'une arme.

Sa main se referme sur un objet métallique. Je ne vois pas bien ce que c'est, mais est-ce vraiment utile ? J'arrive à me ressaisir suffisamment pour lui attraper le poignet avec les deux mains. Lui a une main libre, et il en profite pour me frapper dans les côtes.

Je ne lâche pas.

Il tord son poignet pour essayer de se dégager ou alors… c'est ça, il cherche à orienter le canon vers moi. Je descends une main pour recouvrir ses doigts. J'appuie de toutes mes forces. Il peut tourner son arme, mais s'il est incapable de presser la détente, il ne m'arrivera rien.

C'est ce que je pense. Je lui bloque les doigts : il ne peut donc pas tirer. Je suis en sécurité.

Tragique erreur.

Il se contorsionne une fois de plus. Je sens le froid du métal sur le dos de ma main. Juste une seconde. Je me rends compte que ce n'est pas un pistolet. C'est beaucoup trop long, comme une sorte de gourdin. J'entends un crépitement. Au même instant, je ressens une douleur qui me fait perdre tous mes moyens.

La décharge électrique parcourt mon biceps, me privant de l'usage de mon bras.

Andy Reeves se libère facilement de ma poigne devenue inexistante. Puis, avec un sourire guilleret, il plante le machin – une matraque, un aiguillon électrique pour bovins, que sais-je – dans mon torse.

Je suis pris de convulsions.

Il recommence. Mes muscles ne m'obéissent plus.

Il se retourne pour attraper quelque chose sur le siège arrière. Je ne vois pas ce que c'est. Un démonte-pneu peut-être. Ou une batte de base-ball. Je ne sais pas. Je ne le saurai jamais.

Il me frappe à la tête une fois, deux fois, et c'est le néant.

26

Je reviens à moi de la plus étrange des façons.

Vous avez déjà fait ce rêve où le moindre geste exige un effort surhumain ? On veut fuir le danger, mais on a l'impression de patauger dans de la neige mouillée qui vous monte jusqu'aux genoux. C'est un peu ce que je ressens en cet instant. J'ai envie de bouger, de m'échapper, mais mon corps est comme coulé dans du plomb.

Je cille et ouvre les yeux. Je suis couché sur le dos. Je vois des tuyaux et des poutres nues. Un plafond. Dans un vieux sous-sol. J'essaie de garder mon calme, de ne pas m'agiter inutilement.

Je veux tourner la tête pour examiner les alentours.

Mais je ne peux pas.

Je ne peux pas bouger la tête. Même pas d'un centimètre. Comme si mon crâne était enfermé dans un étau. Je refais une nouvelle tentative. Le résultat est le même. Je voudrais m'asseoir. Mais je suis attaché à une sorte de table. Les bras collés le long du corps. Les jambes ligotées.

Je ne peux pas bouger du tout. Je suis totalement impuissant.

La voix de Reeves me chuchote :

— Dites-moi où est la cassette, Nap.

Parlementer ne servirait à rien. J'en suis conscient. Alors je me mets à hurler. J'appelle au secours. Je crie de toutes mes forces, jusqu'à ce qu'il fourre un bâillon dans ma bouche.

— Inutile, dit-il.

Reeves s'affaire en fredonnant, mais comme je ne peux pas tourner la tête, je ne vois pas ce qu'il fait. J'entends un robinet qu'on ouvre, un genre de seau qu'on remplit. Puis l'eau cesse de couler.

— Savez-vous pourquoi les marines ont retiré le simulacre de noyade de leur entraînement ? demande Reeves.

Et puisque je ne réponds pas – je suis bâillonné –, il ajoute :

— Parce que le stagiaire craquait si vite que ce n'était pas bon pour le moral. Les recrues de la CIA tenaient quatorze secondes en moyenne avant de supplier l'instructeur d'arrêter.

Andy Reeves se place au-dessus de moi. Je vois bien à son sourire qu'il est en train de prendre son pied.

— On avait toute une gamme de tortures psychologiques à l'intention des détenus. On leur bandait les yeux, on les faisait escorter par des gardes armés. Quelquefois, on leur redonnait l'espoir avant de le piétiner. Tout dépendait du sujet, en fait. Mais bon, je n'ai pas le temps de jouer ce soir, Nap. Je regrette pour Diana, vraiment, mais ce n'était pas ma faute. Allez, on y va. Vous êtes déjà attaché à la table. Vous savez déjà que vous allez salement morfler.

Il se déplace vers mes pieds. J'essaie de le suivre des yeux, mais il disparaît de mon champ de vision. Je m'efforce de ne pas paniquer. J'entends comme un bruit de manivelle et je sens que la table commence à s'incliner. J'espère que je vais glisser, quitte à tomber sur la tête, mais les liens sont tellement serrés que la gravité ne me fait pas bouger d'un pouce.

— Le fait d'abaisser la tête et de surélever les pieds, explique-t-il, permet de garder la gorge ouverte et de verser l'eau dans les narines plus facilement. Vous croyez que ça va être atroce. Eh bien, ce sera encore pire.

Il retire le bâillon de ma bouche.

— Vous allez me dire où est la cassette ?

— Je vais vous montrer où elle est, dis-je.

— Non, ça ne va pas le faire.

— Vous ne pourrez pas y accéder tout seul.

— Vous mentez. Tout cela, je l'ai déjà entendu, inspecteur Dumas. Vous allez inventer une histoire. Puis une autre, et peut-être une autre encore pendant les premières phases du processus. Ses détracteurs affirment que la torture n'est pas efficace. On est tellement désespéré qu'on est prêt à raconter n'importe quoi pour que ça s'arrête. Mais avec moi, ça ne marche pas. Je connais toutes les ficelles. Vous finirez par craquer. Vous finirez par me dire la vérité.

Peut-être, mais une chose est sûre : une fois qu'il aura la cassette, il me tuera. Comme il a tué tous les autres. Alors advienne que pourra, mais il n'est pas question que je flanche.

Comme s'il lisait dans mes pensées, il déclare :

— Vous parlerez, quitte à y rester. Un soldat qui interrogeait des prisonniers durant la guerre des

Philippines a décrit de la manière suivante ce que vous êtes sur le point de subir : « Leurs souffrances sont celles d'un homme qui se noie, mais qui ne peut pas se noyer. »

Andy Reeves me montre une serviette.

— Prêt ?

Et il l'applique sur mon visage, de sorte à obscurcir ma vision.

La serviette est juste posée, il n'appuie même pas, mais déjà j'ai l'impression de suffoquer un peu. J'essaie de remuer la tête, mais elle refuse toujours de bouger. Un spasme contracte ma poitrine.

Calme-toi, je m'ordonne.

Je fais de mon mieux. Je ralentis ma respiration et me tiens prêt. Je sais qu'à un moment donné, je devrai retenir mon souffle.

Les secondes s'égrènent.

Je n'arrive pas à respirer normalement. Ma respiration est laborieuse, saccadée. Je dresse l'oreille pour entendre ce qui se passe, mais Andy Reeves ne bouge pas, ne parle pas, ne fait rien.

Cela dure trente… quarante secondes.

Et si c'était du bluff ? Une forme de torture psychologique pour me mettre la pression…

Soudain, j'entends un léger clapotis. La seconde d'après, l'eau commence à sourdre à travers la serviette.

Quand je sens l'humidité sur ma bouche, je serre les lèvres, ferme les yeux et bloque ma respiration.

L'eau continue à couler, d'abord un filet, puis plus abondamment.

Elle commence à pénétrer dans mes narines. Je me raidis et garde la bouche fermée.

L'eau ruisselle toujours. Je tente de remuer la tête, de la redresser pour échapper à cette invasion liquide. Mais il m'est impossible de bouger. L'eau me remplit le nez. Je me mets à paniquer. Je ne peux plus retenir ma respiration ; il faut que j'évacue l'eau de mon nez, de ma bouche. Il n'y a qu'une seule solution. Souffler pour la recracher. Seulement, il y a la serviette. J'expire néanmoins pour chasser l'eau vers l'extérieur et, l'espace d'une ou de deux secondes, ça a l'air de marcher. J'essaie de vider mes poumons, mais l'eau coule à flots, et je me retrouve face à un cruel dilemme.

On ne peut pas expirer indéfiniment.

Quand on arrive au bout de l'expiration – c'est ça, le plus effrayant –, on est bien obligé d'inspirer.

Et j'en suis là.

Quand j'ai eu fini d'expirer, l'eau se remet à couler dans mon nez et ma bouche. C'est plus fort que moi. Je manque d'air, et ce supplice-là est pire que tout. Bloquer ma respiration me tue, et pourtant je sais ce qui m'attend. Il faut que j'inspire, sauf qu'il n'y a pas d'air. Il n'y a que de l'eau. L'inspiration ouvre les vannes. Elle entraîne l'eau dans ma bouche, puis dans la trachée.

Il n'y a pas d'air.

Pris de convulsions, je me débats, mais je suis attaché à la table, et il n'y a pas d'issue, pas un instant de répit. Cela ne fait qu'empirer.

Ce n'est pas qu'on *veuille* que ça s'arrête. Il *faut* que ça s'arrête.

C'est comme être maintenu sous l'eau, mais en pire. Je ne peux pas bouger. Je suis encastré dans du béton. Je me noie, Leo. Je suffoque et je me noie. Toute pensée rationnelle m'a déserté. Je sens que ma raison vacille ; c'est une fêlure dont je sais que je ne me remettrai jamais.

Chaque cellule de mon corps implore qu'on lui donne de l'oxygène, rien qu'une fois. Mais il n'y en a pas. Je m'étouffe et avale encore plus d'eau. Je veux retenir ma respiration, mais mon réflexe pharyngé me pousse inconsciemment à inspirer et à souffler. L'eau envahit ma gorge et ma trachée.

Mon Dieu ! laissez-moi respirer...

Je suis en train de mourir. J'en suis conscient. Mon cerveau primitif a capitulé. Il ne veut qu'une chose, que la mort survienne le plus vite possible pour mettre fin à mon calvaire. Mais la mort ne vient pas. Je m'agite. Je me convulse. Je souffre.

J'ai des hallucinations.

Dans mon délire, j'entends une voix qui crie d'arrêter, de s'éloigner de la table. Si tout mon être n'était pas en manque d'oxygène, si ma seule et unique obsession n'était pas d'échapper à ce cauchemar, je dirais que c'est une voix de femme. Mes yeux commencent à se révulser quand une détonation retentit quelque part dans le tréfonds de mon cerveau.

J'aperçois une lumière.

Je suis en train de mourir, Leo, de délirer et de mourir, et la dernière chose que je vois, c'est un visage d'une beauté irréelle.

Le visage de Maura.

27

On me détache et on me tourne sur le côté.

J'aspire l'air, incapable de faire autre chose pendant un bon moment. Je halète en m'efforçant de ne pas avaler. L'eau coule de ma bouche et de mes narines, ruissclant jusqu'au sol ct diluant le sang rouge écarlate qui suinte de la tête d'Andy Reeves. Mais tout cela, je m'en fiche. Je ne pensc qu'à rcspircr.

Peu à peu, mes forces reviennent. Je me retourne pour voir qui m'a sauvé. Peut-être que je suis mort ou que mon cerveau a été privé d'oxygène trop longtemps. Peut-être que je suis toujours sous la torture et que j'ai atteint une sorte d'état bizarre, car l'hallucination – non, le mirage – est toujours là.

— Il faut qu'on sorte d'ici, dit Maura.

Je n'en crois pas mes yeux.

— Maura ? Je…

— Pas maintenant, Nap.

Rien que d'entendre mon surnom dans sa bouche…

Je tente de rassembler mes idées, de réfléchir clairement, mais la capacité de raisonner logiquement semble m'avoir abandonné.

— Tu peux marcher ?

Je hoche la tête. Au bout de deux pas, j'ai l'impression d'avoir repris mes esprits. *Une chose à la fois*, me dis-je.

Sortir d'ici. Nous descendons au rez-de-chaussée, et je découvre que nous sommes dans une espèce d'entrepôt abandonné. Je suis frappé par le silence, mais il doit être… ? Quelle heure est-il ? J'ai rencontré Reeves à minuit. On est donc en plein milieu de la nuit, à moins que ce ne soit le petit matin.

— Par ici, dit Maura.

Nous émergeons sous le ciel nocturne. Je constate que je respire encore d'une drôle de façon, plus vite que d'habitude, comme si je craignais d'être à nouveau privé d'air. La Mustang jaune est garée dans un coin, mais Maura – j'ai toujours du mal à croire que c'est elle – m'entraîne vers une autre voiture. De la main gauche, elle actionne la commande à distance. Dans sa main droite, elle tient un pistolet.

Je m'installe côté passager. Elle démarre et, deux minutes plus tard, nous roulons en direction du nord sur le Garden State Parkway. Je contemple son profil, et autant de beauté me laisse pantois.

— Maura… ?

— Ça peut attendre, Nap.

— Qui a tué mon frère ?

Une larme roule sur sa joue ciselée.

— C'est peut-être moi, Nap, répond-elle, c'est peut-être moi.

28

Nous voici revenus à Westbridge. Maura se gare sur le parking du collège Benjamin-Franklin.

— Donne-moi ton téléphone, dit-elle.

Je suis étonné qu'il soit toujours dans ma poche. Je le déverrouille à l'aide de mon empreinte digitale et le lui tends. Ses pouces dansent sur l'écran.

— Qu'est-ce que tu fais ?

— Tu es flic, réplique-t-elle. Tu sais qu'un téléphone peut être localisé, non ?

— Oui.

— Je télécharge un anti-traceur VPN pour qu'on te croie dans un autre État.

Je ne savais même pas que cela existait, mais je ne suis pas surpris. Ses pouces cessent leur danse. Maura me rend le téléphone, ouvre la portière et descend. Je la suis.

— Qu'est-ce qu'on fait là, Maura ?

— Je veux y retourner.

— Retourner où ?

Elle s'engouffre sur le Sentier, et je lui emboîte le pas. Elle a toujours sa démarche féline ; j'essaie de ne pas la regarder, mais c'est plus fort que moi. Tandis que nous nous enfonçons dans l'obscurité, elle lance par-dessus son épaule :

— Dieu ! que tu m'as manqué !

Et elle repart. Comme ça.

Je ne réagis pas. Je suis incapable de réagir. Mais je me sens comme un écorché vif.

Je presse le pas pour la rattraper.

La pleine lune éclaire le chemin. Les ombres strient nos visages pendant que nous empruntons l'itinéraire familier. Nous nous taisons parce que la nuit nous y invite et aussi parce que ce bois a été notre refuge. On pourrait croire, dans un moment pareil, que ce souvenir reviendrait me hanter. Que là, en compagnie de Maura, les fantômes m'encercleraient, me taperaient sur l'épaule, me nargueraient derrière les arbres et les rochers.

Eh bien, pas du tout.

Cette nuit, je ne replonge pas dans le passé. Je n'entends pas les murmures. Les fantômes, curieusement, restent cachés.

— Tu es au courant pour la cassette, dit Maura.

Ce n'est pas une question.

— Ça fait combien de temps que tu me suis ? je lui demande.

— Deux jours.

— Oui, je suis au courant pour la cassette. Et toi, tu savais ?

— J'étais dessus, Nap.

— Je veux dire, tu savais que c'est Hank qui l'avait ? Et qu'il l'avait confiée à David Rainiv pour la mettre à l'abri ?

Elle secoue la tête. L'ancienne clôture se profile devant nous. Maura bifurque à droite. Elle dévale la colline et s'arrête au bout de quelques pas à côté d'un arbre. Je la rejoins. Nous sommes tout près de la vieille base.

Elle s'immobilise et fixe la clôture. Je m'immobilise et fixe son visage.

— J'ai attendu ici cette nuit-là. Derrière cet arbre.

Elle regarde par terre.

— J'étais assise là et j'observais la clôture. J'avais un joint que ton frère m'avait donné. Et la flasque que tu m'avais offerte.

Je croise son regard. Fantômes ou pas, je ressens un pincement au cœur.

— Tu te souviens de cette flasque ?

Je l'avais achetée dans un vide-greniers chez les Siegel. Elle était vieille et bosselée. Couleur gris acier. Avec une inscription gravée : *À ma vie de coer entier.* En français du quinzième siècle, cela voulait dire : « Mon cœur t'appartiendra toute ma vie. » J'avais demandé à M. Siegel où il l'avait trouvée, mais il ne s'en souvenait plus. Il avait posé la question à sa femme, qui ignorait jusqu'à son existence. Cela me semblait absurde et magique, un peu comme la lampe d'Aladin ; du coup, je l'avais achetée pour trois dollars et l'avais offerte à Maura qui s'était exclamée : « Un cadeau qui allie passion *et* alcool ? – Ne suis-je pas l'amoureux parfait ? – Absolument. »

Là-dessus, elle avait noué ses bras autour de moi et m'avait embrassé avec fougue.

— Je m'en souviens, lui dis-je.

Puis :

— Donc, tu t'es assise près de cet arbre avec un joint et une flasque. Qui d'autre y avait-il avec toi ?

— J'étais seule.

— Et le Club des conspirateurs ?

— Tu étais au courant ?

Je hausse vaguement les épaules.

Maura jette un coup d'œil en direction de la base.

— Nous n'étions pas censés nous retrouver ce soir-là. Avoir vu cet hélico, l'avoir filmé… je crois que ça les avait calmés. Jusque-là, ce n'était qu'un jeu. Et, tout à coup, c'était devenu réel. De toute façon, je ne faisais pas vraiment partie de leur club. J'étais surtout amie avec Leo. Mais il avait rancard avec Diana, alors je suis venue ici. Avec mon joint et mon Jack dans la flasque.

Maura se laisse glisser à terre et s'assied là où elle s'était assise ce fameux soir. Un petit sourire flotte sur ses lèvres.

— J'étais en train de penser à toi. Je regrettais de ne pas être allée à ton match. Avant toi, j'avais horreur du sport, mais j'adorais te voir patiner.

Les mots me manquent.

— Mais bon, je ne pouvais assister qu'aux matchs à domicile, or vous jouiez à l'extérieur ce jour-là. À Summit, je crois.

— Parsippany Hills.

Elle s'esclaffe.

— C'est drôle que tu t'en souviennes. Mais peu importe. On allait se retrouver dans quelques heures. J'ai juste pris un peu d'avance sur toi. Un « before », comme on dit maintenant. Bref, j'étais en train de boire et, je me rappelle, j'avais le cafard.

— Pourquoi ?

Elle secoue la tête.

— Aucun intérêt.

— Je veux savoir.

— Cela allait se terminer bientôt.

— Quoi ?

Elle lève les yeux.

— Toi et moi.

— Attends, tu le savais déjà quand tu es venue ici ?

Maura soupire.

— Ce que tu peux être obtus, Nap. Je n'avais pas la moindre idée de ce qui allait se passer.

— Mais alors… ?

— J'entends par là que toi et moi, je savais que ça ne durerait pas. C'était garanti. On finirait la terminale ensemble, on tiendrait peut-être un été de plus…

— Je t'aimais.

Ces mots m'échappent presque malgré moi. Momentanément décontenancée, Maura se reprend aussitôt.

— Moi aussi, je t'aimais, Nap. Mais tu allais partir étudier à l'université, tu étais promis à un brillant avenir, et je n'avais pas ma place là-dedans… mon Dieu, que de lieux communs !

Elle s'interrompt, ferme les yeux, secoue la tête.

— Mais à quoi bon revenir là-dessus, hein ?

Elle a raison. L'air de rien, je la ramène à son récit :

— Donc, tu étais assise là à boire et à fumer.

— C'est ça. Et je commençais à être un peu pompette. Je regardais la base. C'était très calme d'habitude, sauf que, là, j'ai entendu un bruit.

— Quel genre de bruit ?

— Je ne sais pas. Des cris. Un moteur qui se met en route. Alors je me suis levée…

Joignant le geste à la parole, Maura se redresse, le dos plaqué à l'arbre.

— … et je me suis dit : *Oh, et puis zut. Allons voir de quoi il retourne. Faisons avancer la cause du Club des conspirateurs*. Je me suis approchée de la clôture.

Maura se dirige vers la base. Je ne la lâche pas d'une semelle.

— Et qu'as-tu vu ?

— Il y avait ces panneaux d'avertissement tout autour de la base. Des panneaux rouges, tu te souviens ?

— Oui.

— Genre : « C'est votre dernière chance : faites demi-tour ou vous êtes mort. » Nous n'osions pas les dépasser ; ils étaient trop proches de la clôture. Mais ce soir-là, je n'ai même pas ralenti. En fait, je me suis mise à courir.

Nous y sommes à présent, revenus quinze ans en arrière, et j'hésite presque à dépasser l'endroit où les panneaux rouges étaient plantés à l'époque. Nous franchissons la barrière invisible en direction du grillage rouillé. Maura désigne le sommet d'un poteau d'angle.

— Il y avait une caméra là-dessus. Je me rappelle avoir pensé qu'ils pourraient me voir. Mais comme je planais, ça m'était complètement égal. J'étais en train de courir quand…

Elle s'arrête, porte la main à sa gorge.

— Maura ?

— J'étais ici, pile à cet endroit, quand les lumières se sont allumées.

— Les lumières ?

— Des projecteurs. Tellement puissants que j'ai dû me protéger les yeux.

Elle mime le geste, mettant sa main en visière.

— Je ne voyais plus rien. J'étais comme tétanisée, prise dans ce faisceau de lumière, sans savoir quoi faire. Puis j'ai entendu des coups de feu.

— Ils tiraient sur toi ?

— Probablement.

— Comment ça, probablement ?

— Eh bien, c'est moi qui ai tout déclenché, non ?

Sa voix monte d'une octave.

— Moi. J'ai couru comme une andouille vers la clôture. Je n'ai pas respecté les avertissements des panneaux. J'ai marché sur un câble ou ils m'ont repérée, va savoir. Et ils ont fait ce qui était écrit sur les panneaux. Ils ont tiré. Donc oui, je suppose qu'ils tiraient sur moi.

— Et qu'as-tu fait ?

— J'ai détalé. Je me souviens d'avoir entendu une balle frapper un arbre juste au-dessus de ma tête. Mais, comme tu peux le voir, j'ai réussi à m'en sortir vivante. Je suis passée entre les balles.

Elle lève la tête et plonge son regard dans le mien.

— Leo, dis-je.

— Je courais, ils tiraient. Soudain…

— Soudain quoi ?

— J'ai entendu une femme hurler. Je courais à toutes jambes, esquivant les arbres, me baissant pour ne pas leur offrir une cible trop facile. Mais, en entendant hurler, je me suis retournée. J'ai vu quelqu'un, un homme peut-être, une silhouette dans cette lumière aveuglante… ça tirait toujours… la femme a crié à nouveau, sauf que cette fois… cette fois, j'ai cru reconnaître la voix. Elle criait : « Leo ! Leo, au secours ! » Mais le « au secours » a été coupé net par une rafale.

J'ose à peine respirer.

— Ensuite j'ai entendu un homme crier à tous les autres de cesser le feu… il y a eu un silence… un silence de mort… après, je ne sais pas, je crois que quelqu'un s'est exclamé : « Qu'avez-vous fait ? » Puis : « Il y avait une autre fille, il faut qu'on la retrouve… » Mais je ne sais pas si c'est dans ma tête ou si c'est vrai parce que je courais. Je courais sans m'arrêter…

Elle me regarde comme si elle avait besoin de mon aide, mais que je ferais bien de ne pas la ramener.

Je ne bouge pas. Je crois que je suis incapable de bouger.

— Ils… Ils leur ont tiré dessus ?

Maura se tait.

Alors je lâche une remarque stupide.

— Et toi, tu t'es enfuie ?

— Quoi ?

— Écoute, je comprends que tu aies voulu fuir le danger. Mais une fois que tu étais en sécurité, pourquoi ne pas avoir appelé la police ?

— Pour leur dire quoi ?

— Par exemple : « Bonsoir, j'ai vu deux personnes se faire tirer dessus. »

Elle évite de me regarder.

— J'aurais peut-être dû, dit-elle.

— Ce n'est pas suffisant comme réponse.

— J'étais défoncée, j'avais peur et je me suis dégonflée, OK ? Je ne savais pas ce qui leur était arrivé.

Je n'ai pas vu ni entendu Leo, juste Diana. J'ai paniqué. Tu peux comprendre ça ? Du coup, je me suis planquée.

— Où ça ?

— Tu te souviens de cette cabane en pierre derrière la piscine municipale ?

Je hoche la tête.

— Je suis restée là-bas, dans le noir. Combien de temps, je n'en sais rien. De là, on peut voir Hobart Avenue. J'ai vu de grosses voitures noires qui roulaient lentement. J'étais peut-être parano, mais j'ai pensé qu'ils me recherchaient. À un moment, j'ai décidé d'aller chez toi.

C'était nouveau pour moi, mais comme tout le reste de cette soirée, non ?

— Tu es allée chez moi ?

— Oui, mais quand je suis arrivée dans ta rue, j'ai remarqué une autre grosse voiture noire garée au carrefour. Il était minuit passé. Dedans, deux types en costard étaient en train de surveiller ta maison. Alors, j'ai compris. Ils voulaient protéger leurs arrières.

Elle se rapproche de moi.

— Si j'avais appelé la police, pour leur dire que les gars de la base avaient peut-être tué quelqu'un, j'aurais dû donner mon nom. Ils m'auraient demandé ce que je fabriquais là-bas. J'aurais pu mentir ou leur expliquer que j'étais en train de fumer un joint et boire du Jack. Le temps qu'ils m'écoutent, les types de la base auraient déjà fait le ménage. Tu comprends ?

— Tu t'es donc cachée à nouveau.

Maura acquiesce. Je précise alors :

— Chez Ellie.

— Oui. Je me disais : « Laissons passer un jour ou deux. On verra bien. » Peut-être qu'ils m'oublieront. Mais il ne fallait pas rêver. Je les ai vus, cachée derrière un rocher, interroger ma mère. Et quand j'ai appris aux nouvelles qu'on avait découvert les corps de Leo et de Diana… bref, j'ai tout de suite compris. On n'a pas dit qu'ils avaient été tués par balles, mais qu'ils avaient été écrasés par un train à l'autre bout de la ville. Que pouvais-je faire ? Il n'y avait plus de preuves. Qui m'aurait écoutée ?

— Moi, dis-je. Pourquoi n'es-tu pas venue me trouver ?

— Tu es sérieux, Nap ?

— Tu aurais pu m'en parler, Maura.

— Et qu'aurais-tu fait, hein ? Toi, un ado de dix-huit ans, une tête brûlée ?

Ses yeux lancent des éclairs.

— Si je t'avais parlé, tu serais mort, toi aussi.

Il n'y a rien à ajouter à cela.

— Allez, viens, dit Maura en frissonnant. Partons d'ici.

29

Lorsque nous retournons à sa voiture, je dis :

— J'ai laissé la mienne au club.

— C'est réglé, répond Maura.

— Comment ça ?

— J'ai téléphoné là-bas. Je leur ai donné la marque et le numéro de la plaque et dit que j'étais trop saoule pour conduire. J'ai promis de revenir la chercher demain.

Elle a pensé à tout.

— Tu ne peux pas rentrer chez toi, Nap.

Je n'y comptais pas, de toute façon. Elle fait tourner le moteur.

Je demande :

— Alors on va où ?

— Dans un lieu sûr, dit-elle.

— Comme ça, depuis cette nuit-là…

Je ne sais même pas comment l'exprimer.

— … tu étais en cavale ?

— Oui.

— Mais pourquoi maintenant, Maura ? Pourquoi, quinze ans après, quelqu'un cherche-t-il à liquider les autres membres du Club des conspirateurs ?

— Je ne sais pas.

— Pourtant, tu étais avec Rex quand il a été tué, non ?

Elle hoche la tête.

— Je commençais à me détendre depuis trois ou quatre ans. J'ai pensé qu'ils avaient peut-être renoncé à me rechercher. Ils n'avaient aucune preuve. La base était fermée depuis longtemps. Personne ne me croirait sur parole. J'étais fauchée et je voulais tâter le terrain sans prendre trop de risques. Bref, je me suis lancée, et, apparemment, Rex voulait tourner la page sur le passé autant que moi. Il avait besoin d'aide pour son autre boulot.

— Piéger des hommes pour conduite en état d'ébriété.

— Il employait une formule plus élégante, mais, dans le fond, c'était ça, oui.

Nous quittons la voie rapide juste après le restaurant de grillades de Jim Johnston.

— J'ai vu les vidéos de surveillance de la nuit où Rex a été assassiné, dis-je.

— Ce type-là était un professionnel.

— N'empêche, tu as réussi à t'échapper.

— Va savoir.

— Que veux-tu dire ?

— Quand j'ai vu Rex tomber, j'ai pensé : *C'est mort, ils nous ont retrouvés*. Tu comprends, j'étais là-bas cette nuit-là – la vraie cible, c'était moi –, mais peut-être qu'ils étaient au courant pour le Club des conspirateurs. Cela me semblait logique. Alors, dès que ce gars-là a tiré sur Rex, j'ai réagi au quart de tour. Il était déjà en train de pointer son arme sur moi.

J'ai sauté derrière le volant et j'ai démarré comme une folle…

— Mais ?

— Je viens de te le dire. C'était un pro.

Maura hausse les épaules.

— Pourquoi m'a-t-il laissée partir ?

— Tu crois que c'était volontaire ?

Elle n'en sait rien. Nous nous garons derrière un motel bas de gamme dans East Orange. Ce n'est pas ici qu'elle loge. C'est un vieux truc, m'explique-t-elle. Si on la repère, sa voiture sera là, mais pas elle. Elle loue une chambre quatre cents mètres plus loin. La voiture a été volée. Si elle flaire le moindre danger, elle l'abandonnera et en volera une autre.

— En ce moment, je change d'adresse tous les deux jours.

Nous montons dans sa chambre et nous asseyons sur le lit.

— Je veux te raconter le reste, dit Maura.

Je ne la quitte pas des yeux. Cela n'a rien à voir avec la sensation de déjà-vu. Je ne suis plus l'adolescent qui lui faisait l'amour dans les bois. J'essaie de ne pas me noyer dans son regard, un regard qui en dit long. Tout y est : l'histoire, les espoirs trahis, les chemins de traverse. Dans ses yeux, je te vois, Leo. Je vois la vie qui a été la mienne et qui me manque depuis.

Maura me décrit ses errances depuis la nuit où tu as trouvé la mort. C'est dur à entendre, mais j'écoute sans l'interrompre. Je ne sais plus ce que je ressens. J'ai l'impression d'être un immense nerf à vif. Il est trois heures du matin quand elle achève son récit.

— Il faut qu'on se repose, dit-elle.

Je hoche la tête. Elle disparaît dans la salle de bains et revient, vêtue d'un peignoir éponge, une serviette autour de la tête. La lune l'éclaire juste ce qu'il faut. Le spectacle est magnifique. Je vais me doucher à mon tour. Quand je ressors, une serviette autour de la taille, toutes les lumières sont éteintes à part une veilleuse sur la table de nuit. Maura est là, debout. Elle a enlevé la serviette de ses cheveux mouillés, mais elle a gardé le peignoir. Elle me regarde. Inutile de faire semblant. Je traverse la chambre à grandes enjambées. Nous le savons tous les deux. Je la prends dans mes bras et l'embrasse avec force. Elle tire sur la serviette qui m'enveloppe. J'écarte les pans de son peignoir.

Je n'ai encore rien connu de semblable. C'est une soif, une déchirure, un arrachement, une guérison. C'est rude et caressant. C'est doux, c'est violent. C'est une danse, c'est un assaut. C'est intense, féroce et presque intolérablement tendre.

Finalement, nous nous écroulons sur le lit, hébétés, assommés, avec le sentiment de n'être plus tout à fait les mêmes. Elle pose sa tête sur ma poitrine et sa main sur mon estomac. Nous ne parlons pas. Nous fixons le plafond jusqu'à ce que nos yeux se ferment.

Ma dernière pensée avant de sombrer est on ne peut plus primaire : *Ne m'abandonne pas. Ne m'abandonne plus jamais.*

30

Nous refaisons l'amour au lever du jour.

Maura s'allonge sur moi. Nos regards se rencontrent et ne se quittent plus. C'est plus lent cette fois, plus nostalgique, réconfortant, fragile. Plus tard, alors que nous sommes couchés sur le dos, en silence, les yeux grands ouverts, mon portable bipe. C'est un texto de Muse.

N'oubliez pas. 9 h précises.

Je le montre à Maura.

— C'est ma chef.

— Et si c'était un piège ?

Je secoue la tête.

— Muse m'en a parlé avant mon rendez-vous avec Reeves.

Maura se tourne, pose son menton sur ma poitrine.

— Tu crois qu'on l'a retrouvé ?

Je me suis déjà posé la question. Je sais comment ça va se passer : quelqu'un aura repéré la voiture jaune et prévenu les flics. Ils vont fouiller les lieux. OK. Ils découvriront le cadavre. Reeves avait-il ses papiers sur lui ? C'est plus que probable. Sinon ils pourront l'identifier grâce à sa plaque d'immatriculation. En consultant son emploi du temps, ils sauront qu'il a joué la veille au Bogoss Club. Dont le parking est sûrement équipé de caméras de surveillance.

Qui m'auront filmé.

Moi et ma voiture.

On me verra monter dans la Ford Mustang jaune aux côtés de la victime.

Je serai le dernier à avoir vu Reeves vivant.

— On pourrait passer devant l'entrepôt, dis-je. Pour voir si les flics sont déjà sur place.

Maura s'écarte de moi et se lève. Je m'apprête à en faire autant, mais je ne peux m'empêcher de marquer une pause pour l'admirer.

— Pourquoi ta chef veut-elle te voir ce matin ?

— Je préfère ne pas jouer aux devinettes. Mais ça ne sent pas bon.

— Alors n'y va pas.

— Et tu me suggères quoi à la place ?

— Pars avec moi.

C'est peut-être la meilleure proposition qu'on m'ait jamais faite, sauf que je n'ai pas l'intention de fuir. Pas maintenant, en tout cas.

— Non, je dois aller jusqu'au bout.

Pour toute réponse, elle enfile ses vêtements. Une fois dehors, nous retournons sur le parking du motel sans nom. Nous scrutons les alentours et, en l'absence de toute surveillance, décidons de tenter notre chance. Nous reprenons la voiture, direction route 280.

Je demande :

— Tu te rappelles comment on va là-bas ?

Maura hoche la tête.

— C'est à Irvington, pas loin du cimetière.

Elle s'engage sur le Garden State Parkway et prend la première sortie, vers South Orange Avenue. Nous passons devant un centre commercial vieillissant et tournons dans une zone industrielle sur le déclin, comme on en trouve beaucoup dans le New Jersey. L'industrie quitte la région ; les usines ferment. La plupart du temps, on les rase pour construire du neuf, mais quelquefois, comme ici, les bâtiments industriels sont laissés à l'abandon et se désintègrent peu à peu, vestiges d'une prospérité révolue.

Il n'y a pas un chat dans les parages, aucun véhicule, aucune activité. On dirait le décor d'un film de science-fiction après un bombardement. Nous dépassons la Mustang jaune sans ralentir.

Personne n'est venu ici. Nous sommes en sécurité. Pour l'instant.

Maura fait demi-tour pour regagner l'autoroute.

— C'est où, ton rendez-vous ?

— À Newark. Mais je dois prendre une douche et me changer d'abord.

Elle me regarde avec un sourire en coin.

— Tu m'as l'air très bien.

— J'ai l'air rassasié, lui dis-je. Ce n'est pas pareil.

— Si tu veux.

— C'est un rendez-vous très sérieux.

Je désigne ma tête.

— Il faut absolument que j'arrive à effacer ce sourire béat de mon visage.

— Tu peux toujours essayer.

Nous sourions tous les deux comme deux imbéciles transis d'amour. Maura pose sa main sur la mienne.

— Alors, où va-t-on ? demande-t-elle.

— Au Bogoss Club. Je récupère ma voiture et je la gare devant chez moi.

— OK.

Nous savourons le silence pendant quelques instants. Puis elle dit doucement :

— Tu n'imagines pas le nombre de fois où j'ai failli composer ton numéro.

— Et pourquoi tu ne l'as pas fait ?

— Où cela nous aurait-il menés, Nap ? Un an après, cinq ans après, dix ans après. Si je t'avais appelé pour tout te raconter, où serais-tu aujourd'hui ?

— Je n'en sais rien.

— Moi non plus. J'étais là, le téléphone à la main, et je me repassais tout le scénario depuis le début. Si je te disais la vérité, que ferais-tu ? Je ne voulais pas te mettre en danger. Et si je rentrais pour témoigner, qui me croirait ? Personne. En admettant même que la police me prenne au sérieux, les types de la base seraient obligés de me faire taire, non ? Autre chose : j'étais seule dans les bois ce soir-là. Je me suis enfuie et cachée pendant des années. Du coup, les gars de la base pourraient me faire porter le chapeau pour la mort de Leo et de Diana. Ça ne devrait pas leur poser de problème, tu ne crois pas ?

Je contemple son profil. Puis :

— Il y a quelque chose que tu ne me dis pas.

Elle met le clignotant d'un air concentré, retire sa main pour la poser sur le volant, regarde droit devant elle.

— Ce n'est pas facile à expliquer.

— Essaie.

— J'ai passé beaucoup de temps sur la route. À bouger, à me cacher, toujours sur le qui-vive. Pratiquement toute ma vie d'adulte. La seule vie que j'aie connue. La course perpétuelle. J'avais tellement l'habitude de fuir, de me planquer, que j'étais incapable de me détendre. Ce n'était pas au programme. Quelque part, j'étais en mode survie, et cela m'arrangeait. Mais dès que j'ai ralenti, que j'ai vu clair…

— Eh bien ?

Elle hausse les épaules.

— Il n'y avait que du vide. Je n'avais rien ni personne. C'était peut-être mon destin, qui sait. Tant que je bougeais, ça allait… c'était plus dur quand je pensais à ce qu'aurait pu être ma vie.

Ses mains se crispent sur le volant.

— Et toi, Nap ?

— Quoi, moi ?

— Comment as-tu vécu pendant tout ce temps ?

J'ai envie de répondre : « J'aurais vécu bien mieux si tu étais restée. » Au lieu de quoi, je lui demande de me déposer deux rues plus loin, pour que j'aille au club à pied et qu'elle n'apparaisse pas sur les vidéos de surveillance. Certes, il y a des chances qu'on soit filmés par une caméra de rue, mais, d'ici là, tout sera joué, quelle qu'en soit l'issue.

Avant que je descende, Maura me remontre la nouvelle appli que je dois utiliser pour la joindre. En principe, elle est intraçable, et les messages sont systématiquement effacés au bout de cinq minutes. Elle me rend le téléphone. Je pose la main sur la poignée de la portière. J'aimerais qu'elle me promette de ne plus s'enfuir quoi qu'il arrive, de ne plus disparaître de ma vie. Mais ce n'est pas le genre de la maison. Alors je l'embrasse. Longuement, tendrement.

— Il y a tant de choses que je ressens, dit-elle.

— Moi aussi.

— Je ne veux rien éluder. Je tiens à être cash avec toi.

Je partage ce besoin de connexion, de franchise. Nous ne sommes plus des gamins, et j'ai conscience que ce puissant mélange de désir, de manque, de danger et de nostalgie pourrait fausser notre jugement. Sauf que ce n'est pas le cas. Je le sais. Et elle aussi.

— Je suis content que tu sois revenue, dis-je.

Si ce n'est pas l'euphémisme du siècle…

Maura m'embrasse à nouveau, passionnément, et ce baiser irradie dans tout mon corps. Puis elle me repousse.

— Je t'attendrai en bas de ton bureau à Newark.

Je descends, et elle redémarre. Ma voiture est là où je l'avais laissée. Le Bogoss Club est fermé, bien sûr. Il y a deux autres voitures sur le parking ; leurs propriétaires auraient-elles trop bu, elles aussi ? Il faut que j'informe Augie du retour de Maura et du décès de Reeves.

Sur le chemin de la maison, je l'appelle depuis mon portable. Lorsqu'il décroche, je lui dis :

— Muse veut me voir à neuf heures.

— À quel sujet ?

— Elle ne me l'a pas dit. Mais j'aimerais vous parler d'abord.

— Je t'écoute.

— On peut se retrouver au Mike's à neuf heures moins le quart ?

Mike's est un café à proximité du bureau du procureur.

— J'y serai.

Augie raccroche au moment où je m'engage dans mon allée. Je me gare et sors en titubant de ma voiture quand j'entends un rire. C'est ma voisine, Tammy Walsh.

— Non, mais regardcz-moi ça, dit-elle.

— Salut, Tammy.

— La nuit a été longue ?

— Le boulot, tu sais bien.

Tammy sourit comme si c'était écrit sur ma figure.

— Mais oui, c'est ça, Nap.

Jc nc pcux pas m'cmpêchcr dc sourire à mon tour.

— Tu ne me crois pas ?

— Pas lc moins du monde, réplique-t-elle. Mais tant mieux pour toi.

— Merci.

C'est vrai que j'en ai vécu, des choses, ces vingt-quatre dernières heures.

Je prends une douche en m'efforçant de redescendre sur terre. Je sais presque tout maintenant, non ? Mais il me manque encore une donnée, Leo. Ou suis-je en train de chercher midi à quatorze heures ? Cette base militaire était un site noir pour des terroristes de haut vol. Le gouvernement serait-il prêt à tuer pour protéger un secret de cette envergure ? La réponse est oui, sans l'ombre d'un doute. Qu'est-ce qui a déclenché leur riposte ce soir-là ? Est-ce Maura parce qu'elle a couru vers la clôture ? Ou peut-être qu'ils vous ont repérés, toi et Diana, d'abord. Dans tous les cas de figure, ils ont paniqué.

Des coups de feu ont été tirés.

Toi et Diana avez été tués. Que pouvaient faire Reeves et consorts ? Certainement pas appeler la police pour reconnaître leur bavure et exposer leurs activités clandestines au grand jour. Ils ne pouvaient pas non plus vous faire disparaître. Cela aurait suscité trop d'interrogations. Les flics – Augie en tête – n'auraient pas lâché le morceau. Il leur fallait donc recourir à la bonne vieille méthode du camouflage. Tout le monde connaissait la légende de la voie ferrée. Évidemment, je n'ai pas les détails, mais j'imagine qu'ils ont retiré les balles de vos corps et vous ont transportés jusqu'au chemin de fer. Après le passage du train, les cadavres seraient dans un état tel qu'aucun médecin légiste ne serait en mesure de relever le moindre indice d'un meurtre.

Le tableau est clair. J'ai les réponses à toutes mes questions, non ?

N'empêche.

N'empêche que, quinze ans plus tard, Rex et Hank sont assassinés.

Comment expliquer ça ?

Seuls deux membres du Club des conspirateurs sont aujourd'hui en vie. Beth, qui se cache. Et Maura.

Qu'est-ce que cela signifie ? Je n'en sais rien, mais peut-être qu'Augie aura une idée.

Mike's, qui est à la fois un café et une pizzeria, ne ressemble ni à un café ni à une pizzeria. C'est un troquet situé en plein cœur de Newark, au croisement de Broad et William, avec un grand auvent rouge. Assis près de la fenêtre, Augie regarde fixement un type qui enfourne une pizza alors qu'il n'est même pas neuf heures du matin. La part est tellement énorme que son assiette en carton a l'air d'une serviette de cocktail à côté. Augie s'apprête à faire une remarque caustique, mais, à la vue de mon visage, il s'arrête net.

— Qu'est-ce qui se passe ?

Je vais droit au but.

— Ce n'est pas un train qui a causé la mort de Leo et Diana. Ils ont été tués par balles.

Rendons justice à Augie, il m'épargne les « Quoi ? », les « Comment peux-tu dire ça ? » et autres « On n'a pas trouvé de balles à l'autopsie ». Il sait que je ne parle pas à la légère.

— Raconte.

Je commence par Andy Reeves. Je vois bien qu'il est tenté de m'interrompre, d'arguer que rien ne prouve la responsabilité de Reeves ou de ses hommes dans la mort de Leo et de Diana, et qu'il m'a torturé uniquement pour préserver le secret qui entourait ce site noir. Mais il ne dit rien. Encore une fois, il me connaît suffisamment.

J'en viens ensuite à l'intervention de Maura. Sans préciser les circonstances de la mort de Reeves. J'ai entièrement confiance en Augie, mais je ne tiens pas à le mettre en porte-à-faux. En d'autres termes, si je ne lui dis pas que Maura a tiré sur Reeves, il ne sera pas obligé d'en témoigner sous serment.

Je poursuis sur ma lancée. Les mots pleuvent comme autant de coups sur mon vieux mentor. J'aimerais lui laisser le temps de souffler, de reprendre ses esprits, mais ce serait reculer pour mieux sauter, et je sais qu'il ne serait pas d'accord. Alors je persiste.

Je parle à Augie du hurlement entendu par Maura. Je lui parle des coups de feu et du silence qui a suivi.

Il se redresse, regarde par la fenêtre et cille à deux reprises.

— Nous savons maintenant, dit-il.

Je ne réponds pas. Puisque nous connaissons enfin la vérité, nous devrions sentir la différence, non ? Pourtant, le type à la pizza continue à s'empiffrer. Dehors, les voitures continuent à rouler le long de Broad Street. Les gens se rendent à leur travail. Rien n'a changé.

Toi et Diana, vous êtes toujours morts.

— C'est fini ? demande Augie.

— Qu'est-ce qui est fini ?

Il ouvre grand les bras comme pour tout englober.

— Je n'en ai pas l'impression, dis-je.

— Comment ça ?

— Il doit y avoir une justice pour Leo et Diana.

— Tu ne m'as pas dit qu'il était mort ?

Il. Augie ne prononce pas le nom d'Andy Reeves. Juste au cas où.

— Il n'était pas seul à la base ce soir-là.

— Et tu veux tous les arrêter.

— Pas vous ?

Augie détourne le regard.

— Quelqu'un a pressé la détente, dis-je. Ça m'étonnerait que ce soit Reeves. Quelqu'un les a ramassés pour les charger, je ne sais pas, dans une voiture ou un camion. Quelqu'un a retiré les balles de leurs corps. Quelqu'un a balancé le cadavre de votre fille sur la voie ferrée et…

Augie grimace, les yeux clos.

— Vous m'avez tout appris, Augie. Vous comprenez donc que je ne puisse pas en rester là. Vous vous êtes toujours révolté contre l'injustice. De tous ceux que je connais, c'est vous qui teniez le plus à ce que les criminels paient pour leurs méfaits. Vous m'avez enseigné que si la justice n'est pas rendue – si personne n'est puni –, il n'y aura jamais d'équilibre.

— Tu as puni Andy Reeves, rétorque-t-il.

— Ça ne suffit pas.

Je me penche en avant. Des têtes, Augie en a fait tomber un nombre incalculable. C'est lui qui m'a aidé à m'occuper de mon premier « Très », une raclure dégénérée que j'avais arrêtée pour agression sexuelle contre une gamine de six ans, la fille de sa compagne. À la suite d'un vice de procédure, il avait été relâché et s'apprêtait à rentrer chez lui… chez cette petite fille. Augie et moi l'en avions empêché.

— Qu'est-ce que vous me cachez, Augie ?

Il laisse tomber sa tête dans ses mains.

— Augie ?

Il se frotte le visage. Lorsqu'il se redresse, il a les yeux rouges.

— Tu dis que Maura s'en veut d'avoir couru vers cette clôture.

— En partie, oui.

— Elle pense même que c'est sa faute.

— Oui, mais elle a tort.

— C'est pourtant ce qu'elle ressent, non ? Si elle n'avait pas fumé ni couru comme une dératée… c'est bien ce qu'elle t'a dit, n'est-ce pas ?

— Où voulez-vous en venir ?

— Tu veux punir Maura ?

Je croise son regard.

— C'est quoi, ce délire, Augie ?

— Réponds-moi.

— Bien sûr que non.

— Même si elle est en partie responsable ?

— Elle ne l'est pas.

Il se cale dans son siège.

— Maura t'a parlé des projecteurs. De tout ce vacarme. Tu te demandes pourquoi personne ne l'a signalé, hein ?

— C'est vrai.

— Tu connais l'endroit. Les Meyer habitaient tout près de la base. Dans ce cul-de-sac. Ainsi que les Carlino et les Brannum.

— Attendez.

Je commence à comprendre.

— Vous avez été prévenu ?

Son regard erre sur la salle.

— Dodi Meyer nous a appelés. Pour dire qu'il se passait quelque chose à la base. Elle nous a parlé des projecteurs. Elle pensait… Elle pensait que c'étaient des gamins qui s'étaient introduits là-dedans, auraient allumé les lumières et fait exploser des pétards.

Je sens une boule dans ma gorge.

— Et alors, qu'avez-vous fait, Augie ?

— J'étais dans mon bureau. L'opérateur m'a demandé si je voulais prendre l'appel. Il était tard. L'autre voiture de patrouille était partie régler un conflit domestique. J'ai donc dit oui.

— Et ensuite ?

— Quand je suis arrivé sur place, les lumières étaient déjà éteintes. J'ai aperçu… un pick-up devant le portail.

Prêt à partir. Sa benne était recouverte d'une bâche. J'ai sonné. Andy Reeves est sorti à ma rencontre. Je ne me suis pas demandé pourquoi il y avait tout ce monde dans une antenne du ministère de l'Agriculture à cette heure tardive. Ce que tu dis à propos du site noir ne me surprend pas. J'ignorais ce qui se tramait là-bas, mais, à l'époque, je faisais encore bêtement confiance au gouvernement de mon pays. Donc, Andy Reeves est sorti. Je lui ai dit qu'on nous avait appelés pour des troubles à l'ordre public.

— Et qu'a-t-il répondu ?

— Qu'un daim avait bondi sur la clôture. C'est ce qui avait déclenché l'alarme et les projecteurs. Il m'a dit qu'un de ses gardes avait paniqué et ouvert le feu. C'est ce qui expliquait les tirs. Le garde a tué le daim. Il m'a montré la bâche à l'arrière du pick-up.

— Et vous l'avez cru sur parole ?

— Pas vraiment. Mais le site était classé secret-défense. Alors je n'ai pas insisté.

— Et après ?

Sa voix semble venir de très loin.

— Je suis rentré chez moi. J'avais terminé mon service. Je me suis couché et, quelques heures plus tard…

Il hausse les épaules, mais je ne suis pas prêt à lâcher l'affaire.

— Vous avez reçu un coup de fil à propos de Leo et Diana.

Augie acquiesce. Il a les larmes aux yeux.

— Et vous n'avez pas pensé qu'il y avait peut-être un lien ?

Il réfléchit un instant.

— Il est possible que je n'aie pas voulu le voir. C'était sans doute une manière de me défausser, un peu comme Maura. De justifier mon erreur. Non, je n'ai pas pensé qu'il pouvait y avoir un lien.

Mon téléphone vibre. Je vois l'heure, neuf heures dix, avant même d'avoir ouvert le texto de Muse :

Où êtes-vous, bordel de m... ??!!

Je réponds :

Je serai là dans 1 mn.

Je me lève. Augie a les yeux rivés sur le plancher.

— Tu es en retard à ton rendez-vous, dit-il sans me regarder. Allez, vas-y.

J'hésite. En un sens, cela explique pas mal de choses : sa réticence, son refus d'admettre une théorie autre que la thèse officielle, son manque d'intérêt. Son cerveau renâclait à établir un lien entre le meurtre de sa fille et sa visite nocturne à la base, car il se serait senti encore plus coupable de n'avoir pas réagi sur le moment. Tout en me dirigeant vers la sortie, je m'interroge. Ai-je bien fait de tout déballer au risque de l'anéantir à nouveau ? Je me demande si chaque nuit, en fermant les yeux, il ne va pas revoir la bâche à l'arrière du pick-up en songeant à ce qu'il y avait dessous. Ou était-ce déjà le cas, de façon plus ou moins inconsciente ? Est-ce la raison pour laquelle il a tout de suite adhéré à la version officielle à propos de la mort de sa fille ? Pour éviter d'assumer son propre rôle, aussi infime fût-il, dans cette tragédie ?

Mon téléphone sonne. C’est Muse.

— J’arrive, lui dis-je.

— Qu’est-ce que vous fabriquiez, bon sang ?

— Pourquoi, qu’est-ce qui se passe ?

— Dépêchez-vous.

31

Le bureau du procureur du comté d'Essex se trouve dans le bâtiment du palais de justice, sur Market Street. Je connais bien l'endroit. Un bon tiers des affaires criminelles de l'État sont traitées ici. Au moment où je pénètre à l'intérieur, mon téléphone émet un tintement inhabituel : c'est la nouvelle application que Maura m'a installée. Je parcours son message :

Je suis repassée devant. Les flics ont trouvé la Mustang jaune.

Ce n'est pas bon signe, mais j'ai encore de la marge avant qu'ils ne remontent jusqu'à moi. Enfin, je crois. Je tape la réponse :

OK. Je vais à mon rendez-vous.

Loren Muse m'accueille à la porte. Ses yeux lancent des éclairs. Elle est toute petite, mais flanquée de part et d'autre de deux grands gaillards en costume-cravate. Le plus jeune des deux est maigre et musculeux, avec un regard dur. Son collègue arbore une couronne de cheveux trop longs autour d'un crâne dégarni. Sa bedaine proéminente met à rude épreuve les boutons de sa chemise. Nous entrons dans l'aire de réception, et il dit :

— Je suis l'agent spécial Rockdale. Et voici l'agent spécial Krueger.

Le FBI. Nous échangeons une poignée de main. Krueger, naturellement, cherche à me broyer les doigts. Je réagis en fronçant les sourcils.

Une fois les présentations terminées, Rockdale s'adresse à Muse :

— Merci pour votre coopération, m'dame. Ce serait gentil de nous laisser maintenant.

Muse apprécie modérément.

— Vous laisser ?

— Oui, m'dame.

— Ceci est mon bureau.

— Votre aide nous a été précieuse, mais il faut qu'on parle à l'inspecteur Dumas seuls à seul.

— Non, dis-je.

Ils se tournent vers moi.

— Pardon ?

— Je tiens à ce que le procureur Muse assiste à notre entrevue.

— Vous n'êtes soupçonné d'aucun crime, réplique-t-il.

— Peu importe, je veux qu'elle assiste à cet entretien.

Rockdale regarde Muse.

— Vous l'avez entendu, dit-elle.

— Écoutez, m'dame…

— Cessez de m'appeler m'dame.

— Toutes mes excuses, madame le procureur. Vous avez bien reçu un appel de votre supérieur ?

— C'est exact, rétorque Muse entre ses dents.

Son supérieur n'est autre que le gouverneur de l'État du New Jersey.

— Il vous a demandé de coopérer et de nous laisser carte blanche dans cette affaire relevant de la sécurité nationale, n'est-ce pas ?

Mon portable vibre. Je jette un œil et constate, interloqué, que ça vient de Tammy.

Une fourgonnette de gars en train de fouiller ta maison. Avec des coupe-vent du FBI.

Je ne suis pas surpris. Ils cherchent la cassette, mais elle n'est pas chez moi. Je l'ai enterrée – devinez où ? – dans les bois près de l'ancienne base.

— Le gouverneur m'a appelée, déclare Muse, mais l'inspecteur Dumas vient de faire une demande…

— … irrecevable.

— Comment ?

— C'est une question de sécurité nationale, je le répète. L'affaire qui nous amène est classée secret-défense.

Muse m'interroge du regard.

— Nap ?

Je pense aux problèmes soulevés par Augie, à ce qui devrait rester secret, aux vrais responsables de la mort de Leo et à la meilleure façon d'en finir une bonne fois pour toutes.

Nous nous tenons sur le pas de la porte. Les proches collaborateurs de Muse, qui sont au nombre de quatre, font semblant de ne pas écouter. Je regarde les deux agents. Rockdale me considère d'un œil torve. Krueger serre et desserre les poings, me toisant comme si je venais d'être éjecté d'une benne à ordures.

J'en ai assez.

Je me tourne vers Muse et déclame suffisamment fort pour que son personnel puisse m'entendre :

— Il y a quinze ans, la vieille base de missiles Nike à Westbridge a servi de site noir pour la détention illégale de citoyens américains soupçonnés de collusion avec des organisations terroristes. Une bande de lycéens, dont mon frère jumeau décédé faisait partie, a filmé un hélicoptère Black Hawk atterrissant là-bas en pleine nuit. Ils veulent récupérer la cassette.

J'indique les deux agents.

— D'ailleurs, en ce moment même, leurs collègues sont en train de fouiller ma maison. Soit dit en passant, ils ne la trouveront pas.

Krueger roule des yeux furieux. Il bondit vers moi, la main tendue comme pour m'étrangler. Comprends-moi bien, Leo. Je sais me servir de mes poings. Je me suis beaucoup entraîné, et je suis plutôt quelqu'un d'athlétique. Mais j'imagine qu'en temps ordinaire, ce gars-là aurait pu facilement avoir le dessus. Alors comment expliquer ce qui va suivre ? Comment expliquer que je réagis suffisamment vite pour parer l'attaque avec mon avant-bras ? La réponse est simple.

Il me vise à la gorge.

La partie de mon corps qui me permet de respirer.

Or, après la nuit que je viens de passer, après avoir été attaché à cette table, je sens en moi comme une force primitive que je peux mobiliser instantanément. Une sorte d'instinct surhumain qui protégera désormais cette partie de mon anatomie en toutes circonstances.

Le problème, c'est qu'il ne suffit pas de bloquer un coup pour mettre un terme à une agression. Il faut contre-attaquer. J'utilise la tranche de ma main pour le frapper au plexus solaire. Le souffle coupé, Krueger tombe sur un genou. Je m'écarte d'un bond, les poings levés, au cas où son comparse voudrait s'en mêler. Mais non, il se borne à contempler son camarade d'un air choqué.

— Vous venez d'agresser un agent fédéral, me dit Rockdale.

— Légitime défense ! crie Muse. Ça ne va pas bien, vous deux ?

Il se plante devant elle.

— Votre enquêteur vient de divulguer des informations classées secret-défense, ce qui est contraire à la loi, surtout quand il s'agit d'un mensonge.

— Si c'est un mensonge, repartit Muse en haussant le ton, pourquoi l'a-t-on classé secret-défense ?

Mon portable se remet à bourdonner. Comme c'est un message d'Ellie, je comprends que je dois leur fausser compagnie, et vite.

J'ai retrouvé Beth.

— Écoutez, dis-je, je suis désolé. Allons régler ça à l'intérieur, OK ?

Je me penche pour aider Krueger à se relever. Il n'est pas content et repousse ma main, mais son humeur belliqueuse semble l'avoir déserté. Pendant que je joue les pacificateurs, nous nous engouffrons dans le bureau de Muse. J'ai un plan, un plan d'une simplicité enfantine, mais quelquefois c'est ce qui marche le mieux. Une fois que tout le monde s'est assis, je me relève.

— J'ai… euh… je reviens tout de suite.

— Qu'est-ce qui se passe ? questionne Muse.

— Rien.

Je m'efforce de prendre un air gêné.

— Il faut que j'aille aux toilettes. J'en ai pour deux minutes.

Je n'attends pas la permission. Après tout, je suis un adulte, non ? Je sors dans le couloir. Personne ne m'a suivi. Les toilettes des hommes sont un peu plus loin. Je les dépasse et arrive sur le palier. Je dévale les marches et traverse le hall du rez-de-chaussée au pas de course.

Moins de soixante secondes après avoir quitté le bureau de Muse, je suis dehors, et je mets de la distance entre moi et ces agents fédéraux.

J'appelle Ellie pour lui demander :

— Où est Beth ?

— À la ferme de ses parents à Far Hills. Enfin, je crois que c'est elle. Et toi, tu es où ?

— À Newark.

— Je t'envoie l'adresse. En voiture, il y en a pour moins d'une heure.

Je raccroche tout en pressant le pas. Je tourne dans University Avenue et ouvre la nouvelle application pour appeler Maura. J'ai peur qu'elle ne réponde pas, qu'elle se soit encore évanouie dans la nature, mais elle décroche aussitôt.

— Oui ?

— Où es-tu ?

— Garée en double file devant le bureau du procureur dans Market Street.

— Avance et tourne à droite dans University Avenue. On va rendre visite à une vieille connaissance.

32

Une fois dans la voiture de Maura, j'envoie un texto à Muse :

Désolé. Je vous expliquerai plus tard.

— Où va-t-on ? demande Maura.
— Voir Beth.
— Tu l'as retrouvée ?
— Pas moi, Ellie.

J'entre l'adresse qu'Ellie m'a donnée dans le navigateur GPS de mon smartphone. Durée du trajet affichée : trente-huit minutes. Nous quittons la ville, direction route 78.

— Quel rapport entre Beth Lashley et toute cette histoire ? s'enquiert Maura. Tu as une idée ?

— Ils y étaient tous ce soir-là. Du côté de la base. Rex, Hank, Beth.

Elle hoche la tête.

— C'est une explication possible. On avait donc tous une bonne raison de prendre la tangente.

— Sauf qu'ils ne l'ont pas fait. Au début, du moins. Ils ont fini le lycée. Ils sont partis étudier ailleurs. Deux d'entre eux, Rex et Beth, ne sont pas revenus. Ils ne se cachaient pas vraiment, mais, à l'évidence, ils ne voulaient plus entendre parler de Westbridge. Hank, c'était différent. Tous les jours, il faisait le même parcours depuis la vieille base jusqu'à la voie ferrée. Comme pour étudier le trajet. Comme s'il essayait de comprendre comment Leo et Diana s'étaient retrouvés là-bas. Je saisis mieux maintenant. Il a dû les voir se faire descendre à côté de la base, comme toi.

— Je ne les ai pas vus se faire descendre, à proprement parler.

— Je sais. Mais admettons que, toi exceptée, le Club des conspirateurs ait été là au complet : Leo, Diana, Hank, Beth et Rex. Admettons qu'ils aient vu les projecteurs et entendu les coups de feu. Tout le monde a dû prendre ses jambes à son cou. Peut-être que Hank et les autres ont vu Leo et Diana tomber sous les balles. Comme toi, ils étaient terrorisés. Or, le lendemain, on découvre les corps de Leo et de Diana sur la voie ferrée à l'autre bout de la ville. Ils devaient ne plus rien y comprendre.

— Ils ont probablement deviné que les types de la base les avaient déplacés.

— Sûrement.

— Mais ils sont restés en ville.

Maura s'engage sur la bretelle d'entrée de l'autoroute.

— Il faut croire que Reeves et les autres n'étaient pas au courant pour Hank, Rex et Beth. Peut-être que seuls Leo et Diana s'étaient trop approchés de la clôture.

Cela semble logique.

— Et à en juger par la réaction de Reeves, il ignorait l'existence de la cassette.

— Ils pensaient que j'étais le seul témoin vivant, dit Maura. Jusqu'à récemment.

— C'est ça.

— Mais alors qu'est-ce qui les a trahis ? Quinze ans après ?

Je me creuse les méninges et entrevois une solution possible. Maura le remarque du coin de l'œil.

— Quoi ?

— La vidéo virale.

— Quelle vidéo virale ?

— Celle de Hank soi-disant en train de s'exhiber.

Je lui raconte l'histoire de cette vidéo et explique que les gens considèrent le meurtre de Hank comme un acte de vengeance.

— Tu crois, demande Maura, que quelqu'un de la base aurait vu cette vidéo et reconnu Hank quinze ans après ?

Je secoue la tête.

— Ça ne tient pas debout. S'ils avaient vu Hank cette nuit-là…

— … ils l'auraient identifié plus tôt.

Quelque chose nous échappe assurément, mais je ne peux pas m'empêcher d'établir un lien de cause à effet avec cette vidéo. Pendant quinze ans, ils ont vécu en paix. Jusqu'à cette vidéo virale de Hank dans le parc derrière le collège.

Il y a forcément un lien.

Nous passons devant un panneau marron orné d'un cavalier en habit rouge et de l'inscription BIENVENUE À FAR HILLS. Ce n'est pas une région agricole. Cette partie du comté de Somerset est peuplée de gens riches qui aspirent à une vie à la campagne avec une grande maison, un vaste terrain et pas de voisins à proximité. Je connais un philanthrope dans le coin avec un golf de trois trous sur ses terres. Certains possèdent un haras, d'autres cultivent des pommes à cidre… bref, c'est ce qu'on pourrait appeler jouer au gentleman-farmer.

Je jette un coup d'œil sur le visage de Maura. Subjugué, je lui prends la main. Elle sourit, et je sens un feu liquide se répandre dans mes veines. Elle porte ma main à ses lèvres pour y déposer un baiser.

— Maura ?

— Oui ?

— Si tu dois repartir, je viens avec toi.

Elle presse ma main contre sa joue.

— Je ne te laisserai pas, Nap. Que tu restes, que tu partes, que tu vives, que tu meures, je ne te laisserai plus.

Pas besoin d'en rajouter. Nous ne sommes pas des ados téléguidés par leurs hormones, ni des amants maudits. Nous avons vécu des guerres, livré des batailles et nous connaissons la valeur des choses. Pas de faux-semblants entre nous, pas de non-dits, pas de devinettes.

Ellie est garée sur le bas-côté de la route perpendiculaire à celle où habite Beth. Nous nous rangeons derrière sa voiture. Ellie et Maura s'étreignent. Elles ne se sont pas vues depuis quinze ans, depuis qu'Ellie a caché Maura dans sa chambre. Lorsqu'elles se séparent, nous montons tous dans la voiture d'Ellie et roulons jusqu'au portail qui interdit l'accès à la propriété.

Ellie appuie sur la sonnette de l'interphone. Pas de réponse. Elle recommence. Toujours rien.

Au fond, j'aperçois le corps de ferme blanc. Comme toutes les maisons de campagne blanches, je la trouve belle et nostalgique ; on s'imagine sans peine mener une existence simple et heureuse sous son toit. Je descends de voiture et tire sur le portail. En vain.

Mais pas question de faire demi-tour. Je m'approche de la clôture en bois, me hisse par-dessus et saute dans le jardin. Je fais signe à Ellie et Maura de ne pas bouger. Il y a peut-être deux cents mètres à parcourir jusqu'à la maison. Comme il n'y a pas d'arbres, je longe tranquillement l'allée sans chercher à me dissimuler.

En m'approchant, j'aperçois un break Volvo dans le garage. Immatriculé dans le Michigan. Beth vit à Ann Arbor. Inutile d'être un détective de choc pour deviner que cette voiture est sûrement la sienne.

Je ne sonne pas à la porte. Si Beth est à l'intérieur, elle sait déjà que nous sommes là. Je fais le tour de la maison en jetant un œil par les fenêtres.

Je regarde dans la cuisine, et je la vois. Avec une bouteille de Jameson presque vide sur la table. Le verre devant elle est à demi plein.

Elle tient un fusil sur ses genoux.

Je l'observe tandis qu'elle prend le verre d'une main tremblante et avale son contenu. Je scrute ses mouvements. Ils sont lents et délibérés. Comme je viens de le dire, la bouteille est presque vide, et maintenant son verre l'est aussi. J'hésite sur la meilleure façon de l'aborder, mais, d'un autre côté, je n'ai pas envie de perdre mon temps. Je me glisse jusqu'à la porte de derrière, lève le pied et donne un grand coup juste au-dessus de la poignée. Le bois cède comme si c'était une cagette. Dans la foulée, je franchis la distance entre la porte et la table de cuisine en moins de deux secondes.

Beth est lente à réagir. Elle commence tout juste à lever son fusil quand je le lui prends des mains comme on retire une sucette à un petit enfant.

Elle me dévisage quelques instants.

— Salut, Nap.

— Salut, Beth.

— Allez, finissons-en, dit-elle. Tue-moi.

33

J'enlève le chargeur et le jette dans un coin tout en gardant le fusil à la main. Puis j'appelle Maura via son application pour leur dire que tout va bien et qu'elles m'attendent dans la voiture. Beth me défie du regard. Je tire une chaise et m'assieds en face d'elle.

— Pourquoi veux-tu que je te tue ?

Physiquement, Beth n'a pas beaucoup changé depuis le lycée. J'ai remarqué que les filles de ma classe, qui ont maintenant la trentaine passée, ont embelli avec l'âge. J'ignore si c'est une question de maturité ou d'assurance, ou quelque chose de plus tangible comme le tonus musculaire ou la peau resserrée autour des pommettes. En tout cas, en regardant Beth, je n'ai aucun mal à reconnaître l'adolescente qui était premier violon dans l'orchestre du lycée ou qui a gagné une bourse de biologie en terminale.

— Pour te venger, répond-elle.

Sa voix est légèrement pâteuse.

— Me venger de quoi ?

— Pour nous faire taire, peut-être. Pour masquer la vérité. C'est idiot, Nap. Pendant quinze ans, nous n'avons pas soufflé mot. Jamais je n'aurais parlé, je le jure devant Dieu.

Je ne sais pas quelle attitude adopter. Dois-je lui dire de se détendre, que je ne suis pas là pour lui faire du mal ? Est-ce que cela la mettrait en confiance ? Ou faut-il laisser planer le doute pour qu'elle pense que le seul moyen de sauver sa peau serait de cracher le morceau ?

— Tu as des enfants, lui dis-je.

— Deux garçons. Six et huit ans.

Je lis la peur dans ses yeux, comme si l'alcool avait cessé de produire son effet. Je n'ai pas envie de ça. Je veux juste connaître la vérité.

— Dis-moi ce qui s'est passé cette nuit-là.

— Tu ne le sais vraiment pas ?

— Je ne le sais vraiment pas.

— Qu'est-ce que Leo t'a raconté ?

— Comment ça ?

— Tu avais un match de hockey, non ?

— Exact.

— Eh bien, avant ton départ, qu'est-ce qu'il t'a dit ?

Cette question me surprend. J'essaie de me reporter en arrière… au début de cette fameuse soirée. Je suis chez moi. Mon sac de hockey est prêt. C'est fou, tout le barda qu'on doit se trimballer : patins, crosse, coudières, jambières, épaulières, gants, protège-cou, casque. Papa a fini par dresser une check-list afin d'éviter que j'arrive à la patinoire et appelle pour dire : « J'ai oublié mon protège-dents. »

Où étais-tu, Leo ?

Ce dont je me souviens, maintenant que j'y pense, c'est que tu n'étais pas en bas avec nous. D'habitude, tu étais là au moment de la check-list. Tu me conduisais au lycée pour me déposer à l'autocar. C'était devenu une routine.

Papa et moi consultions la check-list. Et toi, tu me déposais au car.

Mais pas ce soir-là. Je ne me rappelle plus pourquoi. Quand on en a fini avec la liste, papa a voulu savoir où tu étais. J'ai probablement haussé les épaules. Puis je suis monté dans notre chambre. Tu étais couché dans le noir sur le lit du dessus. « Tu m'emmènes ? ai-je dit.
— Demande à papa. Je voudrais me reposer un peu. »

C'est donc papa qui m'a accompagné. Et voilà. Ce sont les dernières paroles qu'on a échangées. À l'époque, je n'y ai pas accordé beaucoup d'importance. Quand on a parlé d'un double suicide, j'ai dû y repenser – ce n'étaient pas tant les mots que ton humeur sombre, le fait de rester allongé dans le noir –, puis je suis passé à autre chose. Un peu comme Augie avec sa visite nocturne à la base. Je me refusais à envisager la thèse du suicide. On est tous pareils. On ne voit que ce que l'on a envie de voir.

Et, pour répondre à Beth :

— Leo ne m'a rien dit.

— Rien à propos de Diana ? Rien à propos de ses plans pour la soirée ?

— Rien du tout.

Beth verse un peu de whisky dans son verre.

— Et dire que je vous croyais proches.

— Que s'est-il passé, Beth ?

— Pourquoi est-ce si important, tout à coup ?

— Ça a toujours été important.

Elle lève son verre pour examiner son contenu.

— Beth ?

— La vérité ne t'aidera pas, Nap. Au contraire, ce sera pire.

— Je m'en fiche, lui dis-je. Allez, raconte.

— Il ne reste plus que moi, hein ? Tous les autres sont morts. Je pense qu'on a tous essayé de se racheter. Rex est entré dans la police. Moi, je suis cardiologue, mais je travaille surtout en milieu défavorisé. J'ai ouvert une clinique pour soigner les malades cardiaques sans ressources : prévention, traitement, médication, opérations le cas échéant. Les gens me prennent pour quelqu'un d'altruiste et de dévoué, mais je crois que je fais ça pour réparer le mal que j'ai causé ce soir-là.

Beth contemple fixement la table.

— Nous sommes tous coupables, mais il y avait un meneur. C'était son idée à lui. Il a mis son plan à exécution. Et nous autres avons suivi comme des moutons. Quelque part, c'est encore pire. Quand j'étais gamine, je détestais les petits tyrans à l'école. Mais tu sais qui je détestais le plus ?

Je secoue la tête.

— Les enfants qui se tenaient derrière le tyran et se contentaient de regarder. Comme nous, quoi.

— Qui était le meneur ? je demande.

— Tu le sais bien, réplique-t-elle avec une grimace.

Je le sais, en effet. C'était toi, Leo.

— Leo a su par la bande que Diana allait rompre avec lui. Elle attendait juste que ce bal à la noix soit passé. Je trouve ça nul, d'avoir utilisé Leo de cette façon-là. Mon Dieu ! voilà que je parle comme une ado. Au début, Leo a été triste, puis il a piqué une crise. Bien sûr, tu sais que ton frère était souvent défoncé ?

J'acquiesce vaguement.

— Comme nous tous, d'ailleurs. Sur ce point aussi, on le suivait. À mon avis, c'est ce qui a semé la discorde entre Diana et lui. Leo aimait faire la fête ; Diana était fille de flic et elle n'aimait pas ça. Bref, Leo a pété les plombs : il faisait les cent pas en hurlant que Diana était une salope et qu'elle allait nous le payer. Tu es au courant pour le Club des conspirateurs ?

— Oui.

— Moi, Leo, Rex, Hank et Maura. Il a décrété que le Club des conspirateurs allait se venger de Diana. Sur le moment, personne ne l'a pris au sérieux. Nous étions censés nous retrouver chez Rex, mais Maura n'est pas venue. Ce qui est bizarre. Car c'est elle qui a disparu ce soir-là. Je me suis souvent demandé pourquoi Maura s'était enfuie alors qu'elle n'avait même pas participé au plan.

Beth baisse la tête.

— C'était quoi, ce plan ? dis-je.

— On avait chacun une mission. Hank s'est procuré du LSD.

Je crois rêver.

— Vous preniez du LSD ?

— Non, c'était la première fois. Cela faisait partie du plan. Hank connaissait quelqu'un en cours de chimie qui lui a préparé une version diluée. Rex… eh bien, il a fourni le local. Nous devions nous retrouver dans son sous-sol. Et moi, j'étais chargée de faire avaler le breuvage à Diana.

— Le LSD ?

Beth hoche la tête.

— Jamais Diana n'en aurait pris d'elle-même, mais elle était une grande consommatrice de Coca light. Mon rôle était donc de trafiquer sa boisson. Comme je l'ai dit, chacun avait sa mission. Quand Leo est allé chercher Diana, tout le monde était fin prêt.

Je repense aux confidences d'Augie, au remords qui le rongeait parce qu'il n'avait pas su empêcher Diana de sortir.

Je demande :

— Et ensuite ?

— Diana n'était pas très rassurée quand Leo l'a amenée dans le sous-sol de Rex. C'est pour ça que j'étais là, tu comprends. Une présence féminine. Pour l'aider à se détendre. On a tous promis qu'on ne boirait pas. On a joué au ping-pong. On a visionné un film. Et, bien sûr, on a bu des sodas. Dans les nôtres, on avait mis de la vodka. Celui de Diana contenait la potion que Hank avait rapportée. On rigolait tellement que j'en ai presque oublié pourquoi on était là. À un moment, j'ai regardé Diana : elle était complètement partie. Je me suis demandé si je n'avais pas trop forcé sur la dose. Elle était à moitié évanouie, quoi. Du coup, je me suis dit : *Mission accomplie. Finie, terminée.*

Beth s'interrompt. Elle semble perdue. J'essaie de la remettre sur les rails :

— Sauf que ce n'était pas fini.

— Eh non.

Elle fixe un point par-dessus mon épaule, comme si je n'étais pas là… et elle non plus, du reste.

— J'ignore qui a eu cette idée. Rex, je crois. Il a été moniteur dans une colonie de vacances. Il nous racontait que, la nuit, quand tout le monde dormait, ils transportaient un gamin avec son lit dans la forêt et le laissaient là. Puis ils se cachaient et attendaient, morts de rire, qu'il se réveille. Rex avait plein d'histoires comme ça, et toujours très drôles. Une fois, il s'était planqué sous le lit d'un gamin et l'avait poussé par en dessous jusqu'à ce que le garçon se réveille en hurlant. Une autre fois, il avait mis la main d'un gamin dans de l'eau tiède. C'était censé le faire pisser au lit, mais il s'était levé comme pour aller aux toilettes et était entré dans un buisson. Alors Leo a dit… oui, c'était bien Leo : « On n'a qu'à emmener Diana dans les bois à côté de la base. »

Nom de Dieu !

— Alors on y est tous allés. Il faisait noir. On a traîné Diana le long du Sentier. J'attendais que quelqu'un dise stop, mais personne n'a moufté. Tu vois la clairière derrière ce vieil amas rocheux ? Leo voulait la laisser là parce que c'était l'endroit où ils allaient pour « se tripoter ». Il n'arrêtait pas de le répéter d'une voix moqueuse. Pour se tripoter. Car Diana refusait d'aller plus loin. Nous avons déposé Diana là-bas, l'avons jetée comme un vulgaire sac-poubelle. Leo la regardait, je me souviens, comme si… presque comme s'il allait la violer. Finalement, il a suggéré de nous cacher en attendant de voir sa réaction. On a trouvé une planque. Rex n'arrêtait pas de glousser. Et Hank aussi. Ça devait être nerveux, je pense. Leo, lui, faisait la tête. Moi… j'en avais assez. Je voulais rentrer chez moi. J'ai dit : « Ça suffit peut-être. » Et à Leo : « Tu es sûr de vouloir continuer ? » Il a pris soudain un air malheureux. Comme si… Comme s'il venait de se rendre compte de ce qu'il avait fait. J'ai vu une larme couler sur sa joue. J'ai dit : « C'est bon, Leo, viens, on ramène Diana chez elle. » Il était OK. Il a demandé à Hank et Rex de se calmer. Il s'est levé et s'est dirigé vers Diana quand…

Elle fond en larmes.

Je demande :

— Quand quoi ?

— Ça a été l'enfer. D'abord, ces lumières aveuglantes. Là-dessus, Diana a bondi sur ses pieds comme si on lui avait balancé un seau d'eau froide. Et elle a couru en hurlant dans cette direction. Leo a couru après elle. Rex, Hank et moi, on n'a pas bougé. On était comme pétrifiés. Je voyais la silhouette de Diana dans les faisceaux lumineux. Elle hurlait de plus en plus fort. Elle a commencé à arracher ses vêtements. Tous ses vêtements. Puis j'ai entendu des coups de feu. J'ai vu… J'ai vu Diana tomber. Leo s'est retourné vers nous. « Fichez le camp ! » a-t-il crié. Il n'a pas eu besoin de le répéter. On a couru à toutes jambes jusque chez Rex. On a attendu toute la nuit dans le noir que Leo… je ne sais pas quoi. On a conclu un pacte. Jamais on ne parlerait de ce qui s'était passé là-bas. Jamais. Alors on est restés là à attendre. On n'a rien su, ni cette nuit, ni même le lendemain matin. Peut-être que Diana était à l'hôpital et que tout finirait par s'arranger. Mais quand on a appris pour Leo et Diana sur la voie ferrée… on a tout de suite compris. Ces salopards les avaient tués et avaient maquillé ça en accident. Hank voulait aller voir la police, mais Rex et moi l'en avons dissuadé. Que pouvions-nous dire ? Que nous avons drogué la fille du capitaine, l'avons emmenée dans les bois, et ces gars-là l'ont abattue ? Nous avons tenu notre promesse.

Nous n'en avons plus reparlé. Et, après le lycée, nous avons quitté la ville.

Beth poursuit son monologue. Elle évoque la peur, la haine de soi, les moments de dépression, les troubles alimentaires, la culpabilité, l'horreur de cette nuit-là, les cauchemars... Elle rêve de Diana toute nue, elle tente de l'avertir en rêve, de la rattraper avant qu'elle ne se précipite vers les lumières. Elle se remet à pleurer, implore mon pardon, déclare qu'elle mérite tout ce qui lui arrive.

Mais je ne l'écoute qu'à moitié.

Mes pensées se bousculent, m'entraînent sur une piste que j'ai toujours refusé de suivre. Rappelez-vous, on voit ce que l'on a envie de voir. J'essaie de me faire violence. De me concentrer, même si cela me coûte. Beth m'a prévenu. Que la vérité ne me ferait pas du bien. Elle ne se doute pas à quel point elle avait raison. Je voudrais presque remonter le temps, revenir à cet instant où Reynolds et Sturbes ont frappé à ma porte : je les aurais renvoyés en disant que je n'étais au courant de rien, et les choses en seraient restées là. Mais il est trop tard. Je ne peux plus reculer. D'une manière ou d'une autre, justice doit être faite.

Car, maintenant, je connais la vérité.

34

— Tu as un ordinateur portable ? je demande à Beth.

Ma question la prend au dépourvu. Voilà cinq bonnes minutes qu'elle parle sans interruption. Elle se lève et va chercher un ordinateur qu'elle pose sur la table, face à moi. Je l'allume et tape l'adresse du site. Comme identifiant, j'entre l'adresse mail. Quant au mot de passe, je le trouve du troisième coup. Je consulte la correspondance privée et finis par tomber sur le nom que je cherche. Je le note, ainsi que le numéro de téléphone.

Il y a des dizaines d'appels manqués sur mon portable : Muse, Augie, Ellie, le FBI peut-être. Et plein de messages aussi. Pas étonnant. Le FBI me cherche à cause de la cassette. Les flics ont dû me voir dans la Mustang jaune sur les vidéos de surveillance du Bogoss Club.

Mais tout cela peut attendre.

Je passe quelques coups de fil de mon côté. J'appelle le poste de police de Westbridge. La chance est avec moi. Je téléphone dans le Sud. J'appelle le numéro trouvé sur le site et me présente en tant qu'officier de police. J'appelle le lieutenant Stacy Reynolds en Pennsylvanie.

— J'ai un service à vous demander.

Elle m'écoute et dit simplement :

— OK, j'envoie la vidéo par mail dans dix minutes.

— Merci.

Avant de raccrocher, elle questionne :

— Vous savez qui a commandité l'assassinat de Rex ?

Je le sais, oui, mais je préfère le garder pour moi. Je peux encore me tromper.

J'appelle Augie.

— Les agents fédéraux ont pu mettre mon téléphone sur écoute, me dit-il.

Je réponds :

— Peu importe. Je ne vais pas tarder à rentrer. Je leur parlerai à ce moment-là.

— Qu'est-ce qui se passe ?

Je ne sais comment l'annoncer à ce père endeuillé, mais je finis par opter pour la vérité. Il y a déjà eu assez de secrets comme ça, assez de mensonges.

— J'ai retrouvé Beth Lashley, dis-je.

— Où ça ?

— Elle se cache à la ferme de ses parents à Far Hills.

— Qu'est-ce qu'elle t'a dit ?

— Diana…

Je sens une larme au bord de ma paupière. Mon Dieu, Leo, qu'as-tu fait ? Quand je t'ai vu pour la dernière fois, allongé sur ton lit, étais-tu en train de ruminer ta vengeance ? Pourquoi ne m'as-tu rien dit ? Toi qui me racontais tout. Pourquoi as-tu pris tes distances ?

Ou serait-ce moi ? Étais-je tellement absorbé par mes propres préoccupations – le lycée, le hockey, Maura – que je n'ai pas senti ta souffrance, ni ton penchant pour l'autodestruction ?

Ce ne sont pas les coupables qui manquent.

Serais-je l'un de ceux-là ?

— Quoi Diana ? demande Augie.

— Je pars dans quelques minutes. Il vaut mieux que je vous l'explique face à face.

— C'est si grave que ça.

Augie n'interroge pas. Il constate.

Je ne réponds pas, de peur que ma voix ne me trahisse.

— Je serai chez moi, ajoute Augie. Tu n'auras qu'à passer.

Lorsque je le vois, mon cœur se serre douloureusement.

Voilà une heure que j'attends. Je ne suis pas un novice qui se serait assis devant la fenêtre comme Beth. J'ai trouvé un coin dans le séjour d'où je peux surveiller toutes les issues sans me faire surprendre.

Je connais la vérité, mais j'espère encore me tromper. J'espère passer le reste de la journée et la nuit dans cette maison de campagne, pour me rendre compte au matin que j'ai commis une erreur, me suis emmêlé les pinceaux, que j'ai eu irrémédiablement et merveilleusement tort.

Sauf que je ne me suis pas trompé. Je suis un excellent enquêteur. Il faut dire que j'ai été à bonne école.

Augie ne m'a pas vu.

Je lève mon arme et allume la lumière. Aussitôt, il pivote vers moi. Je voudrais lui lancer : « Pas un geste », mais je n'y arrive pas. Je reste là, mon arme braquée sur lui, priant pour qu'il ne sorte pas la sienne. Il voit mon visage. Il sait que je sais.

— Je suis allé sur votre site de rencontres, lui dis-je.

— Comment ?

— Votre identifiant était votre adresse mail.

Il hoche la tête en mentor qu'il est.

— Et le mot de passe ?

— Quatorze-onze-quatre-vingt-quatre. La date de naissance de Diana.

— Au temps pour moi.

— J'ai parcouru votre correspondance. Il n'y avait qu'une seule Yvonne. Yvonne Shifrin. Et son numéro de téléphone.

— Tu l'as appelée ?

— Oui. Vous ne vous êtes vus qu'une fois. Pour déjeuner. Vous étiez charmant, a dit Yvonne, mais il y avait trop de tristesse dans votre regard.

— Elle avait l'air gentille, commente Augie.

— J'ai quand même contacté le Sea Pine Resort à Hilton Head. Pour en avoir le cœur net. Vous n'avez jamais réservé de chambre chez eux.

— J'ai pu me tromper d'hôtel.

— Vous voulez vraiment jouer à ça, Augie ?

Il secoue la tête.

— Beth t'a raconté ce qu'ils ont fait à Diana ?

— Oui.

— Alors tu comprends maintenant.

— Avez-vous tué mon frère, Augie ?

— J'ai rendu justice à ma fille.

— Avez-vous tué Leo ?

Mais Augie n'entend pas me simplifier la tâche.

— Ce soir-là, je suis passé prendre du poulet au parmesan. Audrey avait une réunion de parents d'élèves ; j'étais donc seul avec Diana. J'ai bien vu que quelque chose la tracassait. Elle picorait dans son assiette, alors que, d'habitude, elle se jetait sur le poulet au parmesan.

Il penche la tête, perdu dans ses souvenirs.

— Je lui ai demandé ce qui n'allait pas. Elle m'a répondu qu'elle avait l'intention de rompre avec Leo. En toute franchise. C'était comme ça entre nous, Nap.

Il me regarde. Je ne dis rien.

— J'ai voulu savoir quand elle comptait le faire. Visiblement, elle préférait attendre après le bal. Je…

Il ferme les yeux.

— Je lui ai dit que la décision lui appartenait, mais que ce n'était pas correct vis-à-vis de Leo. Si elle n'avait plus de sentiments pour lui, pourquoi continuer à le mener en bateau ? Tu vois, Nap ? Si je ne l'avais pas ramenée, si je n'avais pas fourré mon nez dans les affaires de ma fille… Puis ton frère est arrivé, complètement défoncé, et moi, comme un idiot… Mon Dieu, mais pourquoi l'ai-je laissée partir ? Chaque nuit, couché dans mon lit, je me pose la même question. Chaque nuit de ma misérable, de mon inutile existence. Je passe et repasse dans ma tête les événements de cette soirée et je marchande avec Dieu ; je pense à tout ce que je donnerais, à toutes les tortures que je serais prêt à endurer pour pouvoir revenir en arrière et réécrire l'histoire. Dieu est si cruel parfois. Il m'a fait cadeau d'une fille merveilleuse. Je le savais. Je savais combien tout cela était fragile. Je faisais de mon mieux pour trouver le juste milieu entre l'autorité parentale et la liberté que je voulais offrir à mon enfant. Un putain d'exercice d'équilibriste, crois-moi.

Il reste debout, tremblant. Je garde mon arme pointée sur lui.

— Qu'avez-vous fait, Augie ?

— Je te l'ai déjà raconté. Suite à ce coup de fil, je me suis rendu à la base. Andy Reeves m'a fait entrer. J'ai tout de suite vu qu'il s'était passé quelque chose de grave. Tout le monde était blême. Pour commencer, Reeves m'a montré le corps à l'arrière du pick-up. Un type qu'ils détenaient là-bas. Un citoyen américain très en vue, apparemment. Il avait sauté par-dessus la clôture. Ils ne pouvaient pas se permettre de le laisser s'échapper. Comme il n'était pas censé être là, ils allaient se débarrasser du corps et dire qu'il était retourné en Irak ou quelque chose dans le genre. Reeves m'a expliqué tout cela en confidence. Mais j'ai compris. Secret d'État. Il voulait s'assurer qu'il pouvait me faire confiance. Je lui ai dit que oui. Puis… Puis il a ajouté qu'il avait quelque chose de terrible à me montrer.

Le visage d'Augie s'affaisse peu à peu.

— Il m'a accompagné dans les bois. Avec deux de ses hommes. Deux autres étaient déjà sur place. Il a pointé sa lampe torche et j'ai vu, par terre, toute nue…

Il lève les yeux, et je lis la rage dans son regard.

— … et à côté de ma fille, sanglotant convulsivement et lui tenant la main, il y avait Leo. Je les regarde, pétrifié, pendant que Reeves me résume la situation. Le prisonnier dans le pick-up s'est fait la belle. Ils ont allumé les projecteurs. Les gardes dans les miradors ont ouvert le feu. Normalement, il n'y avait personne dehors. Il faisait nuit. Il y avait des panneaux d'avertissement partout. Les gardes ont abattu le fugitif, mais, accidentellement, en pleine fusillade… il se trouve que Diana courait droit sur eux, nue comme un ver et hurlant à pleins poumons, alors l'un des gars, un bleu, a paniqué et tiré. On peut difficilement lui en vouloir. J'aurais dû m'effondrer, hein ? M'écrouler à côté de ma petite fille morte et pleurer toutes les larmes de mon corps. Mais je ne l'ai pas fait.

Augie me jette un coup d'œil. Je ne sais pas quoi dire, alors je ne dis rien.

— Leo continue à bafouiller. Je lui demande, très calmement, ce qui s'est passé. Reeves fait signe à ses gars de regagner la base. Leo s'essuie la figure avec sa manche. Il me dit qu'ils étaient dans les bois, Diana et lui, à s'embrasser et tout ça. À un moment, ils ont voulu aller plus loin. Ils ont commencé à se déshabiller. Quand les lumières se sont allumées, Diana a bondi, affolée. Reeves est là, qui écoute. Je le regarde. Il secoue la tête. Confirmant ce que je lis déjà sur le visage de ton frère. Leo nous ment. « On a la vidéo », me chuchote Reeves. J'aide ton frère à se remettre debout. Nous retournons à la base pour visionner les vidéos de surveillance. D'abord, Reeves me montre celle avec ta copine. Ils l'ont filmée également. Il me demande si je la connais. Je suis trop abasourdi pour répondre. « C'est Maura Wells », je lui dis. Il me montre alors un autre enregistrement. Je vois Diana. Elle court en hurlant. Les yeux agrandis de terreur, et elle arrache ses vêtements comme s'ils étaient en feu. C'est ainsi que ma petite fille a vécu ses derniers moments, Nap. Terrifiée et en hurlant. La balle l'atteint à la poitrine. Elle tombe à terre. Et Leo arrive par-derrière. Reeves arrête la vidéo. Je me tourne vers Leo qui se ratatine à vue d'œil. « Comment se fait-il que tu sois toujours habillé ? » je lui demande. Il est en larmes. Il commence à me monter un bateau sur leur grand amour et patati et patata. Seulement, vois-tu, je savais que Diana allait rompre avec lui. Je reste très calme, très compréhensif. Je joue mon rôle de flic face à un suspect. Je le travaille au corps. Mon cœur est en miettes, en train de se désintégrer dans ma poitrine, et qu'est-ce que je lui réponds ? « C'est bon, Leo, dis-moi la vérité. Il va y avoir une autopsie. Qu'est-ce qu'elle a pris comme drogue ? » À force de le cuisiner, je finis par le faire craquer. Ce n'est qu'un gamin, après tout.

— Que vous a-t-il dit ?

— Que c'était une blague. Il ne voulait pas lui faire de mal. Un canular stupide pour lui rendre la monnaie de sa pièce.

— Et qu'avez-vous fait ?

— J'ai regardé Reeves. Il a hoché la tête, genre on s'est compris. Pour moi, les choses étaient claires. Ce lieu était un site noir et devait le rester, quitte à sacrifier la vie de quelques civils. Il a quitté la pièce. Leo pleurait toujours. Je lui ai dit qu'il n'avait rien à craindre. Qu'il avait mal agi, ça oui, mais que risquait-il du point de vue pénal ? Pas grand-chose. D'accord, il avait refilé du LSD à sa copine. Au pire des cas, il serait inculpé d'homicide involontaire et remis en liberté conditionnelle. Je lui ai dit ça parce que c'était vrai, et, tout en parlant, j'ai sorti mon arme, l'ai collée contre son front et j'ai pressé la détente.

Je frémis comme si j'avais été là, Leo, juste à côté d'Augie pendant qu'il t'abattait froidement.

— Reeves est revenu dans la pièce. Il m'a dit de rentrer chez moi, qu'il s'occuperait de tout. Mais je ne suis pas parti. J'ai récupéré les affaires de ma fille et l'ai rhabillée ; je ne voulais pas qu'on la retrouve toute nue. Nous avons chargé les corps dans le pick-up et traversé la ville jusqu'à la voie ferrée. C'est moi qui ai déposé Diana sur les rails. J'ai vu cette énorme locomotive rouler sur ma fille chérie. Je n'ai pas cillé. Il fallait que l'horreur soit totale. Puis je suis rentré à la maison et j'ai attendu le coup de fil. Voilà, tu sais tout.

J'ai envie de l'insulter, de le frapper, mais à quoi bon ? Quel effroyable gâchis.

— Vous êtes fort en interrogatoire, lui dis-je, mais Leo n'a pas tout avoué, n'est-ce pas ?

— Non, répond Augie, il a couvert ses amis.

Je hoche la tête.

— J'ai eu votre jeune fliquette, Jill Stevens, au téléphone. Ça me turlupinait qu'elle ait laissé le dossier de Hank sur votre bureau sans que vous donniez suite. En réalité, vous avez donné suite, n'est-ce pas ?

— J'ai trouvé Hank du côté des terrains de basket. Il était très secoué par cette affaire de vidéo virale. Comme j'ai toujours eu un faible pour lui, je lui ai proposé de venir dormir à la maison. On a regardé un match des Knicks à la télé, puis je lui ai fait le lit dans la chambre d'amis. Il a vu la photo de Diana sur le bureau et, là, il s'est complètement effondré. Il s'est mis à sangloter en me suppliant de lui pardonner. Il répétait que c'était sa faute, et au début je n'ai pas su que penser. J'ai cru à une crise de démence, mais, à un moment, il a dit : « Je n'aurais jamais dû apporter le LSD. »

— Et là, vous avez compris.

— Il s'est repris, comme s'il s'était rendu compte qu'il en avait trop dit. J'ai dû le cuisiner longtemps. Il a fini par me raconter ce que lui, Rex et Beth avaient fait ce soir-là. Tu n'as pas d'enfants, je ne te demande donc pas de comprendre. Mais ils ont tous tué Diana. Ils ont assassiné ma petite fille. La prunelle de mes yeux. Ils ont tous les trois vécu quinze années de plus. Ils ont respiré, ils ont ri, ils ont grandi pendant que mon bébé pourrissait six pieds sous terre. Tu ne vois vraiment pas pourquoi j'ai fait ça ?

Je n'ai pas envie de le suivre sur ce terrain-là.

— Vous avez tué Hank en premier.

— Oui. J'ai caché le corps là où personne ne pouvait le trouver. Mais ensuite, quand nous sommes allés voir son père, j'ai décidé que Tom méritait de savoir ce qui était arrivé à son fils. J'ai accroché Hank à cet arbre et je l'ai castré pour qu'on fasse le rapprochement avec la vidéo virale.

— Et avant ça, vous vous êtes rendu en Pennsylvanie.

Il est trop fort, Augie. Il a dû sonder le terrain, s'informer sur Rex, découvrir sa combine et s'en servir contre lui. Je repense à la description que Hal, le barman, nous a faite du tueur : barbe en broussaille, cheveux longs, gros nez. Maura, qui avait croisé Augie brièvement à l'anniversaire de Diana, l'a décrit de la même façon.

— Vous vous êtes déguisé, vous avez même changé votre démarche. Mais quand on a analysé les vidéos du loueur de voitures, la taille et le poids correspondaient aux vôtres. Ainsi que la voix.

— Quoi, la voix ?

La porte de la cuisine s'ouvre sur Maura et Ellie. Je ne voulais pas qu'elles restent, mais elles ont insisté. Ellie a même fait remarquer que si elles avaient été des hommes, je ne les aurais pas congédiées. Ce en quoi elle n'a pas tort.

Maura m'adresse un signe de la tête.

— C'est la même voix.

— D'après Maura, le type qui a descendu Rex était un pro, dis-je, pressé d'en finir. Pourtant, ce pro l'a laissée partir. Cela a été mon premier indice. Vous saviez que Maura n'avait rien à voir avec la mort de Diana. Du coup, vous l'avez épargnée.

Et voilà. Il n'y a plus grand-chose à ajouter. Je pourrais mentionner d'autres indices qui m'ont conduit à lui : Augie savait que Rex avait été abattu de deux balles dans la tête, bien que je ne l'aie pas mentionné ; Andy Reeves, pendant que j'étais attaché à cette table, avait dit qu'il était désolé pour Diana, mais il n'avait pas soufflé mot à propos de Leo. Mais tout cela n'a plus d'importance.

— Alors, on fait quoi, Nap ? s'enquiert Augie.

— Vous êtes armé, je présume.

— Tu m'as donné cette adresse, réplique-t-il en hochant la tête. Tu sais pourquoi je suis venu.

Pour tuer Beth, la dernière personne à avoir joué un rôle dans la mort de sa fille.

— Mes sentiments pour toi, Nap, sont authentiques. Le chagrin nous a rapprochés… toi, ton père et moi. Je sais que ça paraît aberrant, presque malsain même…

— Non, je comprends.

— Je t'aime.

Mon cœur vole en éclats.

— Moi aussi, je vous aime.

Augie plonge la main dans sa poche.

— Ne faites pas ça, dis-je.

— Jamais je ne tirerais sur toi, rétorque-t-il.

— Je sais. Mais ne faites pas ça.

— Laisse-moi en finir une bonne fois pour toutes, Nap.

Je secoue la tête.

— Non, Augie.

Je traverse la pièce, prends son arme dans sa poche et la jette sur le côté. Quelque part, je n'ai pas envie d'empêcher son geste. Un suicide bien propre, bien net, n'est-ce pas la meilleure façon de conclure cette histoire ? On pourrait croire que j'ai enfin compris, qu'Augie m'a appris à tort à me substituer à la justice, que même si le système judiciaire n'est pas toujours au point, cela ne signifie pas qu'il faille prendre soi-même les choses en main, que je n'avais pas à punir Très tout comme Augie n'avait pas à punir Leo, Hank et Rex. On pourrait penser que j'interviens parce que les lois de notre pays ont la priorité sur les passions humaines.

Ou alors, pendant que je le menotte, je me dis que le suicide serait une issue trop facile, que s'il se tue, tout serait fini pour lui, tandis que laisser un vieux flic moisir en prison en compagnie de tous ses spectres est un sort bien pire qu'une balle expéditive.

Quelle est la bonne solution ?

Je suis brisé, anéanti. Un instant, je songe à l'arme que je porte. Il me serait si simple de te rejoindre, Leo. Mais cet instant est vite passé.

Ellie a déjà appelé la police. Pendant qu'on l'emmène, Augie se retourne vers moi. Il a peut-être quelque chose à me dire, mais je ne veux pas l'entendre, je ne supporterais pas de l'entendre. J'ai perdu Augie. Les mots n'y changeront rien. Je tourne les talons et sors dans le jardin.

Maura est là qui contemple les champs. Je m'approche par-derrière.

— J'ai une dernière chose à te dire, commence-t-elle.

— Laisse tomber.

— Plus tôt ce jour-là, j'ai croisé Ellie et Diana à la bibliothèque du lycée.

Je suis au courant, Ellie m'en a déjà parlé.

— Diana a dit qu'elle allait rompre avec Leo après le bal. J'aurais mieux fait de me taire. Ce n'était pas bien grave. J'aurais dû garder ça pour moi.

Cela aussi, je l'avais deviné.

— Tu l'as dit à Leo.

C'est comme ça que tu l'as su, hein, Leo ?

— Il était furieux. Il parlait de se venger, mais moi, il n'était pas question que j'y participe.

— C'est pour ça que tu t'es retrouvée toute seule dans les bois, dis-je.

— Si je n'avais pas cafté… rien de tout cela ne serait arrivé. C'est ma faute.

— Absolument pas.

Je la prends dans mes bras et l'embrasse. On pourrait continuer indéfiniment à chercher le coupable, pas vrai, Leo ? C'est sa faute parce qu'elle t'a révélé que Diana voulait te plaquer. C'est ma faute parce que je t'ai négligé. C'est la faute d'Augie, de Hank, de Rex, de Beth… bon sang, c'est la faute du président des États-Unis, qui a autorisé ce site noir.

Mais tu sais quoi, Leo ? Ça m'est égal maintenant. Je ne te parle pas vraiment. Tu es mort. Je t'aime et tu me manqueras jusqu'à la fin de mes jours, mais tu es mort depuis quinze ans. C'est long pour une période de deuil, tu ne crois pas ? Alors je vais te laisser partir et me raccrocher à quelque chose de plus substantiel. Je connais la vérité à présent. Et, tout en regardant cette femme belle et forte dans mes bras, je me dis que je suis enfin libre.

Remerciements

Si vous avez lu le mot d'introduction, vous savez que je me suis replongé dans mon enfance. Les souvenirs sur la page Facebook *Livingston, années 60-70* ont une valeur inestimable, mais j'aimerais remercier tout particulièrement Don Bender, un homme patient et spécialiste de tout ce qui touche aux anciens sites de missiles du New Jersey. Mes remerciements vont également, dans le désordre, à : Anne-Sophie Brieux, Anne Armstrong-Coben, Roger Hanos, Linda Fairstein, Christine Ball, Jamie Knapp, Carrie Swetonic, Diane Discepolo, Lisa Erbach Vance, John Parsley et d'autres que j'oublie, mais comme ils sont formidables et généreux, ils me le pardonneront.

Je voudrais aussi remercier Franco Cadeddu, Simon Fraser, Ann Hannon, Jeff Kaufman, Beth Lashley, Cory Mistysyn, Andy Reeves, Yvonne Shifrin, Marsha Stein et Tom Stroud. Ces gens-là (ou leurs proches) ont contribué généreusement à des œuvres caritatives de mon choix, en échange de quoi leurs noms apparaissent dans ce roman. Si vous voulez y participer à l'avenir, rendez-vous sur www.harlancoben.com pour plus de précisions.

Composition et mise en pages
Nord Compo à Villeneuve-d'Ascq

Imprimé en Espagne par
Liberdúplex
à Sant Llorenç d'Hortons (Barcelone)
en septembre 2019

S29215/01